CO-AOR-426

ГОСПОДИН
АДВОКАТ
ФРИДРИХ
НЕЗНАНСКИЙ

ФРИДРИХ НЕЗНАНСКИЙ

ЛЕЧЬ НА АМБРАЗУРУ

Москва 2002

УДК 821.161.1-312.4
ББК 84 (2Рос=Рус)6-44
Н44

Серия основана в 1998 году

Серийное оформление А.А. Воробьева

В оформлении книги использованы фотоматериалы Сергея Мамонтова

Эта книга от начала до конца придумана автором. Конечно, в ней использованы некоторые подлинные материалы как из собственной практики автора, бывшего российского следователя и адвоката, так и из практики других российских юристов. Однако события, место действия и персонажи, безусловно, вымышлены. Совпадения имен и названий с именами и названиями реально существующих лиц и мест могут быть только случайными.

Подписано в печать с готовых диапозитивов 22.02.02.
Формат 84×108[1]/32. Печать высокая с ФПФ. Бумага типографская. Усл. печ. л. 18,48. Тираж 20 000 экз.
Заказ 3358.

ISBN 5-17-013240-9 (ООО «Издательство АСТ»)
ISBN 5-7390-1153-1 (ООО «Агентство «КРПА «Олимп»)

Глава первая

КИЛЛЕР

Он предпочитал работать в домах, оборудованных дверными замками повышенной секретности. Уже одним только своим присутствием это техническое ухищрение делало жильцов, спрятавшихся за бронированными дверями, практически беспечными. А часто меняющиеся коды и прочая электроника — они лишь на неопытного обывателя производили впечатление, для специалиста это были семечки.

Дом, в котором он сейчас находился, был именно таким. Жилье улучшенной планировки. Просторные холлы между квартирами отделены от лифтов стальными дверями с глазками на них. Другие двери, попроще — фанера с армированным стеклом, — перекрывали площадки между лифтами и узкой мрачноватой лестницей. По таким лестницам обычно ходят разве что жильцы трех-четырех нижних этажей. Освещены они едва-едва, окошки узкие. А по вечерам, если здесь не тусуются подростки, расписывающие стены, вообще ходить неприятно. Однако все это ничуть не затрудняло условий работы.

Имелись, конечно, и минусы. Эти улучшенные дома, как правило, предусматривают присутствие сторожих в подъездах. Для этой цели отведены стеклянные загончики, обычно закрытые занавесками — хоть какой-то уют. Но загончики сами консьержки, как они себя именуют в элитных домах, запирают на замки и щеколды — для собственной же безопасности. А если ты знаешь коды и ведешь себя независимо, такая бабка даже и не обратит на тебя никакого внимания. Иногда, правда, устраивают допросы: кто таков, да к кому и так далее. Вероятность допросов увеличивается, если в доме проживает солидная публика: бизнесмены, крупные чиновники, бывшие партийные бонзы областного значения и им подобные.

Но чтобы не привлекать к себе ненужного внимания, чтобы избегать дурацких расспросов, он знал несколько простых способов, которыми постоянно, и не без успеха, пользовался. Главное здесь — это не упустить собственной инициативы. Работать на опережение.

Все вышеперечисленные условия имели самое прямое отношение и к дому, расположенному рядом с центром почти миллионного города Белоярска, в нескольких кварталах от величественного здания бывшего обкома партии, а ныне краевой администрации, от главной городской площади с неизменными гранитными трибунами и стремительно шагающим с высокого пьедестала в никуда бронзовым Ильичом, чей решительный жест руки, в соответствии с новым временем, указывал на противоположную сторону обширного асфальтированного пространства, где возвышался гостиничный комплекс а-ля «Хилтон», так сказать, восточно-сибирского розлива.

Киллер был впервые в этом городе.

Он считал себя профессионалом достаточно высокого уровня и старался выполнять свое дело в одиночку. Те, от кого он получал очередное задание, аванс и окончательный расчет, не отягощали его ненужными советами. Фотография клиента, деньги, необходимое оружие, а дальше исключительно дело исполнителя. Дело техники...

На сей раз нужды в фотографии не было. Портреты

клиента размером метр на два, а где и побольше, были выставлены по всему городу — на рекламных щитах и в витринах магазинов, а листовки с открытым, улыбчивым лицом простого сибирского мужика, уже правившего в крае в смутные времена первых лет демократизации, но отодвинутого нынешним губернатором, — эти яркие листовки полоскались на резком зимнем ветру и глядели на прохожих со всех столбов и подъездов.

Киллер не интересовался тонкостями политической борьбы, деталями предвыборной губернаторской гонки, до конца которой оставалось еще побольше двух месяцев. И не собирался он размышлять над тем, почему именно этот кандидат в губернаторы, Валерий Смирнов, утверждавший с плакатов и листовок: «Голосуй за своего! Не ошибешься!» — стал его, киллера, клиентом. А не, скажем, ныне действующий губернатор Андрей Гусаковский, пожелавший продлить срок своего правления в крае, или вон тот, Алексей Минаев, чье строгое лицо человека явно ученого, умного, в очках, указывало на серьезность его намерений. Их лица тоже отовсюду следили за горожанами, проходящими и проезжающими мимо, напоминая, что подступает ответственная пора — надо думать! Будто все остальное время этим заниматься нет ни малейшей необходимости...

Но как бы там ни было, а судьба первого из претендентов была, по сути, предрешена. Иначе зачем бы сейчас, в этот самый момент, стоял киллер перед дверьми лифта на седьмом этаже большого элитного дома и напряженно вслушивался, что делается этажом выше.

В дом он вошел без проблем. Два дня, которые он отвел себе на изучение подходов к объекту, дали исчерпывающую информацию.

Как еще в недавнем прошлом государственный чиновник высокого ранга, этот Смирнов был человеком внутренне дисциплинированным. Время его казалось размеченным по минутам — раз и навсегда. Что значительно облегчало задачу. Именно поэтому из всех возможных вариантов киллер легко выбрал наиболее для себя безопасный.

Ежедневно в девять вечера Смирнов, проживавший в обычном, пусть и повышенной комфортности, доме, а не в скромном личном особняке, которым отдают предпочтение руководители новейших времен, выводил на прогулку своего пса — шоколадно-рыжего ирландского сеттера по кличке Лан — так, во всяком случае, слышал киллер собственными ушами. Сеттеры — собаки охотничьи и никакой опасности для чужого человека не представляют. И это — хорошо.

Система подачи лифтов на этажи была известна киллеру, значит, и остановить каждый из них в нужный момент тоже будет не трудно.

И вот без десяти минут девять — на улице было уже совсем темно, мороз к ночи усилился, а резкие порывы ветра вздымали со снежных сугробов у подъездов длинные шлейфы острой серебряной пыли — мимо углубленной в чтение газеты консьержки решительным шагом прошел высокий мужчина в плотной черной куртке с откинутым на спину капюшоном и в черной же шерстяной шапочке, надвинутой на брови.

На секунду задержавшись у давно не мытого окна в будке сторожихи, мужчина глухо спросил у бабки:

— Как у тебя? — и, не дожидаясь ответа, закончил: — Ладно, бди на посту! Ну холодрыга! — Он зябко передернул плечами, а на вопросительный взгляд бабки профессиональным движением достал из внутреннего кармана красную милицейскую книжицу, ловко развернул и сунул к самому стеклу, чтобы сторожиха с ее бдительным оком успела увидеть трехцветную внутренность удостоверения и фотографию в военной форме. Большего для нее и не требовалось.

Сочтя знакомство достаточным, мужчина кивнул ей покровительственно и направился к лифту.

Но поднялся он не до восьмого этажа, где проживал клиент, а остановился на седьмом. Проверил, открыта ли дверь на лестницу, вышел на площадку, осмотрелся, прислушался — было темно и тихо. Взглянул на часы — самое время. Вызванная им кабина лифта оказалась большой, грузовой. Когда дверь открылась, киллер ловко заклинил ее и снова затаился, прислушиваясь.

Наконец над его головой хлопнула, закрываясь, металлическая дверь, тут же загудел мотор другой кабины и явственно донеслись нетерпеливые повизгивания собаки.

Кабина пришла на восьмой этаж. Открылись двери, собака залаяла, и в тот же момент, когда стали закрываться двери, киллер нажал на кнопку вызова и спокойно достал из внутреннего кармана пистолет Макарова с навинченным на ствол длинным глушителем.

Дверь лифта открылась теперь перед ним. Киллер увидел знакомый по многочисленным плакатам повернутый к нему полупрофиль типичного сибирского мужика и поднял ствол.

Глухой хлопок... Крупное тело хозяина рыжего Лана вздрогнуло и стало медленно опускаться — сползать по стенке на пол тесной кабины.

Киллер сунул руку внутрь кабины, бросил пистолет на скорченное тело и пальцем в перчатке нажал на кнопку верхнего, семнадцатого этажа. Дверь стала закрываться. Заработал мотор. Кабина ушла вверх.

Последнее, что успел увидеть киллер, были блестящие и доверчивые глаза рыжего сеттера, естественно не понимавшего, что происходит...

Он сошел по лестнице, проходя мимо консьержки, кивнул ей и легонько махнул рукой в перчатке. Хлопнула одна дверь подъезда, вторая. На ступеньках его словно подхватил снежный вихрь, закрутил, завьюжил, а когда он, морщась, машинально повернулся к двери, чтобы защититься от порыва ветра, в глаза ему в упор взглянул Валерий Смирнов, теперь уже точно бывший соперник нынешнего губернатора славного сибирского города Белоярска. И взгляд этот почему-то не вызвал никаких эмоций у киллера, только что успешно выполнившего свой заказ: в качестве «работы» он не сомневался. А вот глаза собаки почему-то тревожили.

Нет, он конечно понимал, что никакой собака не свидетель, но... Что-то темное, мистическое — настораживало. Подумал даже было, что, возможно, следовало бы уж заодно и Лана этого отправить — вместе с хозяином его. Но эта промелькнувшая мысль не задержалась. Вероятно, потому, что если хозяин был объектом его работы, то собака никакого отношения к делу, а тем более политике, не имела. И значит, грех лишать жизни безвинное создание.

Быстро пройдя через двор, он выбрался в арку подворотни, где было совершенно темно, зато впереди, на широком центральном проспекте, ползли автомобили с прыгающими огнями фар, светили затянутые снежной сетью фонари, переливались разноцветными вспышками яркие витрины.

Несколько умелых и быстрых движений — и вот уже черная куртка киллера, вывернутая наизнанку, превратилась в отличный и модный белый пуховик. Вместо киллерской шапочки на голове появился белый же меховой картуз с опущенными ушами. А вот с теплыми галошами-бреднями, приспособленными к подобной погоде, хоть было и жалко, пришлось расстаться. Одна, снятая с ноги, полетела аж в самую середину закутанного снегом палисадника, другая — в противоположную сторону и тоже утонула в глубоком снегу.

Еще минута — и по проспекту торопливо двигался в сторону ярко освещенной центральной гостиницы высокий и вполне элегантный мужчина, похожий на многих других, спешивших укрыться от ледяной сибирской вьюги...

— Ну, мужики, вы даете! — весело просипел он швейцару местного «Хилтона», предупредительно отворившему вторые, не автоматические двери в шикарный холл отеля. — На таком ветру запросто дуба дашь!

Швейцар уже приметил этого общительного и симпатичного молодого человека. Тот прибыл из Москвы, видать, по делам бизнеса, поскольку значительных вещей с собой не имел. Часто уходил и снова появлялся в отеле, всякий раз не оставляя такого не обязательного для знакомства человека, как обычный швейцар при дверях, без своего внимания. И кивал, и подмигивал, и шутки шутил вроде как сейчас.

— А вы как-то не шибко по-нашему! — с укором показал швейцар на легкие с виду ботинки жильца отеля. — Тут у нас в такой обувке долго не протянешь!

— Ну а я про что? — словно обрадовался постоялец. — А вы видели, так хоть бы сказали! — Нет, он не унывал, этот весельчак. — Вот, пяти минут не прошло, а уж решил, что околею! До угла не добрался! Надо же! Не-е, пойду утеплюсь! — И он, подмигнув швейцару, вытащил из кармана тяжелый гостиничный ключ с допотопной грушей — специально, чтоб постояльцы не таскали ключи с собой, а сдавали в рецепшн. — Во! И про гулю эту совсем забыл! Это у вас, наверно, нарочно такая здоровенная — чтоб от волков отбиваться, да? — И, наклонившись к швейцару, добавил: — Ну когда в чистом поле срать сядешь, а? Слыхал анекдот?

Кто ж в Сибири не знает старого анекдота про национальный сортир? Два кола — на один кафтан вешаешь, а другим, подлиннее, от волков отбиваешься. Швейцар учтиво захихикал: не, веселый мужик, с ним не соскучишься...

Минут через пять «утепленный», то есть сменивший ботинки на сапоги с меховой подкладкой, постоялец сошел к дверям. Покровительственно махнул ладонью швейцару.

— Во! — показал на свою обувь. — Совсем другой коленкор! Ну, пойду, отец, поищу приключений на свою буйну голову.

— Так этого добра, — словно раскрыл большой секрет швейцар, — не наруже бы искать, а вон там, внутри! — Он кивнул в сторону дверей, ведущих в ресторан.

— Не, спасибо, — засмеялся постоялец, — за целый день насиделся. Накурился — во! — Он чиркнул себя по горлу. — Хочу наконец свежим воздухом надышаться. Ну, пока! — И ушел.

Увлекаясь по молодости всякими приключениями и детективами, он не забывал одно из верных замечаний писателя Юлиана Семенова про то, что в памяти человека, с которым ты имеешь мимолетную встречу, всегда остаются твое последнее действие или фраза. И это — самое лучшее алиби для того, кто захочет скрыть то, чем он занимался прежде. Вот и швейцар этот, если вдруг возникнет такая нужда, легко подтвердит, что симпатичный и общительный мужик из такого-то номера — ему подскажут, или он сам проверит — весь день сидел в номере, а после выглянул на улицу, да назад вернулся: испугал его сибирский-то морозец, такой обычный для своих.

Что и требовалось доказать...

Собственно, ради одной этой фразы и разыгрывал только что короткий спектакль гость белоярского «Хилтона». И вовсе ему не было холодно на продуваемых всеми возможными ветрами площади великого бывшего Учителя народных масс и проспекта одного из основателей города Белоярска. И не приключений на свою лихую забубенную головушку искал он, а шел на свидание с очень симпатичной ему женщиной, с которой намеревался хорошенько расслабиться перед возвращением в Москву.

Джип ожидал его в том месте, где проспект вливался в площадь, иными словами, в той стороне, откуда он пришел, после того как выполнил свою работу, свой заказ.

Киллер шагал неторопливо, аккуратно переставляя ноги по заснеженному асфальту: было скользко. Подняв голову, увидел, как фары джипа дважды мигнули ему. Помахал рукой издали. А когда подошел к машине вплотную и уже взялся за ручку дверцы справа, мимо, сверкая красно-синими огнями и яростно завывая, промчались две милицейские машины, за ними — микроавтобус с мигалкой на крыше и белый «рафик» «скорой помощи».

Он невольно опустил руку и посмотрел вслед этой

громкой и тревожной кавалькаде. Но дверца открылась сама, и из-за руля выглянула весьма привлекательная черноволосая молодая женщина, плечи которой окутывал мерцающий белый мех. Она внимательно и даже с почти неуловимой иронической улыбкой внимательно посмотрела на мужчину, после чего низким грудным голосом спросила:

— Есть проблемы?

Он, задумчиво глядя вслед умчавшимся автомобилям, лишь отрицательно покачал головой.

— Так тогда что ж ты медлишь, Максим?

— А? — Он перевел взгляд на нее. — Нет, ничего, просто, видимо, накопилась некоторая усталость за прошедшие дни. А ты не беспокойся, дела у меня в полнейшем порядке... — И вдруг словно опомнился: — Ну, так что ж это мы? Встретились — и как чужие? Здравствуй, Лидка!

Он легко вскочил в салон, захлопнул за собой дверцу и обеими руками схватил голову женщины.

Поцелуй был захватывающе долог и страстен до такой степени, что оба едва не задохнулись.

— Ты свободен? — воскликнула она. — Все? Окончательно?

Лидия откинулась на спинку сиденья и двумя руками поправила свою замысловатую прическу. Максим же, не отрываясь, смотрел на нее, словно изучал заново нечто давно и хорошо известное ему, открывшееся вдруг и с неожиданной стороны. Ах, до чего ж хороша!

А ведь, увидев ее два дня назад на экране телевизора, там, в гостиничном номере, поздним вечером, он не сразу и поверил, что это та самая Лидка Горбатова, с которой он был знаком практически с раннего детства, если таковым возможно назвать пребывание в детском доме. Он был постарше, похулиганистей, она обещала стать настоящей красавицей, гордой и, разумеется, неприступной. Но эта ее нарождающаяся неприступность оказалась однажды раз и навсегда дерзко разрушенной им, Максимом. К которому, как уже позже призналась Лидия, она с малолетства испытывала странное притяжение.

Потом они разъехались: он — в военное училище, она — в столицу, на журфак МГУ. Как-то получилось, что надолго потеряли друг друга. Хотя следует сказать, что после взаимно пережитых плотских радостей, которыми они и отметили свой уход в большую жизнь, оба как-то не ставили задачи дальнейшего совместного существования. Несколько бурных ночей, проведенных в одной постели, открыли каждому из них свое. Максим, скорее всего, удовлетворился очередной к тому времени сладкой победой, а жениться там или что-то продолжать в том же духе не очень хотел, поскольку испытывал тогда к Лидке скорее даже родственные чувства. Все-таки детский дом и совместное в нем проживание взрослеющих молодых людей больше напоминает семью, семейные отношения. Ну раз-другой, как говорится, еще куда ни шло, но жить, по сути, с сестрой — это все же не очень... Так он думал, чувствуя, что уже походя, как бы между делом, намечает себе очередную приглянувшуюся пассию.

Возможно, нечто сходное испытала в конце концов и Лидия. Но прежде всего она открыла для себя... себя же. И ей это очень понравилось. А Максим? Что ж, он талантливо разбудил ее! Она даже исподволь, может быть, догадывалась, что все именно так и случится, потому и тянулась к нему. И вот наконец произошло, а дальше?..

Пожалуй, она бы не отказала ему еще и еще, и так до бесконечности, условной, разумеется, ибо все обязано иметь свой конец, но разбуженная первым ее мужчиной страсть уже рисовала перед нею грешные, но такие восхитительные перспективы, отказываться от которых она в дальнейшем просто не желала.

Таким вот образом их тяга друг к другу сама собой утихла, уступив место искренним товарищеским отношениям. А потом они и вовсе расстались...

Увидев — ну конечно же Лидку! — восхитительную ведущую на телевизионном экране, где руководитель белоярского телеканала, как она была представлена телезрителям, вела диалог с губернатором Гусаковским о перспективах губернаторской гонки, надвигающейся на этот сибирский край с добрыми старыми традициями, Максим не сумел удержаться от соблазна и позвонил на студию, в справочную службу. Разумеется, передача шла в записи, о чем сообщили ему, но это его не смутило. В ответ на самые категорические возражения какой-то суровой тетки он постарался-таки упросить ее самое позвонить госпоже Горбатовой и просто передать ей, что здесь в городе, проездом, совершенно случайно оказался ее почти родственник, — и Максим назвал себя. Он ничем не рисковал. Если Лидка захочет, она перезвонит сюда, в гостиницу. Ну а не захочет, — что ж, значит, не судьба.

И, вглядываясь в телеэкран, наблюдая за поведением этой темноволосой и гордой красавицы, Максим испытывал все нарастающее волнение. И ему определенно казалось, что та Лидка, которой он в свое время охотно помог стать женщиной, и эта эффектная телеведущая — совершенно разные люди. И если уж на то пошло, с прежней Лидкой он мог бы разве что предаться ностальгическим воспоминаниям, зато с этой роскошной дамой с экрана и мысли и дела были бы совсем иными, без сомнения.

Потому чрезвычайно обрадовался, когда в его номере раздался желанный телефонный звонок.

Ну да, конечно, Лидия Михайловна сразу узнала его — по голосу, по чему же еще? И страшно рада его слышать. Это прямо как эхо, принесшееся из юности. И она готова немедленно встретиться. Впрочем, не немедленно, а... есть срочные дела, но в ближайшие день-два — просто обязательно!

Такой вариант очень устраивал: Максим и сам не собирался устраивать вечера воспоминаний или чего-то иного, более приятного, пока заказ не выполнен. Договорились, что он позвонит ей домой — он тут же записал телефонный номер, — когда завершит свою срочную работу.

А сегодня днем, когда уже окончательно оформился в голове план операции, когда была проведена вся предварительная подготовка и уже ничто, по убеждению Максима, не могло бы изменить принятого им решения, он позвонил Лидии и продиктовал на автоответчик, что будет готов предстать пред ее черны очи в двадцать один тридцать в таком-то месте, несмотря ни на какую погоду.

Ему необходимо было время для того, чтобы грамотно построить свой выход из отеля: треп со швейцаром, забытые ключи, переодевание в номере и так далее.

И вот ее лицо в его ладонях. Он ощущает запах дорогих ее духов, а руки сами тянутся под пушистую белую шубку, помня об упругом девичьем теле, но внезапно ощущают вполне зрелые формы, отчего по всему телу пробегает мгновенная дрожь внезапно вспыхивающей похоти, и то, что ощущают сильные ладони, становится жарким и податливым...

— Ну, ну... — шептала она, продолжая прижиматься к нему. — Не торопись, не форсируй, у нас масса времени... Не гони, а то я сама сейчас наделаю глупостей...

Естественно, даже при великом желании в машине в такую погоду вряд ли кто станет заниматься глупостями, однако главное было сказано, и теперь оставалось только дотерпеть, не перегореть раньше времени...

При первом телефонном разговоре — несколько сумбурном, безалаберном — они практически так и не успели ничего толком узнать друг о друге. И сейчас в машине постарались несколько прояснить позиции.

Максим был не женат, имел вполне приличную жилплощадь в Москве, выданную ему тем ведомством, в котором трудился. Так он ей рассказывал. Работа непростая, связана с частыми командировками, до семьи ли тут? Вот и приходится... ну, приходилось пока довольствоваться приятными случаями. Специфическая работа, уточнил он, заметив ее настойчивый интерес. Выпадают, правда, иногда и день-другой свободные, вот как теперь.

Лидия перебралась сюда, в Белоярск, из Москвы, где работала менеджером на телеканале ТВ-5, относительно недавно. По личному приглашению губернатора Гусаковского. Сделала с ним в свое время несколько интервью, ему понравилось. Пригласил возглавить, а по сути — поставить на ноги местное телевидение, влачившее при прежнем губернаторе жалкое существование. Обещал квартиру, хорошую зарплату и прекрасные отношения. Рискнула — и вот, здравствуйте! Пока еще ничего, время есть, но надвигаются выборы, а значит, пойдет такая гонка, такая начнется свистопляска, что уму непостижимо. Конкуренты у Андрея Ильича сильные, наглые. Один — бывший губернатор, другой — руководитель предприятия, имеющего, в общем, градообразующий, как нынче принято выражаться, характер. Тысячи рабочих, продукция, которая еще вчера, что называется, была окутана строжайшей государственной тайной. Только чистая прибыль комбината за прошедший год составила побольше полутора миллиардов рублей. Можно себе представить! И вот сошлись теперь три медведя, и что будет дальше, одному Богу известно...

Ну, кроме Господа Бога, подумал Максим, есть и еще кое-кто, кому известны отдельные моменты противостояния кандидатов в будущие губернаторы. Сказал бы он Лидочке, да только надо ли раньше времени забивать ее прелестную головку печальными новостями? А может, вовсе и не такими уж печальными? Она-то ведь на Гусаковского работает! Во всяком случае, инициатива в данном вопросе пока неуместна.

Вот так, за приятной болтовней, не заметили, как машина, будто сама, даже без помощи водителя, въехала в заснеженный, как и все остальное вокруг, двор и остановилась возле ярко освещенного подъезда.

Как бы ни был внимателен Максим к Лидии и ее рассказу о себе, он не забывал, словно бы мельком, наблюдать за дорогой. И быстро понял, что они не столько ехали, сколько крутились по переулкам в одном районе. Будто бы она сознательно стремилась запутать его в незнакомом ему городе. Но Максим ориентировался отлично, как, впрочем, и всякий человек связанный с военной профессией. И он сообразил, когда подъехали к дому Лидии, что место, где он сегодня работал, находится примерно в полутора кварталах отсюда. Тот же типовой проект и все остальное. Ну что ж, в крайнем случае, при острой необходимости, можно будет добраться до местного «Хилтона» за десять — пятнадцать минут. Состояние постоянного напряженного внимания давно уже не оставляло его. Такая профессия. И, даже расслабляясь, он продолжал всегда держать себя в готовности номер один. От греха...

Лидия жила точно в таком же доме, в котором еще недавно был Максим, и занимала на шестом этаже двухкомнатную квартиру. По белоярским понятиям одинокая женщина, да еще не местная, то есть не имевшая здесь корней, устроена более чем прилично.

Квартира ему понравилась ввиду отсутствия в ней лишних предметов, которыми так любят окружать себя некоторые женщины. Все было в меру аскетично и целесообразно. Спальня-будуар, рабочий кабинет, при нужде он же гостиная, много хорошей оргтехники, чистенькая просторная кухня, где, вероятно, проходит вся жизнь, не связанная с прямой работой, ванная — с массой флаконов и тюбиков.

Заглянув в нее, Максим неожиданно понял, чего больше всего хотел бы в данный момент — принять контрастный душ. Руки он, как человек отчасти суеверный, помыл еще в своем номере, когда пришел поменять обувь. Но хотелось освежиться, смыть с себя напряжение прошедшего дня.

Лида легко поняла его желание и предложила немедленно идти в душ, при этом как-то уж очень откровенно и обещающе заглянув ему в глаза. И он без труда сообразил, о чем это она.

— Что это за запах такой? — спросила между прочим, прижимаясь лицом к его груди и поднимая на него томный взгляд. — Я еще в машине почувствовала.

Ну да, конечно, ведь именно здесь, в кармане куртки, практически весь сегодняшний день он таскал «макарова». А запах железа и смазки устраняется довольно трудно.

— Я человек военный, Лидуша, — ухмыльнулся он, — запах оружия, даже когда ты его с собой и не носишь, все равно присутствует. И это — одна из печальных издержек нашей профессии, что поделаешь!

— А я совсем не против него, — возразила Лидия. — Мне он как раз нравится — мужественный, мужской! И уж его никак не спутаешь с запахом немытого тела. Ну иди, и я к тебе сейчас, только приготовлю...

Все у нее уже было продумано наперед, это хорошо, подумал Максим и, оставив пиджак на вешалке в коридоре, отправился в ванную...

Лидия не врала, рассказывая о себе Максиму. Просто есть всегда вещи, которые недоговаривают. Бывает, что лишнее знание отягощает, и довольно сильно. А великий иезуит Игнацио Лойола, так тот откровенно говорил: «Все, о чем я промолчу, мне не повредит». Потому и Лидия, не ощущая, в общем, опасности, которая могла бы исходить от лучшего друга ее детства — конкретно для нее, предпочла представить свою сегодняшнюю жизнь как довольно забавное приключение, хотя никакого риска оно в себе не содержало. А что ж за приключение, да без риска! Так себе, сладкая водичка.

Но если быть до конца искренней перед самой собой, то она видела, что риск все-таки был, и даже вот в этом, сегодняшнем ее свидании с прошлым. А дело-то, вся соль, как говорится, заключалось в том, что Лидии было известно, кто таков и чем занимается Максим Леонидович Суслин — таким знала она его с детства, под этим именем он зарегистрировался в гостинице. А вот, кстати, и в удостоверении, которое он якобы легкомысленно оставил в кармане пиджака, пропахшего оружейной смазкой, значилось то же самое: Суслин Максим Леонидович, подполковник милиции. Место службы — Министерство внутренних дел РФ, Управление оперативно-технических мероприятий.

Достаточно информированная о милицейских делах и проблемах, как всякий телевизионщик, владеющий темой, Лидия была убеждена, что если ее старый друг и занимается прослушиванием, к примеру, чужих телефонных переговоров, то это лишь официальное прикрытие. Ибо в Белоярск он прибыл совершенно с иными задачами. И задачи эти, точнее, пока одна из них была четко сформулирована Андреем Ильичом Гусаковским. И при разговоре присутствовали только трое: сам Гусаковский, Лидия в качестве лица, которому губернатор доверял полностью, и его помощник для особых поручений Егор Алексеевич, бывший спецназовец, курировавший, но не подменявший охрану губернатора.

Гусаковский тогда прямо сказал, что устраивать скачки с Валерием Смирновым он не желает. Значит, требуется, чтобы тот сошел с дистанции. Каким образом — это дело помощников. Сам он в этом не участвует. Потому что впереди уже наметился второй претендент на губернский трон — Лешка Минаев, который особой активности пока не проявляет, но за ним не задержится. Да и рабочий класс, будь он неладен, что-то в последнее время стал больно разговорчивым. Так что и здесь еще хорошенько подумать предстоит.

После того позднего разговора Егор, как человек не шибко далекий, но достаточно решительный, предложил решить проблему со Смирновым кардинально. Мол, на старого губернатора многие нынче готовы большую бочку покатить, только подскажи! Сколько народу попросту разорилось во времена его правления? И надо же, опять лезет! На что-то надеется?

Но Гусаковский даже руками замахал: только без меня! Я в ваших задумках не участвую!..

Егор особо рассуждать не любил и быстро связался со своими старыми корешами, часть из которых ушла охранять важных персон, а другая превратилась именно в тех, от кого эти персоны охранять больше всего и требовалось. Условия были обговорены быстро, из Москвы сообщили, что нужный человек уже выезжает в Белоярск, где в самое ближайшее время и выполнит заказ. Кто этот человек и как он выглядит, заказчика интересовать не должно.

Оно бы так и было, но поздний звонок неожиданно оказавшегося в Белоярске Максима не только обрадовал, но почему-то и озадачил Лидию. Конечно, это банальная истина, что жизнь полна неожиданностей, но интуиция подсказывала ей, что в данном случае все случайности могут вполне выстроиться в определенную закономерность.

Проверить, чем занят в городе Максим, труда не составило: недаром же Егор прошел в свое время суровую школу спецназа. Да ему и самому было любопытно узнать, не имеет ли приезжий знакомый Лидки, которая в принципе не отказывала в приятной близости своему коллеге — а Егор в сорок с небольшим выглядел, да и умел действовать, очень даже вполне, — короче, не связан ли подполковник милиции Суслин с тем заданием, что пообещали выполнить москвичи. И два дня ненавязчивых наблюдений показали, что Лидия не ошиблась. О чем ей и сообщил Егор Алексеевич, подчеркнув, что интуиция снова не подвела ее.

Вообще-то он не советовал Лидии особо раскрываться перед этим Максимом. Детство, оно хоть и детство, а работа исполнителя такова, что чем меньше народу о ней догадывается, тем проще этому народу и живется. Лидия учла. Но вот все же не удержалась, вроде как намекнула по поводу оружейного запаха. Максим отреагировал спокойно и даже с юмором. Ну и ладно.

Глядела на своего первого в жизни мужчину Лидия и не узнавала его. Сильный, уверенный в себе мужик. Он и прежде не был глуп, а дураков она и на дух не переносила. И слюнявых, распинающихся наутро в своей невероятной проснувшейся к ней любви. Ну взял свое, сам девушку не обидел, все довольны, чего тебе еще? Какого рожна? Нет, такому живой бабы мало, ему еще и морально помастурбировать охота!

А еще Лидия успела неоднократно заметить, какими глазами смотрел на нее Максим. И он тоже не узнавал ее — прежнюю. Потому что в противном случае то, к чему они оба устремились, было бы повторением прежних упражнений. А Лидия, видя его глаза, определенно ожидала подарка. И чтобы не затягивать дальнейшего, она сунула удостоверение на место, в спальне быстро скинула с себя все лишнее, облачилась в полупрозрачный пеньюар, выгодно подчеркивающий все ее прелести, и решительно шагнула через порог ванной.

Максим этаким греческим гоплитом, широко развернув плечи, стоял под сверкающим конусом душа, ледяные брызги которого проникали даже сквозь прозрачный занавес... Попали на Лидию, и она вскрикнула от неожиданности:

— Боже, как ты можешь?! Это же ужас!

Максим отключил душ, отдернул занавес и протянул к ней руки.

Лидия коснулась их и почувствовала оторопь — лед! Спина вмиг покрылась мурашками. Но он сильным движением поднял ее, отшвырнул в сторону ненужный пеньюар и кинул Лидию к себе на грудь.

Она взвизгнула от холода, но тут же словно распласталась на нем, обволакивая собой — всем телом, руками и ногами, и вдруг запоздало сообразила, что интуитивно ждала его всю жизнь, с той самой минуты, как они расстались немало уже лет тому назад...

Остальное было делом техники, во владении которой она не представляла себе равных, а он, со своей стороны, ни в чем не разочаровал ее. И это оказалось прекрасно...

Ближе к полуночи в кабинете Лидии раздался телефонный звонок. Она соскользнула с широченной своей постели, куда любовники переместились из ванной, чтобы уже окончательно не отрываться друг от друга, и от стремительного утоления страсти перешли к методичному, но по-прежнему жадному, изнуряющему душу насыщению, и подняла трубку.

— Докладываю, — услышала она явно ухмыляющегося Егора, — заказ выполнен на отлично. Но будет лучше, если он до утра оставит город. Не хотелось бы некоторых сложностей.

— Где-то прокол? — встревоженно спросила Лидия.

— Нет, я же сказал, все чисто. Но я высказываю свою точку зрения. Думай сама, что тебе лучше.

Понятно, ухмыльнулась и Лидия, мы ревнуем! Ну и что? Куда без этого? Ничего, дружок, потом злее будешь... Так она успокоила себя, понимая, что бурная ночь с Максимом все равно однажды должна кончиться и это «однажды» произойдет очень скоро. Как это ни печально.

А вот завтра же, возможно, прямо с утра, надо будет очень внимательно посмотреть, что накопали на месте преступления следователь и оперативники, к каким выводам пришли. Все равно ведь придется давать обширную информацию по телевидению. Писать для Андрея выступление, полное праведного гнева и скорби. Хотя в тех вопросах, где требуются сильные эмоции, он и сам мастак. Но... лучше все-таки, чтобы во всем, включая события трагического порядка, соблюдалась определенная мера. А то, не дай бог, занесет Андрея, ляпнет чего-нибудь по старой, еще армейской своей привычке, ты же будешь объяснять, что он хотел сказать совсем не это, а то...

Вернувшись в постель, она увидела вопросительный взгляд Максима.

— Ты о чем? — удивилась она. — Я думала, ты спишь... Ах, телефон? — Она нахмурилась. — Это из губернаторской службы... Очередная неприятность. И крупная, кстати... Убили одного из кандидатов. У нас же выборы, ты видел сам... О господи! Теперь начнется!..

— А лично для тебя это очень плохо? — спросил он как-то осторожно.

— К сожалению, милый, — печально ответила

Лидия, — этот мир, и в частности, наш, телевизионный, как и у всех остальных средств массовой информации, устроен таким образом, что вещи, представляющие беду для тех, кого они касаются напрямую, у нас удачный повод для повышения рейтинга. Понимаешь? Главное — как подать факт. Вот всем своим существом я в данный момент снова жутко хочу тебя, а в башке у меня уже возится подлая мыслишка: кого завтра послать на место, кто возьмет интервью у следователя и кого позвать прокомментировать это ужасное событие.

— Да, не позавидуешь... — протянул он и вдруг... зевнул. Тут же прикрыл рот ладонью, добавил торопливо: — Прости, я был в напряжении последние дни, но это у меня чисто... внутренняя усталость. Не физическая, нет. Я тоже снова хочу тебя.

И он привлек ее к себе, заставляя принять удобную для очередной схватки позу, сильно и в то же время не грубо ломая ее невольное сопротивление и самодовольно при этом ухмыляясь.

Переживать они тут, видишь ли, будут!.. А что, разве заказ не от них же и поступил? Может, не конкретно от Лидии, пришла вдруг мысль, но что у ее хозяев рыло в пушку, несомненно. И он с ходу добавил жару — до вопля, до ее истошного крика...

Какое-то время спустя, уже освободившись, но все еще остро переживая мощный оргазм, Лидия совсем посторонне, почти отрешенно подумала, что ее знание, почувствуй это Максим хоть на миг, определенно принесло бы ей страшную беду. И с неожиданно проснувшейся, странной тоской пожелала себе, чтобы эта ночь поскорее для нее кончилась...

Глава вторая

АДВОКАТ

Они познакомились совершенно случайно, в обычной подмосковной электричке. Студенты ехали в свое общежитие, которое находилось между станциями Ильинская и Отдых, что по Казанской дороге, в Раменском направлении. А «горные орлы» — их было двое в тот вечер в поезде — тоже ехали, не совсем четко себе представляя, куда конкретно. В Раменском уже сумели обосноваться их земляки, постепенно завоевывали себя прочные позиции на городском рынке, предпринимали усилия для обеспечения себя временными семьями, жильем. Идея была проста: ты обхаживаешь местную девку — желательно, чтобы она хотя бы аппетитно выглядела, — предлагаешь создать совместный семейный очаг, все условия для этого имеются в наличии — паспорт со штампом развода, деньги, а главное — острое желание. Дальше — ЗАГС, хочешь церковь — тоже пожалуйста, прописка и... как камень ляжет! Обычно все камни в руках умелых игроков с Кавказа ложились правильно. Осечки, во всяком случае, бывали редки.

Вот к ним, своим отдаленным то ли родственникам, то ли односельчанам, и держали путь двое «лиц кавказской национальности». Здесь нет никакого личного оскорбления со стороны адвоката — именно так было записано в материалах уголовного дела. А вот сами ли себя так назвали пострадавшие, или так для собственного удобства записал милиционер, принимавший от них заявление, по сути, в сегодняшних условиях значения не имеет, пусть уж так и останется на совести опера из Ильинского поселкового отделения милиции.

Так в чем же заключалась кровная обида, которую нанесли наивным жителям гор, приехавшим по важным торговым делам в столицу родного их государства, трое молодых злодеев, преступно воспользовавшихся их доверчивостью? В составленном ильинским блюстителем закона и порядка протоколе живописалась поистине леденящая душу сага. Но, отбросив ненужные подробности, надиктованные эмоциональными кавказцами, существо дела можно свести к следующему.

Жители Махачкалинского района, из села Агачаул, Султан Бецоев и Казбек Алиев ехали себе тихо в электричке и слушали, о чём говорит народ. За их спинами, в соседнем купе — это так называется? — ехали трое студентов. Гости столицы невольно слышали их разговор. А речь шла о баксах! О том, что «логотрон», в нынешнем его состоянии, к сожалению, не осиливает все тридцать восемь известных и секретных степеней защиты, но за пятнадцать можно ручаться уже стопроцентно. А это уже «Красноярск» — несомненно. «Чирики» вообще в печати идут почему-то легче, то ли гамма цветовая попроще, то ли на Гознаке в свое время решили, что вряд ли найдется охотник создавать сложную машину для печатания червонцев. Мол, овчинка выделки не стоит. А оказалось, что стоит, да еще как! И затрат на красители — самый мизер, и к десяткам обычно не сильно присматриваются, особенно если их немного искусственно состарить. Вроде бы десятка — она и есть десятка, невелика сумма, но пятичасовая работа «логотрона» обеспечивает пятнадцать кусков, а значит, каждая минута работы стоит пятьдесят рубчиков. Не так уж и плохо для первого раза!

Не очень понятный, конечно, разговор вели студенты, — какой-то хитрый прибор «логотрон», какие-то деньги, понимаешь! Но люди из дагестанского аула были не такими уж дураками, чтобы не уловить самой сути. Вот и студент, один из сидящих сзади, в ответ на упреки, что до сих пор не приступил к сканированию «полтинника» — они его называли «Петербургом» и еще «биржей», наверное, из-за картинки на купюре, — уверял, что пока не готов к более сложной работе. А вообще-то пора кончать мелочиться и переходить к «Большому театру» — вот это задачка!

Нет, совсем не дураками были Бецоев с Алиевым, они быстро раскусили, что студенты, скорее всего, умельцы, которым, как и прочим российским Кулибиным, никогда не хватает средств, чтобы осуществить свои грандиозные изобретения. Ну как было не помочь талантливым людям?!

Где-то в районе Люберец они познакомились. Электричка понемногу пустела, сели напротив друг друга, заговорили про жизнь. От больших сумок людей с Кавказа шел вкусный запах. Студенты хищно вертели носами, принюхиваясь. Скоро выяснили, что кавказцам пока неясно, где придется сегодня ночевать, поскольку ехать еще долго, а на месте ли их друзья, неизвестно. Ну вот студенты и пригласили их в свою общагу, где всегда найдется пара свободных коек. В расчете на вкусный ужин, разумеется. А на что еще они могли рассчитывать, скажите?

Короче, сошли в Ильинской, быстро дотопали до общежития, так же без труда договорились с дежурной, объяснив, что это родственники одного из них и надо помочь перекантоваться всего одну ночь. За разрешение дежурная получила парочку роскошных гранатов. Какие разговоры?..

Пока жарили мясо, подогревали настоящий кукурузный арак, словом, пока ужинали, упоминание о «логотроне» даже и не всплывало. Но когда студенты малость забалдели, Казбек, как старший, завел разговор на эту тему — деликатно, исподволь. Мол, слышали совершенно случайно, заинтересовались самой идеей и все такое прочее. Но студенты, надо отдать им справедливость, отвечали неохотно. Ну да, есть кое-что, но... надо еще долго думать, а для ускорения процесса не хватает финансов. Правда... как сказано, кое-что все-таки сделано...

Подогретые щедрым угощением — не бесплатно же, а за право предоставления коек для ночевки! — студенты переглянулись, будто посовещались мысленно, и, так уж и быть, решили показать свой аппарат гостям.

Ну что можно сказать? Аппарат как аппарат. Небольшой, компактный. Правда, достаточно тяжелый. Есть отверстия с противоположных сторон корпуса. Одно для подачи специальной бумаги и — рядом — для строго отмеренных доз красителей и лаков. С противоположной стороны располагался покатый лоток, на который после произведенных операций выползала еще свежая, даже слегка влажная, хотя и немного искусственно состаренная десятирублевая ассигнация. Последнее — чтобы уже подсушенная на батарее водяного отопления купюра не выглядела подозрительно.

Казбек достал из кармана собственную десятку, ему дали большое увеличительное стекло, и он, как ни старался, так и не смог обнаружить на только что выползшей из станка купюре никакого различия с подлинной. Вот это класс!

И управлялся этот класс с помощью обычной электрической розетки, куда втыкалась вилка от аппарата, и небольшого пульта, больше напоминавшего клавиатуру от компьютера. Вот так, все очень просто. Но — гениально!

Казбек с Султаном, словно играючи, будто дети малые, раз за разом нажимали соответствующие клавиши, и из нутра «логотрона» — «логос» по-гречески оказалось «смыслом», «всеобщей закономерностью», а «трон» — от того же греческого «тронос», то есть кресла монарха, символа, так сказать, власти; а все вместе выходило как бы властью смысла — во до чего додумались студенты! — так вот, из нутра машины на лоток выползали все новые и новые десятки. До тех пор, пока студентам это дело не надоело. Зачем зря машинку гонять?

Фантастика? Но тут заглянул в комнату кто-то из их приятелей. Подозвал одного, шепнул что-то на ухо, тот кивнул. Потом подошел к «логотрону», быстрыми пальцами набрал нужную программу, и машинка выдала в течение минуты еще пять червонцев. Парень собрал их и протянул пришедшему. Тот взял, кивнул всем и исчез за дверью.

«За бутылкой на станцию побежал», — объявил студент гостям.

«И что, — поинтересовался тут же Казбек, как старший, — часто вы так?»

«Казбек, — очень серьезно ответил один из студентов, наверно главный изобретатель, — не надо так говорить. Мы вам просто показали, и — все. Слава нам ни к чему, а урон государству от нашего изобретения вовсе не велик. Оно нам больше недоплачивает, чем мы получаем. Мы ж молчим? Не скандалим? Не требуем всеобщей справедливости?»

Да, тут было о чем подумать. Собственно, гости с Кавказа уже для себя все решили, оставалось как-то уговорить, уломать этих студентов, постращать наконец! Это ж только подумать: пять часов — пятнадцать тысяч! А в месяц! А в год!!

Нет, были и трудности — опять же специальная бумага, запечатанная в черном железном валике... Опять же и красители... И они начали привычную для себя торговлю издалека: а какова окупаемость, а каковы трудности с материалами и так далее. И сколько такой «логотрон» мог бы стоить?..

Оказывается, эти дурачки-студенты, Кулибины замечательные, даже и не думали на этот счет! Но тут же ухватились за поданную умными людьми мысль и сели считать. А когда прикинули, то выходило что-то в пределах тридцати — сорока тысяч долларов. Включая двухмесячный запас исходного материала.

Теперь калькуляторы быстро заработали в головах гостей. И так же быстро выдали результат. Если заставить машинку «пахать» хотя бы десять часов в день, она полностью себя окупит в течение месяца. А дальше будет работать только на чистую прибыль! Вот это бизнес!

Глаза гостей светились пламенем, напоминающим отблеск солнца на сверкающих вершинах Кавказа. А студенты — народ бедный. Они сами недавно сетовали на невозможность дальнейших опытов ввиду отсутствия финансовой базы.

Одним словом, уговоры длились до утра. Студенты нипочем не соглашались продать свое изобретение. Казбек с Султаном уже дошли до высшей ставки — в сорок тысяч баксов, черт с ними, бизнес важнее! И уломали...

Условие было лишь одно: не лазать жадными пальцами в нутро аппарата, нашпигованное тонкой электроникой. Да, и постараться все же не эксплуатировать установку более пяти часов в день. Если сгорит главная плата, ее замена обойдется не менее чем в пять тысяч долларов. Да еще достать ее надо...

Именно жадность, как широко известно, сгубила фраера.

Кабы не торопились Казбек с Султаном, кабы умерили аппетиты, глядишь, и выдавала бы им машинка под хитрым именем «логотрон» их законные пятнадцать тысяч рублей в день. Ну поработала бы установка, печатающая деньги, дня три с небольшим, поскольку ничего она не печатала на самом деле, а выдавала по команде увлажненные и бывшие в употреблении родные наши купюры, общей суммой в пятьдесят тысяч. Больше просто места не было в «логотроне», забитом всяческой ненужной электроникой, а точнее, не было больше червонцев у студентов. Пятьдесят тысяч — это все, что они наскребли, да еще часть ушла при демонстрации прибора.

Гости уехали, увозя с собой символ «всеобщей власти смысла», а веселые студенты сумели найти быстрое и полезное применение упавшему с неба гонорару, ничуточки не заботясь о возможных последствиях. А опасаться им очень даже следовало. Ибо дурак — он повсюду дурак, даже на Луне. Но дурак, которого ловко обвели вокруг пальца, умнее впоследствии не становится, но злее — обязательно. Недаром же считают знающие люди, что обнаглевший и разъяренный фраер — страшнее бешеной собаки.

Кавказские гости оказались именно из этой породы.

Когда печатный станок, демонстрируемый захлебывающимся от зависти землякам, вдруг сам по себе перестал выдавать желаемую продукцию, нашелся и среди них умелец, вскрывший аппарат. И взорам ошеломленных обладателей миллионного состояния вдруг предстала жалкая картина последней скомканной валиками десятки, не попавшей в нужную щель. И больше там ничего не было. Те купюры, которые студенты положили в ящик, кончились.

Ну кому придет в голову мысль, что облапошенный мошенник вдруг пойдет просить у Закона защиты от другого мошенника? Бред! Нонсенс! И тем не менее...

Юрий Петрович Гордеев, адвокат из юридической консультации № 10, к которому обратилась родительница одного из непутевых чад, «изобретателей» новой системы в фальшивомонетничестве, со слезной просьбой защитить это самое чадо и его товарищей от обвинений в жутком уголовном преступлении, естественно, внимательно изучил это дело. И даже искренне удивился той суровости, с которой подходил к преступлению, «совершенному группой лиц по предварительному сговору», следователь Люберецкой городской прокуратуры Чушков Василий Васильевич. По его твердому убеждению, ребята совершили противозаконные деяния, предусмотренные статьями 152 в части 3 и 186 также в части 3 Уголовного кодекса Российской Федерации. В первом случае — это мошенничество, совершенное а) организованной группой и б) в крупном размере, а во втором — изготовление в целях сбыта поддельных банковских билетов, совершенное организованной группой. И та, и другая статьи тянули на сроки свыше пяти лет.

Ну, если в первом случае еще можно было бы, как известно из песни, «говорить и спорить», то во втором случае утверждения прокуратуры были попросту абсурдными. Но именно эта позиция заставила Гордеева не увлекаться явными промахами следствия, а внимательно разобраться в истинных причинах этих «промахов». И он скоро пришел к выводу, что подобное обвинительное заключение наверняка хорошо проплачено истцами.

И не ошибся.

Он съездил в знаменитую Бауманку, альма-матер новоявленных Кулибиных, послушал профессоров, съездил и общежитие, где пообщался с товарищами обвиняемых в мошенничестве и подделке денег студентов. В общем, представил для себя достаточно ясную картину происшедшего, с чем и явился в судебное заседание.

Старое, неудобное и тесное здание городского суда было переполнено. Половину узкого зала занимала сторона истцов, даже из уважения к суду не соизволившая снять с голов папахи и теплые шапки. Сторона обвиняемых была представлена, естественно, родителями, общественностью технического университета и свидетелями из общежития, коих тоже набралось немало.

Потерпевшие уверяли суд, что их нагло обманули, ограбили на крупную сумму. Со своей стороны, обвиняемые уверяли, что истцы сами вынудили их продать им лжеаппарат. Они без конца их уговаривали и даже стали шантажировать, что заявят, куда следует, а так они готовы заплатить деньги и даже заказать следующую разработку, то есть производство купюр более высокого достоинства.

Когда обман вскрылся, эти кавказцы дружно явились к общежитию с угрозами и требованиями не только выплатить требуемую сумму, но и причитающуюся им дополнительную, якобы включенную по какому-то счетчику и потому вдвое превышающую первую. Но ведь и студенты тоже народ тертый, не шибко пугливый. И когда навстречу кавказцам вышли пятеро мальчиков из университетской сборной по самбо и вольной борьбе, те стихли и предпочли ретироваться. Вероятно, этот их испуг и определил сумму того интереса, который с такой «неподкупной» суровостью пытался теперь протолкнуть в суде нерасчетливый, по всему было видно, прокурор.

Гордееву нравилось работать с народными заседателями. Люди простые, в иезуитских судебных тонкостях негораздые, они были способны откликаться эмоционально. На что и рассчитывал Юрий Петрович. И свою защитительную речь, когда толстуха судья Валерия Семеновна предоставила ему это право, предварительно крепко стукнув своим деревянным молотком по столу, чтобы наладить тишину в зале, начал с того, что рассказал о своих, в сущности, подзащитных пока — разумеется, пока! — являющихся самыми способными студентами всемирно известного учебного заведения, а уже завтра готовых принять в свои руки эстафетную палочку от титанов российской науки. Это все следовало подчеркивать — постоянно и неуклонно.

Да, как все молодые и горячие головы, они не могут обходиться без шуток и розыгрышей, не замечая порой, не отдавая себе отчета, что их розыгрыши могут нанести существенный моральный и даже материальный урон объектам их шуток. Но все это — следствие их молодости. А не злой расчет.

А теперь перейдем к так называемым жертвам. К пострадавшим...

Гордеев знал, что говорил. И как говорил. Он не счел за великий труд и связался с прокуратурой Дагестана. Ничего не поделаешь, приходится для пользы дела просить о помощи друзей — старшего следователя Управления по расследованию особо важных дел Генеральной прокуратуры Александра Борисовича Турецкого и генерала милиции, начальника МУРа Вячеслава Ивановича Грязнова. Запрос не заставил себя долго ждать. И вот в руках Гордеева имелась выписка из приговоров народного суда Республики Дагестан. Что он и собирался зачитать суду и присяжным.

— Так кого же мы сегодня видим перед собой? — с пафосом вопрошал адвокат. — На скамье подсудимых — наши будущие, как я уже говорил, Королевы и Туполевы, которые, кстати, тоже сидели в тюрьмах, но, правда, по другому поводу. А вот истцы. Кто они? Позвольте мне зачитать выписки из документов Верховного суда Дагестана, полученные только что. Итак, Бецоев Султан Абдурахманович... в девяносто седьмом году был осужден у себя на родине на три года. За грабеж. Значит, вышел на свободу, можно сказать, на днях. Второй, Алиев Казбек Алиевич, дважды привлекался по статье сто пятьдесят восьмой — кража, но почему-то оба раза отделывался наказанием условным.

Весь зал возмущенно загудел. Но каждое возмущение носило свой ясный оттенок. «Папахи» сердились оттого, что адвокат занимается не своим делом. Он пусть защищает студентов, а не лезет обвинять пострадавших! «Ах вот вы какие!» — зло торжествовала вторая половина зала. Валерии Семеновне даже пришлось трижды обрушить на свой стол судейский «молот». Наконец, стихло.

— Ну, почему продали эту дурацкую игрушку студенты, в общем, объяснять не нужно. Тот, кто хочет, чтобы его обманули, обязательно этого добьется, тут большого ума не надо!

Гордеев тут же получил предупреждение от судьи. И немедленно искренне извинился: речь не о конкретных людях, а о принципе — по пословице.

— А куда деньги девали? Да никуда, по сути. То есть мыслей об обогащении у студентов не было. Рассмотрим другую сторону. С какой целью приобретали, причем, по свидетельству очевидцев, весьма настойчиво, сопровождая свои требования даже угрозами шантажа, эти двое граждан? Только ли для собственного обогащения? А может быть, задачи перед ними стояли более широкие — и прежде всего желание подорвать российскую экономику? Ведь они же не знали, что машина не производит денег, а лишь выдает по требованию то, что в нее было заложено изначально. И, кстати, эти деньги были честно заработаны так называемыми изобретателями!

И далее Юрий Петрович, несмотря на возмущенные выкрики «папах», предположил, что, с его точки зрения, было бы очень правильно провести расследование самого факта приобретения двумя вышеуказанными гражданами машинки, печатающей деньги, и выяснить, с какой целью они это сделали. Это — во-первых, и, во-вторых, также выяснить в том же порядке, о каком счетчике и о каких процентах у них шла речь. Не повод ли это для более глубокого уголовного расследования?

«Папахи» были злые, но хитрые и всю свою ненависть к адвокату, явно срывавшему у них верное, хорошо оплаченное дело, они конечно же выражали вслух и довольно бурно, но... на родном языке. Эти бесконечные «цха» и «пчха» так и взвивались под низкие своды зала, но как обвинять человека в неуважении к суду, если ты не знаешь языка, на котором тебя в открытую матерят?

Кажется, судья посчитала, что сказанного вполне достаточно. Стук ее карающего молотка утихомирил аудиторию: обратил крики в обычное злобное шипение, причем двустороннее.

Юрий Петрович уже успел высказать свою точку зрения на квалификацию деяния и полагал, что, конечно, нормальные народные заседатели — а в том, что они нормальные люди, он и не сомневался — не дадут восторжествовать откровенной несправедливости.

И оказался прав. Суду даже длительного времени не потребовалось для того, чтобы вынести свой вердикт. Меру пресечения выбрать условную, но пострадавшим ущерб возместить. Большего Гордееву в принципе и не требовалось.

Со спокойной душой он покинул душное помещение, оделся и вышел на улицу. Свежий морозный воздух с такой силой ударил по мозгам, что прямо-таки закружилась голова.

Гордеев малость отдышался и направился к своему «форду», чтобы ехать в Москву, домой.

И тут его перехватил вышедший из здания Чушков. Следователь не поленился, догнал и по-приятельски прихлопнул по плечу:

— А ты молоток, Гордеев! Это ж надо, куда копнул!

Юрий Петрович посмотрел, подмигнул и спросил:

— Подвезти? Я на машине, — и кивнул на свой «форд».

— Нет, спасибо, моя — там! — Он кивнул куда-то вбок.

— Тогда пока, Василь Васильич, — протянул ему руку Гордеев.

— Пока-пока, — быстро произнес тот и боком отчалил.

Гордеев хмыкнул и покачал головой: ох, темны дела Твои во облацех...

А у машины его, оказывается, уже поджидало явное «лицо кавказской национальности». «Сейчас потребуют разборки», — подумал Юрий Петрович, но парень в ушанке с опущенными ушами предупредительно поспешил:

— Пройдите, пожалуйста, вон к тому джипу. — Он указал на большую черную машину в стороне. — Ничего не бойтесь, — добавил не без ухмылки.

— А чего я должен бояться? — с вызовом спросил Гордеев. — И вообще, у меня такой порядок: если я нужен, извольте завтра в консультацию. Знаете где.

— Не надо, адвокат, не надо. Просто подойди, поговори, тебе что, жалко?

«Странная постановка вопроса», — усмехнулся Гордеев.

— Ну ладно, пойдем.

Было уже поздно, и в темноте салона Гордеев, когда перед ним открыли дверцу, увидел полного и лысого мужика. В зале суда он его не встречал, во всяком случае.

— Садыс, пожалста, — с сильным акцентом сказал лысый. — Нэ стэсняйса.

Гордеев поднялся в салон, сел рядом, на заднем сиденье.

— Скажи, Юрий Петрович, а еслы я тебе адвокатам брал, что бы гаварыл?

Гордеев пожал плечами:

— Постарался бы найти и в этом случае оправдательные причины.

— Нашел бы?

Гордеев опять пожал плечами:

— Это большая работа.

Лысый подумал, почесал затылок, спросил:

— Выпить хочешь?

— Спасибо, я за рулем.

— Ладно, — вздохнул лысый, — извыни. Ны обижайса.

— Хорошо, — кивнул Гордеев, — пока.

Он выбрался из джипа, сел в свой «форд» и порулил к центральной улице, ведущей в Москву.

Ну что ж, в принципе он мог быть доволен. Гонорар, правда, не бог весть какой, но все ж... Подумал, что те сорок тысяч баксов папашам и мамашам Кулибиных еще придется собирать, если сыночки не врали, говоря, что все давно уже растратили. Ну да это мелочи жизни. Но каков все-таки этот Чушков! Хотя от настоящей чушки, то бишь свиньи, он унаследовал жадность, это бесспорно. Во всем же остальном он обыкновенная сука прокурорская. И хрен чего докажешь...

Возле дома, на Башиловке, Гордеев нашел расчищенное среди сугробов местечко и припарковался. Осмотрелся, все ли взял с собой, вышел, запер машину, поставил на сигнализацию и пошел в подъезд. Но, уже нажав кнопку лифта, вспомнил, что оставил в бардачке сигареты. Не потому что захотелось вдруг курить — он старался это делать как можно реже, особенно теперь, зимой, и так воздуху для дыхалки маловато, — но подумал, что после рюмочки, которую он сейчас обязательно примет за удачный исход еще одного дела, обязательно захочется сделать затяжку-другую. И решил вернуться к машине.

Оказалось, вовремя. Около бокового стекла со стороны водителя уже настойчиво трудился некий тип. А другой охранял его со стороны проезжей части.

Ничего не было с собой у Гордеева, кроме папки и кулаков, правда в кожаных перчатках. Он, индифферентно этак, проходя мимо мужичка на проезжей части, спросил:

— Помочь?

Того словно ветром отшатнуло. Но опомнился и, выпрямившись, грозно протянул, как, бывало, в прежние времена блатные:

— Че-о-о?

— Машину, говорю, открыть, или сами будете дальше ломать?

И вдруг этот «малой», как окрестил его про себя Гордеев, кинулся на него. Эва! А мы, оказывается, боксировать любим? Гордеев, даже не бросив папки, принял «боксера», да с такой силой и неожиданной злостью, что тот подскочил, ухнул и громыхнулся навзничь всем телом. Но из-за машины появился второй. И в руках у него была монтировка. Это хуже. В честном бою Юрий Петрович без труда бы отправил и этого в нокаут, но — с железом?

Выручила все та же смекалка. Вот тут он отбросил в сторону папку, которая теперь только мешала, и сунул руку в карман.

Между тем второй мерзавец обогнул машину спереди и, опираясь на капот, стал этак нагло поигрывать монтировкой, страху нагонять. Гордеев сделал шаг к нему, внимательно наблюдая за его угрожающими движениями, и резко нажал на брелок сигнализации. И произошло нечто невероятное по своей комичности.

Машина рявкнула. От неожиданности мужик аж взвился, забыв, чем хотел заняться, выронил свою железку. А вот приземлился он уже прямо на вовремя подставленный кулак Гордеева.

Нет, не зря Юрий Петрович по настоятельному совету все того же доброго своего товарища Александра Борисовича Турецкого старательно держал форму. Ну не чемпион Москвы, конечно, даже не участник первенства, но что-то все же сохранилось от не такой уж и давней молодости!

Короче, и второй налетчик растянулся на снегу неподалеку от первого.

Беспечность победителя — вот что всегда нас губит в первую очередь! Так говорил Турецкий. Прекрасно знал это и Гордеев и, как всегда, в очередной раз попался именно на пресловутой арбузной корке, той, знаменитой, из анекдота. Когда он нагнулся за папкой, размышляя при этом, что нужно что-то делать с мерзавцами — так ведь не бросишь, замерзнут, сволочи, — он вдруг почувствовал, что на него словно обрушился дом. После чего он рухнул головой в сугроб. А потом долго ворочался, приходя в себя.

И когда выбрался из снега, стер с лица странную грязь и не забыл сказать спасибо Господу, что был в меховой шапке с завязанными на макушке ушами, а не в привычной шерстяной шапочке, увидел уже далеко, почти в конце улочки, две стремительно удаляющиеся фигуры. Вот те и на!

Потом он поднялся, взял папку, сняв ушанку, тронул затылок ладонью и увидел, что на ладони кровь. Ни хрена себе! Юрий Петрович зачерпнул немного свежего, чистого снега и прижал к затылку. Подержал, пока растает, еще положил и наконец решил, что экспериментов со здоровьем на сегодня вполне достаточно.

А еще подумал, что выпить рюмку ему теперь сам Бог велел. И с помощью двух зеркал поглядеть, что там, на макушке. Она уже, кстати, не болела. Она гудела от довольно крепкого удара.

Он снова включил сигнализацию автомобиля и отправился домой.

Исследование показало, что ничего страшного нет, а есть ссадина, которая кровоточила помаленьку, но сразу дико защипала, когда Юрий плеснул на край полотенца водки и прижал к ранке. Вот тут он взвыл!

Стоял в ванной, глядел на свое перекошенное лицо и, не стесняясь, матерился от самого чистого сердца. И даже не обращал внимания на какой-то неприятный назойливый телефонный звонок. Звонит и звонит! Не отвечают, — значит, нет никого! Или не хотят никого слышать! А он, гад, все звонит...

— Не подойду! — рявкнул в сердцах Гордеев. И телефон смолк.

Но едва Юрий принес на журнальный столик бутылку с рюмкой и уже готовую закуску из холодильника и потом рухнул в любимое кресло, не забыв включить телевизор, этот проклятый телефонный аппарат вдруг очнулся. Ну точно как тот мерзавец со своей проклятой монтировкой!..

На второй минуте беспрерывного звона, когда Гордеев еще не окончательно решил — разбить аппарат или наплевать на него и кинуть сверху подушку, рука сама потянулась к трубке. Он еще не успел ничего сказать, как оттуда принеслось, здрасте:

— А-а, ты все-таки дома? — И, не представляясь, ни здравствуй тебе, ни спасибо, сразу: — Чего не берешь-то? Я прямо измаялся!

— Простите, — вежливо сказал Гордеев, и это ему стоило немалого, — куда вы звоните?

— Юрка! Да ты че, не узнал совсем? Ну забурел, бродяга! Да Женька это! Елисеев! Или уже забыл кореша?

Женька Елисеев? Впрочем, особенно напрягаться не надо было, ну конечно, вечный баламут и бабник! Ну да, сокурсник. Он вроде где-то юрисконсультом устроился... Или в газету ушел работать? Нет, скорее, в газету.

— Ну, вспомнил наконец? — чему-то радовался Женька. А может, и не радовался, кажется, у него всегда был горячий темперамент.

— Вспомнил, но ты извини, столько лет прошло...

— Это ничего, — заторопился Елисеев. — А то знаешь, как теперь говорят? Ну, до встречи на следующих похоронах! А? Неплохо?

Да, ничего... Ничего хорошего. Он всегда был безалаберный — этот Женька. Даже и отчества его никто не помнил — Женька и Женька, а теперь, поди, еще и великовозрастный.

— Ну так какие проблемы? — не очень приветливо спросил Юрий. — А то я только приехал, день сумасшедший, заседание в Люберцах, у черта на куличках, а тут еще приболел...

— Это, конечно, не есть хорошо, старик, — бодро провозгласил Женька, — но дело — прежде всего. Хочу срочно напроситься к тебе в гости. Вообще-то было бы лучше в каком-нибудь кабачке, но по твоему голосу чувствую, что ты не врешь старому корешу, а и в самом деле неважно себя чувствуешь. Тогда другое предложение. Ты как, холостякуешь?

— А какое отношение?..

— Прямое, старик! У холостяков всегда в холодильнике одно пиво.

— Логично. Но у меня и пива нет. Разве что рюмка...

— Одна рюмка — это, старик, для компрессов!

«Надо же! — удивился Гордеев. — Экстрасенс?»

— Словом, картина понятна. Тогда я сейчас заскочу в магазин, и минут через пятнадцать жди. Я почти рядом.

Короткие гудки отбоя.

Гордеев уже и рюмку налил — хорошую, граммов на сто, и ветчинки кусок на вилку подцепил. Но задумался: стоит ли спешить? Женьке определенно что-то срочно надо. Так, может, подождать? Но нет, сражение, которое только что произошло, требовало соответствующей реакции организма. Нельзя обижать собственное естество. И он принял рюмку, закусил и — расслабился в ожидании...

А по телевизору шли очередные «Вести». И собственный корреспондент откуда-то — названия города или области Гордеев пропустил мимо ушей — с блудливо-печальным лицом какой-то известной «куклы», имя которой никак не хотело прийти на память, живописал драматические картины губернаторской гонки. Судя по картинке за спиной корреспондента, дело происходило где-то определенно в Сибири.

Гордеев слушал вполуха осточертевшую «политику». Убили одного претендента на губернаторское кресло. Теперь второй претендент попался. Инкриминируют хранение наркотиков. А дальше началась сплошная пропагандистская риторика, и Юрий сердито переключил канал. Не фонтан, конечно, но хоть смотреть можно.

«Зеленые береты» где-то в тропических джунглях лихо косят малорослых и узкоглазых своих врагов. Те, естественно, высоко подпрыгивают, когда в них попадают пули, и после красивых кульбитов замирают на земле в причудливых позах. Рвутся гранаты, вулканами пылают бунгало, много грохота и крови — а не страшно! Виртуальная война. И жизнь все больше становится такой же виртуальной, черт побери...

И тут запиликал дверной звонок.

Женька, как и был уверен почему-то Юрий Петрович, практически не изменился. Он вошел шумно, весело, но немного настороженно. Это сразу отметил Гордеев. В руках — по-европейски, точнее, по-киношному — держал два высоких бумажных пакета.

Оглянулся, сморщил нос и, не раздеваясь, прошествовал прямо на кухню. Там поставил пакеты на стол и вернулся в прихожую. Разделся, сам нашел себе тапочки и наконец сказал:

— Ну здорово, старик! Все уроки учишь?

Это у него в университете была такая привычка — отвечать на вопрос: «Как дела?» — отрывисто и торопливо: «Некогда, старик! Уроки учу!..» Да, ничего не изменилось.

— Где будем? — деловито спросил Женька. И без перехода: — Эй, старикан! А что это у тебя на макушке?

— Да какие-то засранцы в машину полезли, пришлось вмешаться, вот и получил по балде. Ничего, уже и не щиплет.

— А-а, ну ладно, — успокоился Женька. — Но ты тогда в самом деле иди приляг, вдруг какое-нибудь сотрясение? Хотя... — Он посмотрел с сомнением.

— Ты чего? — не понял Юрий.

— Да подумал... по старой памяти, старик, откуда у нас мозги?

— Это ты про себя, что ли? — сделал вид, будто обиделся, Юрий.

— А-а! — обрадовался Евгений. — Купился-таки! А с другой стороны, старичок, те, у кого есть мозги, они не здесь, они уже там! Слышал, как умный еврей разговаривает с глупым евреем?

— Ну?

— Не «ну», а, во-первых, снисходительно. Во-вторых, по телефону. А в-третьих... из Нью-Йорка... — сказал и захохотал.

Улыбнулся и Гордеев. Не изменился Женька — легкая натура...

Он набрал в пакеты прилично, видать, не стеснял себя в средствах. На журнальном столике это все не разместилось бы, поэтому раздвинули кухонный и устроились там.

Выпили, стали закусывать, вспоминая старых приятелей: кто теперь где? И получалось так, что те, о ком помнили, либо выехали за границу, как говорится, на ПМЖ, либо померли, не пройдя земной жизни и до половины. А где же те, кого не помнили? А черт их теперь знает...

Женька стал рассказывать, что работал в газете, потом связался с одним интересным сибирским мужичком, осуществлял, так сказать, прямые контакты Белоярска с Москвой, точнее, с Государственной думой.

— И что это тебе дает? — спросил лениво Юрий. Хмель начал потихоньку забирать его. Да и башка вроде бы уже не гудела.

— Что? — неохотно повторил Женька и спохватился: — Слушай, старик, надо срочно телик включить!

— А чего там?

— Да все про Белоярск наш... — став вдруг мрачным, сказал Женька. — Там неделю с чем-то назад застрелили в собственном подъезде бывшего губернатора, который баллотировался на очередные выборы. А следом крупные неприятности со вторым претендентом...

— Это который с наркотой, что ли, попался?

Женька с изумлением уставился на Гордеева:

— Юрка, старик, да ты что, Ванга?

— Нет, — разочаровал его Гордеев, — просто я краем уха с полчаса назад репортаж слышал, но откуда он и о чем конкретно, так и не понял. Да и не хочу, если честно. Надоели все эти гонки, ралли, отстрелы и прочее. Я начинаю думать, что чем скорее и чем активнее и больше они друг друга перестреляют или пересажают, тем будет лучше государству. И народу. А значит, и мне. Наверняка и тебе, Женька, тоже.

— Да-а-а... — лишь вздохнул Елисеев и с тоской посмотрел на своего кореша. — А я, в общем, к тебе именно по этому делу...

— Какому? Покойника защищать вроде нет необходимости. А второй...

— Вот именно, второй. Минаев, директор «Сибцветмета». Знаешь, что производит? Слитки и порошки платины, палладия, родия, иридия, рутения, осмия и до едреной матери всякой черни. Зовут Алексеем. Алексей Евдокимович. Не был, не имел, не привлекался и так далее. Честнейший мужик!

— А чего ж про наркоту говорили? — удивился Гордеев.

— Юра, сказать у нас сегодня можно про человека любую гадость. Обосрать его с ног до головы и при этом не бояться ответственности — это у нас нынче в порядке вещей. Ты что, сам не знаешь?

— Ну все-таки есть же границы... Опять же суд там, моральный ущерб, как говорится...

— Вот именно! Как говорится! — вспыхнул Елисеев. — Я журналист, газетчик. А кроме того, юрист по образованию. Так кто лучше меня знает, как это делается?

— Ну раз знаешь, тебе и флаг в руки. Марш-марш вперед, рабочий народ.

— Я ничего сделать не могу. А ты можешь.

— Что именно?

— Защитить человека, черт побери!

— Не шуми, — успокоил Гордеев. И добавил с улыбкой: — Да и знаешь ли ты, сколько это стоит — защитить человека, если кому-то надо, очень, как я чувствую, надо, чтобы он сидел? Вопрос в другом — навсегда или на какое-то время?

— Я знал, к кому идти, — теперь уже обрадованно вздохнул гость и взялся за бутылку. — Я ему так и сказал, что если что... И как в воду глядел!

Чему он в самом деле-то радовался?

— Погоди трепыхаться, — охладил его Юрий. — Я еще ничего не обещал, а тем более не говорил «да».

— Наплевать! Когда узнаешь, не устоишь, старик!

А насчет гонораров или там еще чего, ты, пожалуйста, не волнуйся. Любая сумма, которую назовешь.

— Даже запредельная? — усмехнулся Гордеев.

— Ну, во-первых, ты не идиот, а во-вторых, никогда и в жлобах не числился. Так что дело в шляпе. Скажи, куда и когда подъехать и какую сумму внести. Ну, договор, само собой, чтоб тебе руки развязать... Что еще? А, давай тяпнем побыстрее, пока ты не передумал! Мы же, со своей стороны, полностью гарантируем тебе и карт, и бланш, и все, что душа потребует, включая...

— А ты не торопишься, старичок? — с иронией поинтересовался Гордеев.

— Старик, времени совсем нет, уроки надо учить!

И они расхохотались. Хотя ничего смешного в том, что просил Женька, не было, а сам Юрий интуитивно чувствовал, что, кажется, зря впутывается в совершенно ненужную ему историю...

Глава третья
ЖУРНАЛИСТ

В бедах, обрушившихся на голову своего шефа и в немалой степени товарища, Евгений Елисеев виноватым считал себя. Но — в глубине, как говорится, души. Потому что каяться перед Гордеевым он не собирался, да этого, в общем, от него адвокат и не требовал.

А произошли все неприятности, закончившиеся для генерального директора одного из крупнейших в Сибири комбинатов Алексея Евдокимовича Минаева, ученого-экономиста, человека решительного и не любящего идти на компромиссы, водворением в следственный изолятор номер два, именуемый в просторечии Бутырками, видимо, по той простой причине, что кому-то сильно не захотелось, чтобы эта перспективная личность участвовала в губернаторской гонке.

— Ну что, скажи мне, — размахивая руками, объяснял Елисеев Гордееву, — могли бы с ним сделать в том же Белоярске? А ничего! Ты выйди на улицу и останови любого. Спроси, как он относится к Минаеву? Знаешь, что ответят? А то, что при нем комбинат на ноги снова встал. Как когда-то, при советской еще власти! Когда у всех и работа была, и заработки вполне приличные — даже для Сибири, когда работали ясли и детсады, когда лечили и посылали рабочих в профилактории и в сочинские с ялтинскими санатории бесплатно! Ну, почти бесплатно. Тот же тридцатник — не деньги... А потом все это пропало, все — коту под хвост! А Минаев начал постепенно, не сразу конечно, поднимать завод заново. Мало того что городскую администрацию практически содержит, он еще и на рынок стал выходить! Получил возможность дополнительный доход, помимо того, что государству отстегивает, на своих же рабочих тратить — на улучшение условий труда, на зарплаты и так далее. Я знаю, я писал об этом...

— Ну, если он такой распрекрасный и прогрессивный, на фига ему, извини, наркотой баловаться? Ты ведь про это говорил?

— Юра! Какая, к черту, наркота? Да есть ли у него вообще время на кайф? Ты ведь не представляешь, что такое производство, подобное тому, которым командует Алексей!

— И век бы не знать, — буркнул Гордеев. — Но это все фигня, а ты-то откуда узнал, что ему инкриминируют найденную при нем наркоту?

— Да я ж своими глазами видел!

— Интересно, как это?

— Запросто! Как все у нас делается при очень большом желании, — прямо-таки окрысился Елисеев.

И то, что рассказал Евгений, поминутно перебивая сам себя — как видно, от естественного волнения, — показалось Юрию Петровичу чрезвычайно странным. И даже отчасти фантастическим. Впрочем, Женька личность была известная в свое время в смысле темперамента, похоже, он и на сегодняшний день не сильно изменился. А тогда, как говорят, все рассказанное им надо поделить на четыре, а из оставленной четверти убрать эмоции и только после этого поглядеть в остаток...

Минаев прилетел в Москву во вторник, то есть позавчера. Рано утром. Потому что у него должна была состояться приватная встреча с депутатом Госдумы Владимиром Яковлевичем Журавлевым. А договаривались они о встрече, разумеется, через Евгения Елисеева, который постоянно живет в Москве и является в некоторой степени доверенным лицом генерального директора «Сибцветмета» в столице. Иными словами, бегает по указанию Минаева по разным службам, инстанциям, встречается с нужными людьми, организует так называемое паблисити для своего шефа, который за эти услуги положил Евгению достаточно пристойную зарплату. Да ведь организация и проталкивание материалов в газетах и на телевидении чего-то ж должны стоить!

Евгений загодя приехал в Домодедово, встретил шефа — тот не собирался долго задерживаться в столице, поэтому и апартаментов каких-то шикарных в пятизвездочных отелях себе не требовал, а готов был по-простому провести пару ночей у Евгения в квартире. Дуру свою, Евгений имел в виду Люську, с которой с переменным успехом жил уже третий год, но в ЗАГС идти вовсе не собирался из-за ее же склочного характера, он отправил к ее мамаше. Такое бывало и раньше, если шеф появлялся на день — на два. Она знала и не обижалась. Еще бы, деньги за проживание Алексей всегда оставлял на кухонном столе, и Люська считала их своим чистым доходом. Она же и простыни стирала, и завтраки готовила, и стелила на большом диване. Словом, никому это не мешало и никаких проблем не создавало.

Позавтракали они прямо в порту, в ресторане, а потом приехали к Евгению, где Минаев плотно уселся за телефон...

Далее Женька стал подробно рассказывать, где они

обедали да что ели, и Гордееву показалось, что он нарочно тянет время, не зная, как перейти к главной теме.

А Елисеев опять вернулся к истории. Ибо, по его убеждению, история Белоярского «Сибцветмета» стоила того, чтобы о ней было подробно известно адвокату, взявшему на себя защиту директора этого комбината.

Гордеев в принципе не возражал бы, кабы речь шла о производственных проблемах и вокруг них и разгорался весь сыр-бор. Но отлавливать сибирского директора в Москве и сажать за распространение наркоты — это просто не лезло ни в какие ворота, если исходить из нормальной человеческой логики. Елисеев же на каждое возражение Юрия Петровича немедленно взвивался и кричал, что эти мерзавцы пойдут «на что хошь», лишь бы убрать конкурента. Под «этими мерзавцами» журналист понимал городское руководство Белоярска и краевых представителей в Москве.

И опять нелогично. Если комбинат, как его назвал Евгений, являлся градообразующим, то есть давал работу и кормил большую часть населения, то какой же смысл у того же губернатора, у местных властей — в нынешние-то далеко не легкие времена! — губить, по сути, курицу, несущую им золотые яйца?

Юрий никогда не был знаком с губернатором Андреем Гусаковским, но из прессы, да хоть и того же телевидения, знал этого человека, бывшего военного, даже генерала. Знал, или, во всяком случае, слышал о его неподкупности, о его жестком характере и неумении ловчить, находясь среди высших государственных чиновников. Знал, что Гусаковского часто называли «неудобным губернатором» за его прямоту и нелестные суждения в адрес известных представителей президентской администрации. Все это было давно и хорошо известно самому широкому кругу лиц, так или иначе связанных с политикой. Гордеев же был вынужден с этой гнусной для него лично политикой сталкиваться всякий раз, когда к нему приходили клиенты с просьбами защитить их самих либо их родственников и близких, попавших под каток государственной машины. С бандитами — там было куда проще! Хотя и у них также хватало этой самой сволочной политики.

Видя неприязнь адвоката к тому, что он собрался изложить в самом полном объеме, Елисеев, словно бы сменив гнев на милость, сказал, что решил не занимать его слишком уж позднего времени и пообещал за это завтра же принести вырезки собственных газетных публикаций о комбинате и ситуации, сложившейся там до прихода Минаева, в корне эту ситуацию изменившего в лучшую сторону. Гордеев кивком обещал внимательно все проглядеть, чтобы составить общее впечатление.

Но расстановку основных сил в городе и на комбинате Женька все же взялся объяснить — хотя бы в виде схемы. Кто справа, кто слева, а кто посередке и к кому тянется.

Итак, сперва о генеральном директоре. Алексей Минаев — по всем показателям «варяг». Предыдущий гендиректор Юрий Кобзев не сумел, или не захотел, справиться с ситуацией на комбинате. А она была весьма непростой. Дело в том, что продукция комбината была всегда окружена плотной завесой тайны. Тот, кто думал, будто «Сибцветмет» — как можно предположить из названия производственного объединения — занимается изготовлением золотых цепей или перстней для «новых русских», сильно ошибается. Продукция комбината всегда шла на те сложнейшие производства, которые связаны с закрытыми, чаще всего научными, разработками. Тут тебе и ракетостроение, и радиотехника, и электроника, и вообще космос и так далее: перечислять — значит открывать госсекреты.

Девяностые годы, которые войдут в историю как годы становления демократии в России, историки, естественно, постараются представить и временем всеобщей приватизации, уходя при этом от главного вопроса: следовало ли проводить данную приватизацию столь скоропалительно, грубо и без оглядки? Ответ напрашивается сам. Конечно, надо было, но — по уму. А вот с последним вышло, как в старом одесском анекдоте насчет денег: или их уже есть, или нет!

При прежнем директоре Кобзеве до приватизации уникального производства, слава богу, дело не дошло. Но пользы предприятию не принесло тоже. Да что предприятия! Разваливались целые отрасли, где востребовались редкоземельные элементы, а тем, которые оставались на плаву, совсем не нужны были порошковый рутений или родий.

Нет нужды в продукции — нет и заказов. А нет заказов — нет зарплаты. Нет самого производства. Но зато, как всегда в подобных ситуациях, «имеют место быть проявления массового воровства», говоря дубовым языком протокола.

И вот на этом фоне гендиректор Кобзев решил покинуть комбинат, который ничего, кроме головной боли, лично ему не приносил, а на свое место предложил способного молодого человека из Москвы, который время от времени, по просьбе все того же Кобзева, проводил на комбинате некоторые экономические исследования. И с обреченностью постороннего человека без устали пытался доказать, что причина плохой работы в данном случае кроется не в неумелых или ленивых работниках, а в том, что рабочим никто не объяснил их задачи и не создал нормальных производственных условий. Но кому это надо было? Кто слушал глас вопиющего? А никто. Вот поэтому и предложил мудрый Кобзев на свое место своего же самого гневного критика.

Заняв руководящий пост, Минаев прежде всего занялся... приватизацией. Да, именно ею, но как? Он сделал дело таким образом, что пятьдесят один процент акций достался трудовому коллективу, причем практически за символическую плату. Остальные акции продавались на аукционах.

Экономист по образованию и по призванию, Минаев уже видел, какому напору извне в самое ближайшее время может подвергнуться предприятие, и постарался предусмотреть и этот вариант.

Минаевым и его другом, тоже грамотным экономистом, была создана дочерняя фирма при комбинате, которая занималась тем, что скупала акции комбината и выполняла роль посредника в реализации продукции «Сибцветмета». Таким образом, крупные пакеты акций, из-за которых могла бы начаться самая настоящая грызня, не уходили на сторону. Четверть процентов всех акций дочерней фирмы, именуемой «Рассвет», принадлежала предприятию, остальные акции — Минаеву с Игорем Журавлевым.

— Погоди, — перебил Елисеева Гордеев, — чтоб потом не возвращаться и не вспоминать фамилий... А этот Журавлев, он что?

— В самый корень! — обрадовался Елисеев. — Игорь является любимым племянником своего дядюшки, который, как ты правильно подумал, и есть наш замечательный депутат в Государственной думе — Владимир Яковлевич. И для встречи именно с ним и прибыл из Белоярска Алексей.

— Это все? — спросил подуставший от обилия слов адвокат и поморщился, глядя на часы, которые показывали третий час ночи. Или — утра, если бы дело происходило летом.

— Почти, — согласился Женька. — Но осталась очень важная мелочь. И без нее просто никак нельзя, ты уж извини.

— Извиняю, — безнадежно вздохнул Гордеев. — Валяй, но все-таки постарайся закончить свой монолог до рассвета.

— Я писал обо всем этом, понимаешь, Юра... И про то, какое именно воровство случалось прежде на «Сибцветмете», и кто им конкретно занимался. Да про что я только не писал! — воскликнул журналист с изрядной долей патетики.

— И про воровство писал? — удивился Гордеев. — Ей-богу?

— Да ладно, не лови на слове... — почти не смутился Женька. — Меня уже давно застрелили бы в подъезде собственного дома, если бы я только рот открыл. Про общую ситуацию — да, писал. И много! Мало кому там нравилось!

— А чего ж это губернатор Гусаковский, как человек требовательный и прямолинейный, допускал подобное воровство? Не пресекал с генеральской решительностью? Или у него самого рыльце в пушку?

— А это было и до него, при старом губернаторе, и позже.

— При том, которого, как я слышал по телевизору, замочили-таки в подъезде?

— При нем самом. А собственно акция состояла в том, что в обход государства умные банкиры реализовали за рубежом что-то около трехсот тонн порошкового палладия. Это примерно на три миллиарда долларов. Как ты считаешь, бывший директор с нынешним губернатором оказались в стороне? Сказать по секрету?

— Что, еще? Тебе уже мало рассказанного? — недовольно вопросил постепенно доходящий до точки кипения адвокат.

— Да я не про них, я про себя.

— Что, и тебе отстегнули тоже? — сыронизировал Юрий.

— Ага, — усмехнулся Женька. — Как в той байке: дали, потом догнали и еще добавили. Я когда копнул то дело про три миллиарда (а Минаев обещал мне помочь, если сумею раскрутить), сразу натолкнулся на бетонную стену. Ездил ведь специально и к покойному нынче Валерию Петровичу Смирнову, и к Юрию Александровичу Кобзеву... И с Гусаковским пробовал беседовать. Но все они делали огромные глаза: откуда, мол, у вас эта бредятина? Разговоры так и не состоялись, но зато меня подкараулили недалеко от ихнего «Хилтона», где я проживал во время наездов в Белоярск. Минаев в таких случаях не скупился, быт хорошо оплачивал. В общем, подкараулили и ласково предложили уматывать в Москву. А чтоб крепче запомнил — вот! — Женька потрогал свой затылок и наклонил голову к Гордееву: — Не бойся, пощупай, чуешь вмятину? Вот это они. Для памяти.

— И что же?

— А ничего. Отвалялся две недели в их клинике, а потом сразу подался в Москву. Минаев тогда сказал: «Ну и не надо, обойдемся без скандала». И меня к себе с тех пор без острой надобности не вызывает.

— М-да... — протянул Гордеев. — Нравы у вас, однако... Я уж и не уверен, что имею желание браться за ваши дела, ребята. Мне собственная жизнь, честно говоря, дорога... как память. Зачем искушать судьбу?

— Ага! — ухмыльнулся Женька, указывая на залепленную пластырем макушку Юрия. — А сегодня ты полез из каких соображений?

— Из соображений защиты личной собственности. Она мне тоже бесконечно дорога. Ну ладно, я бы пошел и поспал маленько...

— Ну еще пять минут, и я уеду, — заныл Елисеев.

— Куда ж ты поедешь в таком виде?

Все-таки полторы бутылки коньяка они оприходовали.

— Доберусь как-нибудь, — неуверенно заметил Женька.

— Есть другой вариант. Я сплю обычно здесь, но в той комнате имеется примерно такой же диван. Вот вались на него, а утром, кстати, надо будет подумать, как добраться до твоего приятеля. И вообще поехать посмотреть, как и где происходили события, чтобы иметь представление. Опять же узнать, кто следователь по его делу. Женька, ты зря думаешь, что у вас все получится просто, если, скажем, я возьмусь за дело. Пока твои рассказы ни в чем меня не убедили. Скорее, наоборот.

— Да ты чего, с ума, что ли, сошел? — возмутился Елисеев. — Алексей Минаев — честнейший человек!

— И тем не менее.

— Ну ладно, тогда я еще два слова буквально, и давай спать. Завтра действительно беготни... Короче, он прилетел, чтобы встретиться с нашим депутатом. А стал оным Владимир Яковлевич опять же с помощью Алексея. Вернее, это его Игорь сумел уговорить поддержать финансово своего дядьку. Мол, будет у нас в

Москве вот такое лобби! — Женька показал большой палец.

— Сумма?

— Чего — сумма? — опешил Женька.

— В какую сумму обошлось предприятию это депутатство?

— Понимаешь, Юра...

— Отлично понимаю, — перебил Гордеев, — оттого и спрашиваю.

— Вообще-то... словом, чего темнить? Пятьсот.

— Я так понимаю, что счет шел в баксах?

— Вот именно, — вздохнул Елисеев. — Пятьсот тысяч...

— Хреновое ваше дело, — неожиданно изрек Гордеев.

— Почему?

— Ты сказал, что твой друг Алексей Минаев прилетел срочно в Москву для разговора с Журавлевым? А тот до сих пор, вероятно, не только не вернул долга, но еще и ничем не помог родному предприятию, так?

— Ну.

— И депутат, надо понимать, вовсе не желает лишаться своих денег. Ну, тех, которые уж давно стали его личными... А значит? Как бы поступил на его месте любой другой крупный прохиндей, а? Ну давай, журналист, напряги шарики!

— Но они же встретились. И говорили. Я сам видел. Просто по просьбе Алексея сидел в стороне. А потом Журавлев ушел, и тут...

— Ясно. Налетели ястребы — ОМОН, СОБР, «Альфа», «Витязь» и прочие спецподразделения всех мыслимых спецслужб, да?

— Ну, всех не всех, конечно, но омоновцы были. Народ положили на пол, устроили общий шмон. Алексею — тоже. Потом у него нашли какие-то пакетики и всех нас немедленно пинками под зад выкинули наружу. А туда пригласили понятых. И через полчаса вывели Алексея уже в наручниках. Мы только и успели переглянуться, и я показал ему, чтоб не волновался.

Он кивнул и сел в милицейскую машину. Вот, собственно, и все.

— А Журавлева уже, говоришь, не было? Кстати, как называется забегаловка, где была встреча?

— Скажешь тоже! — словно обиделся Женька. — И никакая не забегаловка, а вполне пристойное заведение. И название интригующее — «Камелот». Знаешь, что это такое?

— Что-то из времен короля Артура?

— Ага. Небольшой ресторан в форме замка. Десяток всего столиков, парочка кабинетов, вот и все. Народу много не бывает, а кухня хорошая. Это на Варшавке, на углу Балаклавского проспекта.

— А чего так далеко забрались?

— Ну, во-первых, я там рядом живу, на Черноморском бульваре. А во-вторых, депутату, по существу, тоже по дороге, он частенько отдыхает в «Архангельском», только не по Рублевке, а на юге, по Калужской, там бывший совминовский санаторий. Пансионат, всяческие прибамбасы, развлечения, тренажеры и прочее. Вот на общей дорожке и сошлись. Только Алексей с депутатом — для спокойного разговора — устроились в небольшом кабинете, а я сидел в зале. Но — видел.

— Как же видел-то, если они были в кабинете?

— Так я ж говорю, Журавлев уже встал и ушел, а дверь была открыта, я хотел было перейти к Алексею, но не успел, как ворвались эти и всех положили мордами на пол. Неприятное ощущение, скажу тебе.

— Да уж чего хорошего...

На том долгая ночная беседа и завершилась. Они стали укладываться спать, чтобы с утра, как сказал Гордеев, быть со свежими головами и попытаться воочию восстановить картину происшествия. А затем уже двигать к следователю. Естественно, и в юрконсультацию заехать, чтобы оформить все по закону, а то ведь с адвокатом никто даже разговаривать не захочет, не то что документы показывать...

...Ресторан «Камелот» работал со второй половины дня, но внутри вовсю трудился обслуживающий персонал. Гордеев с Елисеевым подошли к служебному выходу и выяснили, что метрдотель, который трудился два дня назад, уже пришел на работу.

Он оказался немного дубоватым малым, но не вредным, а просто не желающим вешать на свое заведение какие-то ненужные проблемы. Гордеев убедил его, что проблем не будет, что он просто хочет восстановить для себя ту неприятную историю, которая случилась здесь два дня назад. И не более. Просто представить на месте, как все происходило.

Метр провел их в зал, где столы еще были не застланы, стулья были составлены на возвышении, где играет оркестр, — все вместе, а полы протирала влажной тряпкой миловидная женщина.

— Ну давай показывай, кто из вас где находился? — сказал Юрий Петрович.

Женька быстро взял один стул, приставил его к столу возле окна и сел. Показал на открытую дверь кабинета:

— А они сидели там. Когда дверь кто-нибудь открывал, я их прекрасно видел. Да сам взгляни отсюда... Потом Журавлев отвалил, вот сюда. — Для наглядности Елисеев проделал путь от кабинета к выходу, где была и вешалка с находящимся при ней гардеробщиком.

— Как быстро явился ОМОН? — спросил Юрий Петрович.

— Да в том-то и дело, что практически сразу, едва ушел Журавлев! Получается так, будто они его выпустили и тут же ринулись на посетителей.

— Я должен добавить, — почти церемонно заметил метрдотель, — что эти молодцы вели себя весьма вызывающе.

— В чем это выражалось? — обратился к нему Гордеев.

— Ну... если у правоохранительных органов имелись основания подозревать в торговле наркотиками кого-то из посетителей ресторана, то зачем же было оскорблять обслуживающий персонал? И довольно, скажу вам, грубо.

— Сочувствую. Весьма. — Гордеев развел руками. — Ну и кто где лежал?

Елисеев опустился на руки, показывая примерно свою позу, снова валяться на полу он, естественно, не желал.

— А обыскивали Алексея вон там, в кабинете.

— Кто-нибудь, кроме тебя, видел это?

— Не знаю, — почесал за ухом Женька. — Но понятых провели прямо туда. Мужик и пожилая тетка.

— Откуда их взяли?

— Наверное, пригласили с улицы. — Елисеев пожал плечами. — Как только их привели, нас всех, кто был здесь, выкинули на улицу. Про обслугу не знаю, не видел. Но народ был недоволен. Очень. Однако все постарались побыстрее умотать отсюда. Кому же охота выворачивать карманы перед каждым ментом? Да еще и виноватым себя чувствовать. Хамство, вообще говоря!

— Очень с вами согласен, — склонил голову с четким пробором метрдотель. — Надеюсь, на этом ваш эксперимент закончен? Мы можем продолжать работу?

— Да, спасибо, — кивнул Гордеев.

— Всегда к вашим услугам.

Метрдотель степенно удалился в служебное помещение. А Гордеев с Елисеевым вышли наружу.

Площадка перед входом была разметена от снега, приготовлена для вечерних посетителей.

Здесь Елисеев показал, где стоял он, когда выводили Минаева, где была милицейская машина, куда его засунули. А потом стал рассказывать, как потратил вчера почти целый день, чтобы выяснить, куда увезли Алексея. Удалось, к сожалению, немного, и то настойчиво подключив к поиску самого депутата Журавлева. Тот, естественно, охал и ахал, возмущался, обещал выяснить через день-другой, но Женьке и тут пришлось проявить свою журналистскую наглость. Словом, удалось узнать, что шмон производили работники службы криминальной милиции Южного административного округа, а дело о наркотиках передано в окружную прокуратуру ЮАО. И находится оно у старшего следователя Черногорова. Вот, собственно, и все, что удалось замечательному народному избраннику. Он тут же заторопился, выдумав какое-то срочное заседание, и ушел от телефона. В дальнейшем помощники связывать с ним отказывались: очень сильно занят!

Если бы Гордеев полностью подчинился своей интуиции, он мог бы с ходу сейчас выдать готовую версию случившегося. Но он не хотел торопиться с выводами. Да к тому же был вовсе не прочь подъехать в Коломенский проезд, в прокуратуру Южного административного округа Москвы к следователю Черногорову. Совпадения конечно же бывают, но если у этого следователя инициалы Э и Н, то им было бы о чем поговорить и что вспомнить.

— Не в курсе, как зовут твоего следователя? — спросил у Женьки. — Не Эдуард, часом, Николаевич?

— Точно! — воскликнул тот, взглянув в свою записную книжку.

— Не знаю, — усмехнулся Юрий Петрович, — вполне может статься, что вам, ребята, маленько повезло. Но не будем предвосхищать событий.

— К Эдуарду Николаевичу, — сказал Гордеев охраннику на входе и предъявил свое адвокатское удостоверение. — Товарищ со мной, — кивнул он на Елисеева.

— Второй этаж, двести седьмая, — ответил серьезный молодой человек, возвращая удостоверение.

Гордеев вежливо постучал в указанную дверь, приоткрыл.

— Разрешите, Эдуард Николаевич?

Хозяин кабинета поднял голову, недовольно взглянул на просителя — а то кого же еще? — и хмуро кивнул.

— Здравствуй, Эдуард Николаевич, — с улыбкой произнес Юрий, подходя к столу следователя.

— Слушаю вас? — Хозяин поднял глаза от бумаг, и вдруг губы его растянулись в широкой улыбке. — Ка-акие люди! Вот не ожидал!

Он поднялся и протянул Гордееву сразу обе руки. Посмотрел на Елисеева, потом снова на Юрия.

— Он со мной, — сказал Гордеев. — Слушай, Эд, я, конечно, подозревал, когда услышал фамилию, что это именно ты, но ведь сколько времени прошло!

— А ты почти не изменился, — продолжал удивляться Черногоров. — Все адвокатствуешь? Суешь нашему брату толстые палки в хилые колеса?

— Каюсь, грешен. Но не так, чтоб уж и очень! Ne quid nimis! — как говорили древние римляне: ничего лишнего, ничего сверх. Да и потом, обидеть вашего брата — всегда выходит самому боком. Ну а ты как? Здоров?

— Слава богу... А вы — по делу? Или просто мимо шли? Во что, извини, сразу позволь не поверить...

— Во всяком случае, не мимо. Вот погляди, пожалуйста...

Гордеев достал из кармана бланк заключенного утром соглашения между адвокатом Гордеевым и представителем подозреваемого Минаева А. Е. гражданином Елисеевым Е. А., составленным по поручению Минаева.

Черногоров взял документ, внимательно прочитал, кивнул и возвратил его адвокату.

— Ну что ж, у каждого, как говорится, свои заботы... — И посмотрел на Евгения. — У вас действительно имеется такое поручение?

— Да, — подтвердил Елисеев, — в свое время Алексей Евдокимович выдал мне его официально. Я работаю на него.

— Простите... Евгений?..

— Алексеевич.

— Вы не обидитесь, если я попрошу вас подождать Юрия Петровича в коридоре? Я его не задержу. А ты, Юра, не возражаешь?

— Жень, сделай одолжение, — подмигнул Гордеев, понимая, что у Эда, вероятно, есть к нему нечто такое, о чем он не хотел бы высказываться при посторонних.

— Нет слов, — улыбнулся Женька, выходя из кабинета и тщательно прикрывая за собой дверь.

— Ты этого человека достаточно знаешь? — спросил следователь, кивая на дверь.

— Учились когда-то вместе. Вроде парень неплохой. А что, появились проблемы?

— Проблемы, Юра, могут возникнуть не у меня, их и без того выше крыши, а у тебя.

— В смысле?

— Юра, ты меня достаточно знаешь, чтобы не сомневаться в том, что я тебе уж во всяком случае зла не желаю?

— Вполне.

Гордеев не лукавил. За те несколько лет, когда он под руководством Турецкого работал в Генеральной прокуратуре, ему по ходу дел приходилось неоднократно пересекаться с молодым следователем Эдом Черногоровым. И всякий раз совместная работа в чем-то, да сближала их.

— Ну тогда я тебе вот что скажу... Нехорошее это дело. Это явно чей-то заказ, причем оттуда. — Черногоров махнул рукой над головой. — Но улики бесспорные. Дактилоскопия подтвердила. Хотя подозреваемый утверждает, что отродясь не имел дел с наркотиками. А с отпечатками его просто подставил майор, заставил взять в руки во время обыска. А он не знал, что берет. И вообще, скорее всего, это тот случай, когда обвинение не будет в обиде на победу защиты. Если тебе удастся. Вот все, что я тебе хотел сообщить как старому товарищу. Надеюсь, ты эту мою искренность не употребишь мне же во зло.

— Последнее ты мог бы и не говорить. Спасибо, Эд. А ты дашь мне разрешение встретиться с подзащитным?

— Вопросов нет.

— А посмотреть материалы?

— Ты хочешь прямо сейчас?

— Так их же наверняка раз-два — и обчелся?

— Примерно так. Можешь даже выписать все, что тебе надо.

Черногоров протянул Гордееву папку с материалами дела, и Юрий Петрович, достав блокнот, первым делом переписал туда фамилии и адреса понятых, присутствовавших при задержании гражданина Минаева А. Е.

Заодно отметил у себя и фамилию майора из службы криминальной милиции Южного административного округа, производившего задержание и обыск подозреваемого в хранении и распространении наркотиков гражданина Минаева, жителя города Белоярска. Этому Бовкуну Владиславу Егоровичу наверняка было в высшей степени наплевать, кем является задержанный им человек. Если Эд в данном случае прав — а врать или что-то придумывать специально для Гордеева ему вряд ли надо, — то Минаева, скорее всего, действительно заказали. Кто — вопрос другого порядка. Но явно человек, занимающий немалый государственный стул. Потому что подставка организована настолько профессионально, что даже такой опытный следователь, как Черногоров, похоже, разводит руками.

Посмотрев все, что ему требовалось и получив письменное разрешение следователя на официальное свидание с подзащитным, находящимся в Бутырках, Гордеев был готов уже откланяться, но что-то еще останавливало. Возможно, их не такое уж и давнее общее прошлое.

— Встретиться да посидеть бы, как встарь, — сказал Юрий. — А то, в самом деле, бегаешь, бегаешь, а оно тебя из-за угла — хап! — и в Склиф...

— Давай вот закончим с этой... — оторвался от своих бумаг Черногоров.

— Трехомудией? — подсказал Гордеев.

— Вот-вот, с ней самой, да и посидим, а? — улыбнулся Эд.

— Забито! — Юрий, как встарь, хлопнул следователя ладонью по выставленной им ладони и бодро кивнул, прощаясь. — За сказанное тобой не беспокойся, — счел необходимым добавить уже от двери.

Ну, конечно, это, честно говоря, просто повезло неизвестному пока Гордееву подзащитному, что у его новоявленного адвоката приличные отношения со следователем. Другой бы уперся рогами, особенно если ему известно наперед мнение начальства и выданы соответствующие директивы, и иди доказывай кому хочешь, что творится милицейский беспредел, а твой подзащитный — игрушка в чьих-то явно нечистых руках. Ну и что, чего добьешься? А тут следователь сам ясно дал понять старому товарищу, что не может он прекратить это дело, однако вовсе не будет обижен или сильно раздосадован, если адвокат победит в состязании. У всякой игры есть свои правила, но и в этих правилах имеются такие тонкости и нюансы, разгадать которые не всякому и суду под силу.

Евгений Елисеев нетерпеливо мерил нервными шагами узкий коридор прокуратуры. Его определенно очень озаботила странная ситуация, возникшая в кабинете следователя. Показалось, что между следователем и адвокатом готов был возникнуть какой-то тайный сговор. Но вот в чью пользу?

Был ли он полностью уверен в честности Гордеева? А как сказать! Они что, жили все эти годы бок о бок? Дружба у них — не разлей вода? Пуд соли съели? Да ничего подобного и близко не было. Но Евгений, который по причине своего юридического образования и второй журналистской профессии владел информацией, слышал, конечно, о выигранных Гордеевым процессах. А в наше неопределенное время выиграть что-либо у сильных мира сего, а тем более у государства, далеко не просто. И еще, уже в силу собственной натуры, Евгений полагал, что он может запросто, по старой памяти, подойти к адвокату, бесцеремонно хлопнуть его по плечу и называть Юркой. И это был главный и, возможно, единственный плюс. А все остальное пока находилось в минусах. И если чего и побаивался Елисеев, так это ошибиться, впасть в преждевременную эйфорию. И вежливое выпроваживание его из следовательского кабинета указывало определенно на это. Вот он и не находил себе места.

— Чего мечешься? — спокойно спросил Гордеев.

— Нервы, наверное... — попытался объяснить свое состояние Женька.

— Ты хочешь меня и дальше сопровождать?

Елисеев замялся и вдруг выпалил:

— Так все равно мне делать нечего! Шеф — за решеткой, а что я без него?

— Что? — с иронией поинтересовался Юрий Петрович. — Совсем уж и ничего? Вроде пустого места?

— Ну зачем? — обиделся Женька. — Шеф дает совершенно конкретные указания, я стараюсь, чтоб все было тип-топ, стороны довольны, гонорар капает. Обычная жизнь, старик.

— Да... завидую. А теперь скажи, друг-москвич, тебе известно, где находится улица Кошкина?

— Понятия не имею.

— Но ведь это в твоем округе.

— Спросить можно... Карту посмотреть. А что там у тебя?

— Не у меня, а у тебя. Там проживают понятые, присутствовавшие при обыске твоего шефа. Пожилые люди. — Гордеев заглянул в блокнот. — Вяхирева Зинаида Васильевна и... — он перелистнул страничку, — Семенов Михаил Григорьевич. Посмотреть на них хочу. И поговорить, если удастся.

— Понял, — с готовностью откликнулся Елисеев, — сей момент организуем! Там, внизу, у дежурного, я видел большую карту Москвы. Давай грей пока машину, а я мигом все выясню.

Глава четвертая

ГЕНЕРАЛ И ГУБЕРНАТОР

По аэродрому мела ледяная, колющая поземка. Мощные снежные вихри поднимались и от турбин тяжелых самолетов, подруливающих к терминалу.

Лидия Михайловна сидела в салоне так называемой эксклюзивной модели отечественной «Волги» с увеличенным кузовом. Почти «мерседес», с которого, говорят, когда-то слямзили российские автомобилестроители форму «двадцать четвертой». А может, все это — антипатриотичные досужие вымыслы... Во всяком случае, машина, в которой сидела Лидия в ожидании важного пассажира, — он прилетел из Москвы только что, и его рейсовый самолет в данный момент подруливал к зданию аэровокзала — чувствовала себя вполне комфортно. Да и самому хозяину, губернатору Гусаковскому, нравилась эта машина, — ему-то, возможно, как раз из чисто патриотических чувств.

Андрей Ильич никогда не переставал подчеркивать, что он истинно русский человек, простой, как Чапаев, и предусмотрительно мудрый, как его духовный идеал — Суворов. Лидия однажды, в шутку, подсказала ему, что вообще-то Чапаева называть истинно русским никак не выйдет, российские малые народности тоже вправе иметь своих героев. Гусаковский хитро посмотрел ей в глаза, хмыкнул и больше Чапаева не поминал, разве что в узком кругу и со ссылкой на «малые народности» — тоже русские по своему духу.

Наконец турбины смолкли, и от аэровокзала покатил к прибывшему «борту» автотрап.

Лидия приподнялась с сиденья, дотянулась до плеча водителя и тронула его:

— Давай, Миша, прямо к трапу.

«Волга» шустро подрулила по расчищенному бетону к самым ступенькам, когда первые пассажиры показались из открытого люка.

Первым спускался невысокий, широкоплечий милицейский генерал-лейтенант в элегантной зимней форме. За ним, отставая ровно на один шаг, сбегал по трапу милицейский полковник с небольшим чемоданчиком в руке и сумкой через плечо.

Лидия поспешно выбралась из салона и шагнула к трапу, гостеприимно раскрыв руки перед гостями. Генерал бодро ступил на землю, правой рукой, как само собой разумеющееся, по-свойски обнял женщину, прижал к себе, походя чмокнул куда-то между губами и ухом и, не отпуская ее от себя, обернулся к полковнику:

— Давай прыгай вперед!

А сам, подтолкнув впереди себя Лидию, полез за ней на заднее сиденье. «Волга» тут же, рывком, заложив с места лихой вираж, помчалась к воротам аэропорта — только снежная пыль взвилась красивым вихрем, заставив других пассажиров заслониться руками от вызывающего лихачества. Но — кому-то ведь можно! Значит, большая шишка прилетела из Москвы.

А «шишка», расстегнув и форменное пальто, и генеральский свой мундир, развалился на заднем сиденье и, откинув голову, без стеснения рассматривал Лидию. Потом жестом ладони показал ей, чтоб она подняла стекло, отделяющее заднюю часть салона, — тоже полезное новшество, заказанное губернатором. Прочное стекло поднялось с легким гудением.

— Ну как, — придав голосу легкую игривость, спросил генерал, — не обижает он тебя? А то скажи... — почти мурлыкнул генерал и положил широкую и пухлую ладонь на круглое колено женщины. Слегка сжал, сдвинул по упругой ноге повыше, шлепнул пару раз и отпустил.

— Ох, — хмыкнула Лидия, — все такой же! И что ж вы все, мужики...

— Ну и куда вы меня? — перевел разговор на новые рельсы генерал. — В отель или сразу к твоему?

— В «домик» приказано, — многозначительно подняла палец Лидия. — Сам будет встречать на месте. У него, — она поглядела на ручные часики, — через десять минут закончится ответственная встреча. Поэтому сам встретить не смог, ты уж его извини.

— А что же это такое важное?

— С комбината одолели... — неохотно ответила она. — Там целая делегация. Кто-то крепко настраивает народ, а нам совсем не нужно, чтобы из Москвы сюда прикатила какая-нибудь очередная комиссия. Их и так уже хватает! Вот он и пробует снизить накал.

— Ха! Ну надо же! — как-то по-бабьи всплеснул

руками генерал. — Так, может, и не стоило нам тогда весь этот огород городить? А быстро у вас слухи-то распространяются! Гляди-ка, и двух дней не прошло!

— Да какие там два дня! — брезгливо скривила губы Лидия. — О каких днях вообще речь? В тот же вечер уже кто-то из Москвы позвонил на завод. Впрочем, мне, кажется, даже известно, кто это мог быть. И — началось! С утра чуть ли не забастовка! Ходоки в администрацию. Андрей и сам еще толком не знал, что отвечать. Я ж когда получила от тебя информацию? Только днем. Нет, мы знали, конечно, но не владели ситуацией свободно. Вот и удалось пока отложить — до окончательного выяснения. Кстати, Иван, а вы там не слишком начудили? Слухи-то какой-то фантастикой отдают.

— А, — морщась, отмахнулся генерал. — Между прочим, я, пока летел сюда, все одну мыслишку обкатывал — и так, и этак. Прелюбопытная штучка может получиться... Ну, обсудим. А с другой стороны, что это вы вроде как стали пугливыми? И вообще, может, не надо было затевать кутерьму? Давайте исправим! Мне ведь — раз-два, и гуляй, Вася! Ошибка, мол, вышла, еще и извинимся... Вот что я тебе скажу, девочка. — Генерал наклонился к Лидии совсем близко и с удовольствием потянул носом, даже крякнул: — Хорошие духи, умница... Вы тут с ним, скажу вам откровенно, сами не знаете, чего хотите, понятно? А я там, в Москве, все время за вас думать не могу, у меня есть и другие еще дела, государственные.

Он снова откинулся на спинку, стал смотреть за окно на ровный снежный пейзаж, ограниченный сплошным темным лесом. Дорога вела не в город, а, наоборот, в сторону от него, к так называемому «домику» — бывшему обкомовскому особняку, в котором во все времена останавливались и продолжают останавливаться исключительно высокие гости первого в крае лица — прежде секретаря обкома КПСС, а ныне губернатора. В этом домике были абсолютно все столичные удобства, включая и сауну, и озерцо с прорубью для «моржей», и спутниковую связь с любой нужной точкой на карте мира, и спецбуфет, и спецобслугу — на любой вкус. Иван Иванович Толубеев, заместитель начальника Главного управления по борьбе с оргпреступностью, это прекрасно знал. Знала и Лидия Михайловна, ибо именно ей чаще всего предоставлялась честь (или обязанность) познавать в деталях вкусы высокопоставленных гостей губернатора. И, надо отметить, справлялась она со своим делом в высшей степени успешно. О чем было хорошо известно достаточно широкому кругу лиц. Но они, эти самые лица, не злоупотребляли своим знанием, ибо искренно ценили оказываемые им услуги. Да и Лидия всегда держалась с таким достоинством, что разве ненормальный или сексуальный маньяк мог бы подумать, будто ее высокое умение и является ее основной профессией. Ничего подобного! Все они были люди взрослые, и у каждого, естественно, имелись некоторые человеческие слабости, потворство которым вовсе не надо называть грехом. Но уж если, в конце концов, это и грех, то такой восхитительный, что любую его критику можно назвать самым откровенным ханжеством, и ничем иным...

Наконец впереди показалась высокая кирпичная ограда с крашенными зеленью железными воротами. Не хватало лишь красной металлической звезды, характерной для воинской части. Ну, что касается солдат, то таковых здесь не имелось, однако охрана была как в той же войсковой части. На сигнал «Волги» из калитки вышел охранник в полушубке и с автоматом, наклонился к стеклу водителя, кивнул, перешел к салону, тоже заглянул и, увидев генеральский погон, выпрямился и отдал честь. И сейчас же створки ворот покатились в обе стороны. Машина въехала на широкую расчищенную от снега дорогу, ведущую в глубину лесного массива.

Ехали еще несколько минут, потом сделали широкий вираж и остановились у большого стеклянного подъезда со ступеньками полукругом. На верхней кутался в накинутый на плечи белый армейский полушубок губернатор Гусаковский.

Водитель Миша выскочил из-за руля, обежал машину и открыл дверцу со стороны генерала. Толубеев, чуть согнувшись, выбрался на хрустящий под ногами снег, оставшийся между проплешинами чистого бетона. А вот вышедший из «Волги» полковник, пока генерал и губернатор приветливо хлопали друг друга по плечам, предупредительно протянул руку в салон, помогая Лидии выбраться наружу. Наградой ему был ее красноречивый, хотя и мимолетный взгляд. И еще он не мог не обратить внимания на ее оголившуюся, прямо-таки убийственно сексуальную ногу, когда она ступила на землю. Бедняга полковник даже слегка покраснел.

«А он симпатяга», — мельком подумала Лидия и еще раз, искоса, кинула на него взгляд.

— Благодарю, — мягко добавила она, — можете отпустить мою руку.

И, покачиваясь, словно опытная манекенщица, стала красиво подниматься по ступеням в дом.

Непростые отношения связывали губернатора и генерала милиции. Хотя и возникли они, в общем, уже достаточно давно. В одном из уральских гарнизонов, где начал свою успешную, правда, и длительную дорогу к генеральским погонам Андрей Гусаковский, точно так же началась милицейская биография Ивана Толубеева. И это своеобразное землячество скоро свело их, как теперь видно, на всю жизнь. Почему «своеобразное»? Да потому, что один был родом с Дальнего Востока, из Приморья, а второй — из Белоруссии. Вон какие концы! А сошлись посередке, на Урале. Менял место службы Гусаковский, повышал свою квалификацию и Толубеев — академия, Москва, наконец, Министерство внутренних дел.

Неугомонный Андрей Ильич однажды решительно завязал с армейской карьерой, ибо не видел впереди для себя достойной перспективы, в то время как она явно открывалась в службе гражданской. И, став губернатором в одном из крупнейших сибирских городов — Белоярске, первым делом вспомнил об Иване, который достиг уже немалых высот на своем поприще в столице. Его помощь и толковые советы помогли навести необходимый губернатору порядок в правоохранительных структурах сибирского края. Как и в добрые старые времена, их взгляды, а особенно интересы практически совпадали полностью. Как же при этом не стараться помочь друг другу? Они и помогали, не считая при этом зазорным для себя предусмотрительно думать о том времени, когда им обоим придется оставить государеву службу и превратиться в обычных ветеранов. Ну, может, не совсем обычных, однако нюансы тут большой роли не играют все равно. И тогда ведь никто не придет к тебе с поклоном и не предложит стать каким-нибудь там соучредителем или консультантом по эксклюзивным проблемам. И гонораров, соответственно, не жди. Значит, приходится обо всем загодя думать. И самому. Но лучше, естественно, когда у тебя рядом человек, которому ты вполне доверяешь. Включая собственную любовницу. А что? Даже и так. И трагедии или просто неудобства в этом нет, как нет и неких угрызений, что ли, а есть исключительно голый прагматизм. Есть нужда. Необходимость. Дело, которое иной раз таким боком повернется, что и сам с ходу не решишь, чем придется пожертвовать...

Торжественный завтрак — почти по протоколу — был устроен в большой гостиной.

Генерал не хотел обижать своего бравого порученца, которому случалось выполнять порой и некие скользкие поручения шефа. А доверительность предусматривает и определенный такт во взаимоотношениях с подчиненным. Поэтому за столом сидели вчетвером.

Генерал и губернатор, как случается, когда люди слегка расслабляются, если какое-то время не виделись, вспоминали что-то из прежних своих похождений. Смешные случаи, анекдотические ситуации, которых хватало и в армейской, и в милицейской жизни. Им было весело.

Лидия внешне старалась подчеркивать свой интерес, хотя все эти молодеческие воспоминания ей давно уже осточертели. Одно и то же — по девкам бегали, втыки от начальства получали. Жеребятина все это, хорохорятся друг перед другом, а ведь об их способностях вообще и в частности Лидия знала получше их собственных жен. Которых, они, естественно, никуда с собой не берут, ибо понимают, что с провинциальными клушами настоящей городской каши не сваришь.

— Ну что, надо бы вернуться к делам? — неожиданно спросил генерал. — Я вообще-то в твои края ненадолго. Можно сказать, туда — сюда, и труба зовет. Поговорим?

— Пойдем, Иван Иванович, — церемонно заметил губернатор. И, посмотрев на Лидию и полковника, добавил: — А вы пока тут заканчивайте, мы вас не торопим. Ну а будет нужда, позовем.

Они поднялись, бросили на стол скомканные салфетки и удалились в кабинет.

Лидия с полковником переглянулись и улыбнулись. Даже и дураку понятно, что начальникам надо было поговорить с глазу на глаз. Есть вещи, о которых и самые доверенные лица должны получать строго дозированную информацию. Тот самый случай.

— Здесь у вас разрешено курить? — спросил полковник.

— Здесь можно все! — двусмысленно заметила Лидия и потянулась к соседнему стулу за своей сумочкой, в которой лежали сигареты и зажигалка.

— Позвольте угостить моими. — Полковник протянул ей открытую пачку разноцветных сигарет «Собрание».

— Вы курите такие? — изумилась Лидия.

— Терпеть их не могу, — засмеялся полковник. — Это специально для вас. Как-то Иван Иванович сказал, что вы их любите. А я вспомнил уже перед отлетом и успел взять в буфете аэропорта несколько пачек. Презентую.

— Боже, но они же очень дорогие!

— Не дороже любого женского расположения, — смело заявил полковник. — И еще раз простите, я так и не представился вам. Сергей Юрьевич, можно просто Сережа. Так мне будет еще приятнее.

— Вас устроили здесь, с шефом? Или лично у вас какие-то иные планы?

Он неопределенно пожал плечами:

— Пути начальства неисповедимы. Пока мне приказано оставить чемодан шефа в той спальне, — он указал рукой направо, — а свою сумку бросить в комнате на втором этаже. Что и было исполнено. — Он улыбнулся.

«Хорошая у него улыбка, — подумала Лидия, — и одеколон тоже хороший...»

«Мировая баба, — в свою очередь подумал полковник. — И что она нашла в этих старперах? Хотя... хочешь жить, умей вертеться. А что вертеться ей приходится постоянно, нет сомнений, вон и едва заметные лучики-морщинки у глаз. Никаким макияжем не спасешься. Но выглядит просто отлично... А ноги!..»

Лидия поднялась, оправила обтягивающую бедра юбку и сказала:

— Хочу посмотреть, как вас устроили...

Она шла впереди и, поднимаясь на второй этаж, физически ощущала на себе давление взгляда полковника. Но обернулась лишь возле двери его комнаты. Она отлично знала расположение всех помещений в этом доме.

— Здесь?

— Да, — чуть осипшим голосом сказал он и толкнул дверь, — прошу.

Она вошла, он — за ней. Она резко обернулась, и они оказались лицом к лицу, почти вплотную. Он кинул ладони ей на лопатки, сильно сжал, притянул к себе, она охнула и закрыла глаза.

— Сумасшедший... — Долгий, тягучий выдох.

Он мягко опускал ее спиной на кровать, одновременно сбрасывая свой китель и хватая ее за ягодицы. Ее освобожденные ноги резко вскинулись над его плечами, и Лидия, изо всех сил сдерживая себя, тем не менее протяжно застонала, судорожно вцепляясь сильными пальцами в его кудрявые черные волосы, в затылок, в щеки...

— Мы и в самом деле ненормальные, — тяжело дыша, прошептал он, поднимаясь и помогая подняться ей.

— Почему? — К ней словно вернулось чувство юмора.

— Ни дверь не закрыли, ни...

— А здесь лишних не бывает, — спокойно ответила она, поправляя перед зеркалом свою прическу, — так что твои переживания, мой симпатичный рыцарь, излишни. А я просто хотела убедиться, что тебя в этом замке никто не обидел.

— И убедилась? — с двусмысленной ухмылкой спросил он, поднимая с ковра на полу свой китель.

— Ну... как сказать? Скорее убедилась, что тебя обидеть трудно. И потому, возможно, мы еще вернемся к обсуждению данного вопроса. Не возражаешь?

Вместо ответа он снова прижал ее к себе и стал истово целовать щеки, подбородок, шею. Она гибкими и страстными движениями тела показала, что готова снова отдаться ему... готова, но не сейчас, и мягко отстранилась.

— Спокойно... мы же и в самом деле не одни в этом доме. Я думаю, нам пора спуститься в столовую. Не волнуйся, мы еще успеем.

Теперь и она подняла с пола свою сумочку, которую уронила, едва войдя в комнату. Достала из нее платочек и тюбик с помадой. Перед зеркалом поправила макияж и вызывающей походкой манекенщицы пошла к двери.

Каблучки процокали по лестнице. С лица Лидии не сходило выражение легкой иронии и некоторого отчуждения. Официанту, убиравшему стол, кинувшему на даму мимолетный взгляд, вероятно, и в голову бы не пришло, что именно она только что отчаянно извивалась, проглатывая собственный стон, под стремительным напором этого статного милицейского полковника. Ничего подобного! Такая дама ничего такого позволить себе просто не может, это — ниже ее достоинства...

Полковник же проследил за метаморфозой женщины, вовсе и не собираясь выдавать своего истинного отношения к провинциальным «королевам» вообще и к этой в частности — хотя, если быть справедливым, определенная перчинка в ней, конечно, была. Он решил, что на первый случай, кажется, действительно достаточно, а то у нее вдруг какие-нибудь мысли появятся. А ему это нужно? Эвон какая к ней очередь уже выстроилась! Но все-таки приятно иной раз ловко натянуть нос шефу...

Лидия же, искоса наблюдая за самодовольным полковником, думала, что все они — кобели — одинаковые. Поди, победу торжествует! Нет, милок, за победой ты еще хорошо погоняешься!

Несмотря на более чем доверительные отношения Лидии с Гусаковским, а по старой памяти — и с Толубеевым, она, в силу обостренной своей женской интуиции, не могла не видеть, что оба они не до конца с нею искренни. Ну да, их связывает прошлое, а она для них вроде приятного подарка. Приезжает в Белоярск Иван — и вот уже она с ним, в гостинице ли, в этом ли домике, в собственной квартире. И Андрей вовсе не ревнует ее к старому товарищу. Как и тот — к Гусаковскому, которому сам и порекомендовал ее в свое время как умную и красивую девушку, обладающую несметными талантами.

Но не роль своеобразной эстафетной палочки иной раз тяготила Лидию. Она была посвящена во многие секретные детали и тонкости губернаторских и милицейских игр. Но когда дело касалось главного, с ее точки зрения, то есть огромных — даже по российским масштабам — денег, тут ее вежливо отодвигали в сторону. Или когда речь шла о большой политике — не местного, разумеется, масштаба, с этой-то политикой она и сама прекрасно справлялась.

Они и сейчас удалились в рабочий кабинет конечно же не для обсуждения ее — Лидии — прелестей, да и прилетел срочно Иван в Белоярск, может, и не по своей воле. Поди, министр прислал — не каждый ведь день убивают претендентов на губернаторское кресло! Опять же, как стало известно, арестовали в Москве и второго претендента. Правда, по совершенно смехотворной причине — за хранение наркотиков! Ну это и в самом деле только туполобые москвичи могли такое придумать.

Лидия, едва услышала это от Андрея Ильича, искренне изумилась бездарности действий милиции. Оно, конечно, понятно. Кто Минаев для Москвы? Да никто, директор чего-то там, из глухой Сибири. И в этом случае любая лапша проходит. А для Белоярска? Да это примерно то же самое, что задержать самого губернатора, который, по чьему-то идиотскому убеждению, мог накуриться анаши. Бред! И она постаралась вбить-таки эту мысль в башку губернатора, который поначалу даже обрадовался происшедшему, а потом и сам задумался над главным тезисом Лидии, верной своей помощницы: «Да кто ж вам из наших сибиряков поверит-то?»

И в самом деле, по ее убеждению, получалось так, что Минаева не только не унизили, убрали с дороги, а, наоборот, орденом наградили! Вот они теперь наверняка и обсуждают эту тему с глазу на глаз.

А ее не позвали. Ага, сами хотят быть умными! Полковника, кстати, не взяли тоже. А может, зная ее характер и особые способности, нарочно подкинули ей его? Мол, сперва с глаз долой, а после и из сердца вон? Нет, не могли, она слишком много знает...

Последнее успокоило, а то она разволновалась вдруг. И еще полковник этот... Сережа... за преданным взглядом которого нет-нет да и мелькает сытенькая такая ухмылочка...

«Ох, девка, усложняешь ты чего-то...» — подумала Лидия и пошла к телефону — звонить, чтобы выяснить, что в данный исторический момент происходит на комбинате «Сибцветмет», какова реакция на утренний диалог с губернатором и чего снова требуют комбинатские смутьяны. Сейчас главное — владеть ситуацией. А для этого нужна самая точная информация, которую, в свою очередь, мог предоставить только один человек. Это был самый близкий товарищ и единомышленник Алексея Минаева, коммерческий директор «Сибцветмета» Игорь Платонович Журавлев. Тот самый, чей родной дядька вершил великие дела в Государственной думе, в столице. И скажи сейчас кто об этом тому же Алексею Евдокимовичу, загорающему на нарах в московских Бутырках, тот бы не только не поверил ни единому слову, но обозвал бы доносчика злобным клеветником! И был бы, в свою очередь, очень неправ, поскольку операция с полумиллионом долларов, отданных предприятием в долг кандидату в депутаты Госдумы Владимиру Яковлевичу Журавлеву — тот самый долг, который дядя Игоря так и не вернул и, судя по всему, возвращать даже и не собирался, — так вот эта операция родилась в головах Лидии и Игоря, родилась в тот день, когда они обсуждали в уютной квартире доверенной помощницы губернатора перспективы перемены власти на «Сибцветмете». И места Алексею Минаеву в этом раскладе не было. Зато сама идея была тогда активно поддержана Гусаковским. Он-то давно положил глаз на этот золотой слиток, на «Сибцветмет».

Обостренное чутье и владение ситуацией не обманули Лидию Михайловну. Разговор между генералом и губернатором шел именно об этом. О Минаеве, разумеется.

Накачанный Лидией Андрей Ильич не считал нужным скрывать за дипломатическими оборотами своего истинного отношения к мероприятию с директором комбината.

— Вы там у себя, в столице, нюх, что ли, совсем потеряли? — горячился Гусаковский. — Иван, ну ты сам пойми... — И он слово в слово цитировал выражения Лидии.

Будучи опытным оперативником, профессионалом, каковым и считал себя всегда Иван Иванович, он, разумеется, понимал, что люди, которым он поручил операцию, поступили не по уму. Может, дело бы и выгорело, кабы личность оказалась другая, — ну, хоть тот же приятель Минаева, журналист Елисеев. С такими все проще. Но и сдавать свои позиции генерал тоже с ходу не собирался. И пока губернатор, все больше распаляясь, убеждал его, что сделали крупную тактическую ошибку, Толубеев, наоборот, успокаиваясь, продолжал настаивать, что ничего страшного не произошло.

— Ты не горячись, — хмурился тем не менее генерал, — ну бывает и у нас... ничего не поделаешь! Идеальных исполнителей становится все меньше. Чуть где сунется с собственной инициативой, глядишь, и прокол. Но все это не страшно. У тебя какая цель была? Какую задачу ты ставил, вспомни? Тебе необходимо было выиграть время? Вот оно у тебя и есть. А директора твоего, раз уж вы тут не могли обойтись без лишнего шума, мы подержим да и выпустим в конце концов. Еще и извинимся, кое у кого это хорошо получается. Ты гляди, Андрей, тут в другом главное! Человек сидел? Так точно. По ошибке, говоришь? А кто ж тебе поверит? Ах извинились? Но это же еще проверять, братец, надо! А кто этим будет заниматься? Никто...

— В том-то и дело, что никого у нас не волнуют частности! Надо в корень глядеть! Убрали! Почему? А-а, вот оно в чем!.. И пошла-покатилась волна... дерьма.

— Черт вас дери! — в сердцах воскликнул генерал. — То вам не так, это...

— Сам же понимаешь: без ума сделано! Вы там, Иван, не в обиду будет тебе сказано, похоже, привыкли со всякой швалью дела иметь. Вот ей действительно — или наркоты, или патрона в кармане вполне достаточно. А здесь — политика! И я тебе предупреждал! Ты знаешь, что мне нынче эти ходоки с предприятия заявили? Прямо в лицо! Мы, говорят, петицию от всего нашего предприятия в Москву отправляем! В защиту Минаева! И эту провокацию тем, кто ее придумал и, соответственно, осуществил, с рук не спустим! Вот так!

В открытую! И я почти уверен, что если вопрос встанет именно в такой плоскости, к кому, думаешь, у вас наверху в первую очередь прислушаются? К нам с тобой? Как бы не так! К народу! Это сейчас для всех — и Кремля, и правительства, и прокуратуры — важнее всего! И я не исключаю, что мгновенно вспомнится и Валерка-покойник, и много чего другого. Во когда дерьмо-то хлынет!

— Слушай, Андрюша, — сменил тему генерал, — а как там наша с тобой подружка? И полковник мой?.. Уж не натягивают ли они нам с тобой носы, а? — И Толубеев оглушительно расхохотался.

Улыбнулся и Гусаковский.

— Не бойся, — успокоил он, — я их специально не звал поначалу, хотел с тобой с глазу на глаз. Сокровенное, как говорится, высказать... обменяться.

— Да я ж вон как понимаю твои заботы! Иначе с чего бы я примчался-то?

— Ну, мне мог бы этого и не говорить. Первый год, что ли, знакомы? А насчет подружки... Давай кликнем, у нее, по-моему, тоже кой-какие соображения имелись по данному вопросу. А что ты говорил по поводу своего полковника? Он как?

— Мой человек.

— Ну-ну... — Губернатор поднялся из кресла, подошел к двери, открыл ее и сказал: — Лидия Михайловна, вы все на телефоне висите? Ну валяйте, как закончите, заходите. И вы, Сергей Юрьевич, тоже. — Вернулся к своему креслу, сел, хмыкнул чему-то своему и покачал головой.

— Ты чего? — спросил Толубеев.

— Не, не заметно...

— Чего?

— Не заметно, чтоб носы нам натягивали! — вставил шпильку товарищу губернатор. — Рожи больно серьезные! — И сам захохотал.

— А ну тебя! — тоже со смехом отмахнулся генерал. — Я же в шутку!

Вид у вошедших помощников был вполне деловой. Серьезный, во всяком случае. Сели сбоку, на диване.

Лидия тут же достала сигареты, взглядом спросила разрешения у своего хозяина. Тот махнул ладонью: валяй, мол, дыми. Сам он не курил, но и дым ему не мешал. Полковник предупредительно чиркнул зажигалкой, и Лидия изящно закурила «Собрание».

— Ну что у тебя там? — нетерпеливо спросил губернатор.

Она поняла суть вопроса.

— Там — по-прежнему. Шум и гам, готовят, как я поняла, гонца. Этот журналист, который все вьется вокруг Минаева, отыскал Алексею какого-то своего приятеля-адвоката. Они уже успели побывать в прокуратуре и в Бутырках. Быстро сработали, скажу вам, господа. И пооперативнее некоторых наших.

— А что за адвокат? — спросил генерал. — Фамилия есть?

— Имеется у него фамилия, — с почти незаметной иронией ответила Лидия. Она достала из сумочки небольшой блокнот и пререлистнула несколько страничек. — Вот, Гордеев Юрий Петрович. Юридическая консультация номер десять. Сказали, где-то в районе Таганки. И еще новость. Оказывается, у этого журналиста имеется на руках доверенность Минаева: в случае непредвиденных обстоятельств организовывать юридическую защиту. Во как! Словно заранее все знал и предусмотрел. Так что защита на вполне законных основаниях.

— Ну, кто он и что, это мы легко узнаем, — заметил генерал. — Черкни себе, Сережа! Потом доложишь.

— Вот видишь теперь, Иван Иванович, — продолжил прежний разговор Гусаковский, — все, как говорится, один к одному. И адвокат на стреме!.. Ну так какие мысли, Лидия? — Он уже требовательно посмотрел на свою помощницу.

Та докурила сигарету, оглянулась. И опять проявил предусмотрительность полковник: поднялся, взял со стола пепельницу и подставил Лидии под клонящийся столбик пепла.

— Насчет мыслей вот какая идея, — начала она. — Как утверждают умные люди? Если не сможешь остановить движение, возглавь его. Сумасшедший бросится, раскинув руки, останавливать валящую на него толпу. Зато умный найдет удобный момент и встанет во главе ее. Рядом с красным знаменем.

— Ну-ну. — Генерал кивнул с интересом. — Я, кажется, догадываюсь, о чем ты. А ну давай дальше!

— Игорь Журавлев сказал мне, что сегодня, до конца дня, у него в кабинете соберется инициативная группа, которая подготовила письма к министру внутренних дел, в правительство, в прокуратуру и в Государственную думу. Удар предполагается массированный. О чем будет написано, догадаться нетрудно. В этой ситуации, я полагаю, самым верным решением могло бы быть прямое указание господина губернатора Андрея Ильича Гусаковского поддержать обращение трудящихся в высшие государственные структуры. Как — это можно обсуждать. На мой взгляд, было бы вполне уместно письмо губернатора, приложенное к обращению рабочих и служащих «Сибцветмета» в защиту своего гендиректора. Да, мы конкуренты в губернаторской гонке, но выборы должны быть абсолютно прозрачными! Да, я тоже отлично знаю Алексея Евдокимовича, которого привел еще мой предшественник, и ничего, кроме глубочайшего уважения к его организаторским талантам, не испытываю. Ну и так далее. Такое письмо может быть подготовлено мною до конца дня. И — в те же адреса. А чтобы не произошло досадных недоразумений, пусть оба обращения идут одним путем. Узнаем, кто поедет или полетит, и передадим. Предварительно оповестив население, — скажем, во время вечерней программы телевидения. По местному каналу. Это я тоже с удовольствием возьму на себя. Могу даже зачитать в микрофон.

— Да-а... — протянул Гусаковский, пристально глядя на Лидию.

— Между прочим, — с улыбкой добавила она, — как директор нашего канала, я с удовольствием увидела бы господина губернатора сегодня в «Новостях» в прямом эфире. Две-три фразы, не больше. Сочувствие, возмущение и уверенность в торжестве справедливости. Три ноты.

— Ну, ребята! — с укоризной покачал головой Толубеев. — Вы меня прямо... это! — Он сильными руками показал, как затягивают узел. — Не слишком ли?

— Обычно, Иван Иванович, позвольте вам напомнить, — серьезно сказала Лидия, — прежде чем начинают большую игру, точно определяют ставки. Это — из области бесспорных правил.

— А ведь она уела тебя, Иван! — довольно засмеялся Гусаковский. — Да, тут палец в рот не клади...

— Но ведь я еще и не возражал. Откуда такие выводы? Как вы понимаете, теперь при любом раскладе ответственность-то остается! И кто ее должен нести?..

— Если позволите, Иван Иванович, — вежливо вмешался Сергей.

— Говори, чего уж тут, понимаешь...

— Вы верно заметили насчет ответственности. Но дурь-то в кармане объекта была найдена? Чья — другой вопрос. Может, провокация? Но опять же — в чьих интересах? Нельзя исключить, что в нашем, мягко выражаясь, беспредельном с точки зрения отношения к закону государстве происходят, к сожалению, нарушения и в сфере правоохранительной деятельности. Об этом, собственно, каждый день пишет пресса, а уж про телевидение и говорить не приходится. К чему я? Иногда выгоднее сразу признать малую ошибку, чем стоять на своем до тех пор, пока ошибка не перерастет в преступление. И мысль Лидии Михайловны мне в этом смысле чрезвычайно нравится. Она диалектична!

Полковник обернул к Лидии порозовевшее от легкого возбуждения лицо, и она одарила его весьма признательным взглядом.

— Это что же... — после паузы сказал генерал. — Я должен буду ребят наказывать? Так кто ж станет мне доверять потом? Об этом ты думаешь, полковник?

— Вы снова абсолютно правы, товарищ генерал, — официально подчеркнул Сергей свое отношение к сказанному. — Но кто говорит о взыскании, о серьезном наказании? Есть же масса устных выражений неудовольствия начальства. Напротив, это все послужит только дальнейшему улучшению оперативной деятельности. А тому майору можно просто объяснить, он поймет. Встречусь, к примеру, с ним я и все ему лично объясню. А если аргументы будут лежать еще и в конверте, он будет только благодарен. Политика — очень тонкое дело, товарищ генерал, уж вам ли не знать!

— Ну, — солидно заметил Толубеев, — я же в принципе-то не возражаю. Наоборот, я так и понимаю, что мы здесь собрались для общего совета, по⁝тому... Между прочим, Андрей, насчет некоторых «аргументов» полковник очень прав! Ты продумай до нашего отъезда. Но все-таки, скажу вам откровенно, некий червь сомнения меня точит. А так ли уж нужна вся эта шумиха? Может, прикроем дело в Москве, пусть этот адвокат, как у нас выражаются, развалит дело в процессе расследования, да и прекратим его к такой-то матери за отсутствием события преступления? А со своими уж как-нибудь разберемся сами.

— Можно и так, — заметил губернатор, — но эхо?

— Какое еще?

— А такое! Ах, значит, дело сфабриковано?! А по чьему указанию?.. Вот тебе и новая волна, похуже первой.

— Предлагаешь согласиться?

— Да кто тебя заставляет? Тут — логика. Или, как вот верно подметил твой Сергей Юрьевич, диалектика! Не забыл, поди, еще?

— Ну да, — протянул генерал, — легче маму родную забыть...

На этом первая беседа и закончилась. Губернатор с Лидией отправились в город заниматься неотложными делами, а генералу с его помощником была предоставлена возможность краткого отдыха — с банькой, соответствующим антуражем и весьма неплохой кухней. Но генерал не был бы ответственным чиновником Министерства внутренних дел, если бы не воспользовался пребыванием в крупном краевом сибирском центре и не устроил хотя бы маленького разноса по своей службе. Инспекция так инспекция, хотя острой нужды в ней никакой не имелось.

А с хозяевами договорились встретиться еще раз вечером и окончательно подбить общие итоги, которые должны были бы к этому времени определенно нарисоваться.

Провожая губернатора, генерал вышел на крыльцо, снова подивился окружающей красоте и вдруг негромко сказал:

— Что бы вы тут ни говорили, в чем бы меня ни уверяли, а я тебе так скажу, Андрюха... — Хотите вы или не хотите это понимать — двух твоих зайцев мы все-таки ухлопали. Ну, со вторым еще подумаем. Может, и поторопились маленько... Ладно, отпустим, пусть еще побегает, его и здесь нетрудно достать.

— Неугомонный ты, скажу, — с ухмылкой покачал головой губернатор. — Опять что-нибудь придумал?

— Вечером, вечером. Мелькнула и у меня тоже одна мыслишка. Не все ж вам одним...

Глава пятая

АДВОКАТ

В принципе все необходимое Гордееву находилось рядом. Ну, скажем, почти. Округ-то один. И что особенно отметил для себя Юрий Петрович, адреса, по которым проживали понятые, приглашенные начальником отделения криминальной милиции, производившего задержание и обыск подозреваемого в хранении наркотических средств Минаева, находились неподалеку от расположения этой милицейской службы Южного административного округа столицы, на Каширском шоссе, в районе Москворечья. Словом, потрясающе удобно — все под боком, под рукой.

Но получалась все же одна нескладуха: задержание-то само производилось не здесь, а вон аж где! На Варшавском шоссе! И получалось так, что вроде бы выехавшие на задание менты на всякий случай захватили с собой и понятых. Абсурд? Да нет, это как посмотреть. На данное обстоятельство и обратил сразу внимание адвокат, который довольно неплохо ориентировался в Москве. И уж во всяком случае мог без подсказки назвать места дислокации окружных и районных правоохранителей.

Зная о нередкой практике нынешних работников милиции загодя обеспечивать себя необходимыми свидетелями, понятыми, которые, когда возникает нужда, появляются по первому свистку, как чертики из коробочки, Гордеев решил проверить свою догадку. Уж больно много совпадений появляется. Тут тебе и то, и это, прямо как в сказке.

Приехали на улицу Кошкина, все в том же Москворечье. Здесь в стандартной девятиэтажке и проживал первый понятой — Семенов Михаил Григорьевич, 1960 года рождения, разнорабочий.

Невзрачный дом-башня, как, вероятно, и все в округе, насквозь провонял кошками и старой гнилью. Гордеев с Елисеевым поднялись на второй этаж, стали звонить в однокомнатную квартиру, справа на лестничной площадке. Там никто не отзывался.

Пришлось нажать на ближайшую кнопку соседей. За дверью послышались шаги, какое-то шебуршанье, и наконец старческий голос спросил, кого надо.

Гордеев ответил, чтобы не усложнять и без того непростую ситуацию, что пришли из милиции, к Семенову, а того что же, нет дома?

— Да дрыхнет он, алкаш! — сердито ответили из-за двери, и после этого послышалось звяканье замка.

Дверь открыла древняя и неопрятная старуха. Но не впустила к себе, а сама высунулась за дверь. Поглядела — вполне вроде приличные люди. Хоть и не в форме — так ведь говорят, что не все, кому положено, ее носят.

— А вы, бабушка, уверены, что он дома? — вежливо поинтересовался Гордеев.

— Так где ж ему быть? Второй день пьет! И орет благим матом! Никакого спасу нет, хоть бы вы его по своей-то службе приструнили, что ли! Нажрется, паразит, и еще угрожает!

— Как же это он делает? — усмехнулся Елисеев. — Ну, угрожает! Топором, ножом? Чем?

— Да какой у него нож?! — возмутилась старуха. — Откудова? Криком орет! Я, говорит, участковому чего скажу, то он и сделает! Я, говорит, власть над ним имею!

— Ты смотри, какой храбрый! — удивился Елисеев. — И давно, говорите, пьет?

— Так я же сказала: второй день. Прикатили за ним, он вмиг собрался — и усвистали. А после явился, гам-тарарам на площадке, я, говорит, с задания, стал быть, ответственного! И пошел-поехал! Опять про участкового, что, мол, всех приструнит... А вы ему и не дозвонитесь, ногой стучать надо.

Последнему Женю Елисеева учить не стоило: два мощных удара ногой по нижней кромке двери, и в квартире раздался вполне отчетливый матерный крик:

— Это какого... — и так далее. К крику присоединились шлепающие шаги, наконец хриплый голос произнес довольно внятно: — Кого?

— Квартира Смирнова Михаила Григорьевича?

— Ну?

— Прокуратура!

— Твою мать... — Затем звяканье замка, и дверь приотворилась.

Гордеев толчком открыл ее, отчего хозяин вмиг занял неустойчивую позицию у противоположной стены.

— Почему хулиганите? — рявкнул Юрий Петрович, заходя вместе с Елисеевым и прикрывая за собой дверь от любопытной соседки. — Ну-ка пройдите в комнату!

Все-таки власть, какой бы она ни была, остается властью, и перед ней даже такой шибко уверенный в себе подонок — это уже было ясно Елисееву — чувствует себя неуверенно. А вот адвокат, напротив, видя, что Семенов пребывает в растерянности, усилил свой натиск. Махнул перед его носом красным своим удостоверением, решительно указал хозяину на стул, и тот покорно опустился, еще не понимая, что происходит.

— В связи с нарушением неприкосновенности частной жизни согласно статье сто тридцать седьмой Уголовного кодекса Российской Федерации расследуется преступление против конституционных прав и свобод человека и гражданина, — важно и торжественно заявил Гордеев, строго глядя на притихшего Семенова. — Согласно протоколу о задержании и обыске некоего гражданина Минаева А. Е., — продолжил уже зачитывать по своему блокноту Юрий Петрович, — вы, гражданин Семенов М. Г., проживающий по адресу: город Москва, улица Кошкина и так далее, были привлечены в качестве понятого. Ответьте, где происходило задержание?

— Э-э... а на Варшавке, — вспомнил Семенов.

— Конкретнее!

— Ну в этом, в кабаке.

— Как вы там оказались?

— Э-эта... а чего, нельзя? Права не имею? — попробовал возмутиться Семенов.

— Имеете полное право. Но почему ваши соседи показывают, что за вами специально приезжали в тот день сотрудники отдела криминальной милиции с Каширки?

— Так далеко же! Они — эна где! А я?

— Значит, вас отвезли туда на служебной машине? А потом?

— Чего потом? Ходи, говорят, понадобишься — позовем.

— Вы записали показания гражданина Семенова? — строго спросил Гордеев у Елисеева.

— Так точно, товарищ начальник, — ответил тот и показал лист бумаги, на котором он, как и договорились — если удастся, конечно, — записывал то, в чем, сам того не желая, сознавался Семенов.

— Хорошо, пусть он прочитает и подпишет!

— Давай, Семенов. — Женька протянул ему запись и шариковую ручку.

Тот, ничего не понимая, взял ручку, повертел,

потом прочитал написанное, подумал, сомневаясь, но все вроде было записано с его слов верно.

— А чего? Так и было... — Он поставил свою закорючку и положил ручку на стол. — А я-то чего?

— Вы, Семенов, пока ничего, — ответил Гордеев резко. — Но сотрудники криминальной милиции совершили по сути должностное преступление. И они за это будут отвечать по закону. А вы сидите себе и не вздумайте снова хулиганить на лестнице. В следующий раз мы вас просто арестуем и посадим по статье двести тринадцатой — за хулиганство. А пока предупреждаем. Но в последний раз!

С этими словами Гордеев, кивнув Елисееву, так же важно покинул противно вонявшую застарелым «алкогольным выхлопом» квартиру. И с удовольствием грохнул за собой дверью.

Старухе, все еще маячившей возле своей двери, так же строго сказал:

— Мы предупредили вашего соседа, что его поведение грозит ему уголовной статьей за злостное хулиганство.

— Ну и дух! — воскликнул Елисеев, едва оказались во дворе.

— Вот так, — удовлетворенно констатировал Гордеев. — А я и был в этом уверен. Зачем им искать кого-то, когда под боком у них прикормленные и послушные понятые. Как говорится, по вызову. Думаю, что и Вяхирева — из той же породы.

Пожилая женщина со следами былого благородства на лице Зинаида Васильевна Вяхирева проживала на Кантемировской улице, в самом ее начале, и опять же поблизости от милиции. Ну, конечно, для доблестных правоохранителей было бы слишком большой удачей, чтобы необходимые им понятые сами, по собственной воле или нужде оказались в нужное время и в нужном месте. Но зачем это им все-таки понадобилось? Что за фикцию они собирались представить?

Хозяйка открыла им дверь и, внимательно прочитав адвокатское удостоверение Гордеева, впустила его со спутником в квартиру. Здесь было достаточно опрятно, и сама женщина казалась бывшей учительницей на пенсии. Или кем-то иным, но уж во всяком случае человеком бывшего, так сказать, умственного труда. С ней и лукавить Гордеев не решился. Наверняка, заподозрив обман, женщина откажется вообще разговаривать.

Она разрешила гостям раздеться и снять обувь, предложив старые, разношенные тапочки. Затем прошли в комнату, сели у круглого стола под тяжелой, прежних лет, скатертью. И стулья были тоже из прошлого — с гнутыми спинками.

Юрий Петрович объяснил цель своего приезда. Ему поручена защита человека, задержанного третьего дня в ресторане на Варшавском шоссе.

— Вы не подскажете мне, Зинаида Васильевна, почему сотрудники милиции взяли именно вас в понятые при задержании? Вы интеллигентная женщина, это сразу видно, а вместе с вами там оказался какой-то алкаш! Вероятно, это дело случая? — подсказал он ей ответ.

— Ну что вы! — возразила интеллигентная женщина, видимо и не подозревая, что сама лезет в ловушку. — Меня, бывает, нередко приглашают на такого рода мероприятия.

— Приглашают специально?

— Ну... если далеко добираться, сами понимаете, помогают и транспортом.

— Ах вон как! Ну понятно, спасибо. Скажите, а что, обыскивали они задержанного гражданина в вашем присутствии! И вы лично видели, что извлекали у него из карманов брюк?

— Обычно они так и делают, но в данном случае, мне это запомнилось, нам просто объяснили, что мы должны подписать.

— Понятно, — помрачнел Гордеев. — Вечно у них все не так! Все, извините, через... а, ладно! Хоть заплатили за труд?

— Господи, да какие это деньги? Курам на смех...

А вы, значит, защищать теперь его будете, да? А что, он и в самом деле приличный человек?

— Интересно, с чего вы взяли? — улыбнулся Гордеев.

— Ну... я же вижу, вы тоже приличный человек и наверняка не взялись бы защищать какого-нибудь бандита. Разве не так?

— А вы молодец, Зинаида Васильевна, вам не откажешь в наблюдательности. Спасибо, я был рад побеседовать с вами и могу сказать, что вы мне очень помогли. Ну, разрешите тогда откланяться?

— Как?! А я хотела вас чаем угостить... На улице такая холодина!

— Благодарим вас, мы на машине. Всего вам доброго. — И уже на улице, когда Елисеев достал из кармана репортерский магнитофон и стал перекручивать пленку, спросил: — Я думаю, хорошо получилось?

Евгений остановил перемотку, включил «play», и они услышали чистый и ясный голос Вяхиревой.

— Отлично, — заметил Юрий Петрович. — Ну все, Женя, отсюда, то есть от ближайшей станции метро, наши дорожки расходятся. Протокол и пленку оставь мне, а сам мотай куда хочешь и занимайся своими делами. Но постарайся быть на связи. А я поеду в одно место, надо будет теперь выяснять про милицию. Сами ж они мне ничего не расскажут.

— Договорились, — ответил Елисеев. — Я буду дома и постараюсь связаться с Белоярском. Узнаю, что они там себе думают. Странно, но время идет, а я до сих пор не знаю, что они предпринимают. Позвонишь вечерком? Или мне лучше подъехать?

— Понравилось? — засмеялся Гордеев. — Нет, брат, потехе час, а то я таким образом вовсе без штанов останусь.

— Я понял, — поморщился Елисеев, — у вашего брата, как и у нас, волка ноги кормят.

— Вот именно, бывай!

— И все-таки для меня — загадка... — пробормотал Женька, выбираясь из машины.

— Ты о чем?

— Да все о том же! Почему молчат? Почему не действуют?

— Погоди, — остановил его Гордеев. — А ты вообще-то сообщил им об аресте их директора?

— Ну а как же? Я разве не говорил? В первый же вечер, в тот же день.

— И — молчат?

— Звонков не было. Нарочных — тоже. Не пойму... А может?..

— Что именно?

— Да нет, чепуха... Просто я вдруг подумал, нет ли связи между обоими Журавлевыми... Странно как-то...

— Ну вот, — удовлетворенно заметил Гордеев, — наконец-то и ты стал размышлять. А с этого, друг мой, и надо было начинать. А не с паники: «Наших бьют!» И будут бить. А вот когда ты ответишь себе на вопрос: за что? — все остальные отпадут сами по себе. Эх ты, журналист! Чему вас только учили?..

Юрий Петрович теперь держал путь в центр, в район Сандуновских бань, где в цокольном этаже одного из старинных московских домов размещался офис частной охранной структуры «Глория». И командовал ею племянник начальника Московского уголовного розыска столицы Вячеслава Ивановича Грязнова — Денис.

В «Глории» сидели отличные мужики, которые занимались не только проблемами охраны, скажем, VIP-персон, но и охраной в более широком смысле, — например, секретов фирм, семейных тайн и прочего, требовавшего не только силы и храбрости, но и сыскного таланта. И еще у Дениса работал компьютерный ас, бродяга Интернета, бородатый Макс, для которого влезть в закрытые для всех посторонних файлы было приятной игрой, удовольствием. Вот Юрий и подумал: где еще узнать про некоего майора милиции Бовкуна, как не в конторе Дениса?

Сотрудники «Глории» были, как обычно, в бегах,

у каждого свое дело, и собирались ближе к вечеру для обмена информацией и за новыми указаниями. Но сам Денис и дежуривший в офисе Всеволод Голованов оказались на месте и коротали время за обыкновенной шахматной доской. С компьютером, как было поначалу, никто в шахматы играть не садился — неинтересно. Куда приятнее видеть ошибки партнера и радоваться по этому поводу.

Денис ожидал какого-то особо важного сообщения и поэтому, по его словам, не хотел загружать голову посторонней информацией, а шахматы таковой не являлись.

Сева налил гостю с мороза большую чашку черного кофе — традиционного зимой напитка в «Глории». Летом предпочитали ледяное пиво. Поинтересовались, какими ветрами занесло.

Гордеев стал рассказывать. Упомянул и о сегодняшних встречах с понятыми. От души посмеялись — а что еще оставалось делать? Возмущаться? А толку?..

Наконец Юрий упомянул фамилию Бовкуна.

— А зовут его как? — равнодушно спросил Голованов.

— Зовут? — Гордеев залез в свой блокнот. — Владислав Егорович. Майор. Служит в криминальной милиции ЮАО, начальник отделения. Чего-нибудь говорит?

— А почему именно в нем нужда? — вопросом на вопрос ответил Сева.

Гордеев вздохнул: хотел обойтись общими словами, кратенько проинформировать, но теперь надо было говорить все, что известно, недомолвками в «Глории» — и он это прекрасно знал — обходиться не привыкли. Хочешь, чтоб тебе помогли, не темни!

Пришлось повторить все сначала, но подробно и с собственными выводами. И главный из них был таков, что, совершая должностное нарушение, а по существу преступление, этот майор Бовкун, скорее всего, действовал не по собственному разумению или оттого, что имел скверный характер, но двигал его действиями, вероятнее всего, приказ свыше. А вот кто издал такой приказ, с какого государственного уровня он последовал, — ответ на это помог бы решению многих непонятных пока вопросов.

На чем строил свои подозрения Гордеев? Да на самом простом факте. Женька Елисеев уверял его, что видел, как «командир ОМОНа» доставал из кармана пиджака Минаева пакетик с белым порошком. Понятые этого не видели. Они подписали протокол изъятия со слов майора. И в этой ситуации абсолютно не исключена версия, что наркотики были подброшены задержанному, причем практически в открытую. И в руку могли силком сунуть. Мол, возражай не возражай, а вот они теперь, отпечатки твоих пальцев, — на целлофане. К тому же сейчас придут понятые и все это подтвердят. Чистая и наглая провокация. Но на нее вряд ли решится по собственной инициативе какой-то там майор милиции.

— Ну а если майор не захочет колоться? — спросил Голованов. — Тогда что будешь делать?

Гордеев неопределенно пожал плечами.

— Понятное дело, если у человека совсем уже нет никакой совести... Значит, придется искать, на чем его могли купить. Наверняка найдется. Я попрошу Вячеслава Ивановича о помощи. Да и сама ментовка оборотней не уважает.

— Это так, — подтвердил Голованов. — Ну ладно, мужики, попробую помочь, чем смогу. Я этого Славку знаю... Точнее, знал. По первой чеченской. Тогда он был наш человек. Правда, на рожон, вроде моей команды, не лез, но и в прихвостнях не замечен. Давайте поговорю. Между прочим...

— Ага, — перебил Гордеев, — я тоже подозреваю, Сева, что его вполне могли подставить. Откуда ему знать, что это за «Сибцветмет»? И что за директор? Приказали — или попросили — немного нарушить инструкцию, а там и закон, аргументируя, что дело — верняк и за решетку попадет какой-нибудь крупный мафиози. Мы ж иной раз любую подлость можем обставить такими благородными намерениями, аргументами, что... а! — Он махнул рукой. — Но, между прочим, мне сказано, что любой труд в этом направлении, в смысле вызволения директора Минаева из узилища, будет оплачен. Так что, Сева, если это возможно, я не за так прошу! Денис, ты разрешишь ему помочь мне?

— Вот когда доиграем партию. Не раньше, — сказал руководитель агентства «Глория», опуская свой длинный нос к шахматной доске.

Алексей Минаев оказался худощавым, среднего роста, относительно молодым человеком, узколицым и в очках, которые делали его похожим на великовозрастного «ботаника». Есть такой термин у нынешней молодежи, определяющий «задвинутого» на ученых делах и интересах юношу. Вообще-то он как все, но — со своим бзиком. «Ботан», одним словом.

Но самое любопытное, что с ходу не смог не отметить для себя Гордеев, этот Минаев, находясь в узилище, да ко всему прочему далеко не самому лучшему из существующих в России, похоже, как-то не очень трагически, что ли, отреагировал на столь резкое и неожиданное изменение в собственной судьбе. Если он и думал о чем-то, то, похоже, о проблемах, весьма далеких от Бутырок. И эта заметная внутренняя сосредоточенность, особое спокойствие, которые отличают людей серьезных и вдумчивых, также понравились Юрию Петровичу.

Алексей Евдокимович в сопровождении контролера вошел в комнату для свиданий, как и положено, с руками за спиной. Но во всей фигуре его, посадке головы, в выражении глаз не было той униженности или испуга, которые накладывает сам факт пребывания человека в тюрьме. Вошел, как показалось, самоуглубленный, занятой человек. Внимательно оглядел Гордеева и поздоровался кивком головы.

— Вы свободны, — сказал Юрий Петрович конвоиру и, когда тот вышел, повернулся к Минаеву: — Садитесь, Алексей Евдокимович. Я ваш адвокат, меня зовут...

— Я, кажется, вас знаю, — кивнул Минаев. — Мне

о вас как-то говорил Женя Елисеев, вы вместе учились, верно?

— Верно. А что, разговор этот был с чем-то связан или случайный?

— Вы знаете, Юрий Петрович... Я правильно вас называю?

— Абсолютно.

— У меня практически не бывает времени для разговоров вообще. Разве что сейчас вот, когда... — Он с непонятной усмешкой окинул стены. — Когда оно так неожиданно и некстати появилось. Дело в том, что я некоторым образом предвидел — разумеется, не этот вариант, но нечто, возможно, похожее. И попросил Евгения, на всякий случай, присмотреть здесь у вас, в столице, приличного адвоката. Не записного оратора, больше работающего на публику, вроде... а, да вы и сами их знаете! Нет, я хотел бы иметь своим адвокатом человека, который захочет действительно разобраться во всех хитросплетениях нашей экономической политики, насквозь пронизанной метастазами криминала. Извините, может быть...

— Ради бога, я прекрасно вас понимаю. Но парадокс сложившейся вокруг вашей личности ситуации, на мой взгляд, заключается в том, что, как бы значительны ни были причины, по которым вас упрятали сюда, сами действия в отношении вас являются незаконными. Я исхожу из того немногого пока, что мне удалось выяснить на протяжении сегодняшнего утра. И потому мы не будем вдаваться в подробности, скажем так, высокой экономической политики, а займемся конкретикой, спустимся на землю.

— Согласен. И еще вопрос, Юрий Петрович. Елисеев все сделал верно? Договор там, или как это у вас называется? Аванс и прочее?

— Не волнуйтесь, все сделано по закону. Он имеет доверенность, выданную ему вами, и все эти проблемы мы решили у нас в консультации сегодня же утром. Поэтому, если у вас нет ко мне дополнительных вопросов и пожеланий, давайте не будем терять времени.

Кстати, извините за... — Гордеев приложил ладонь к груди. — Как вы тут... чуть не сказал — устроены?

Минаев усмехнулся:

— Я где-то читал, что обычно люди, попадающие в ситуации, подобные моей, могут сломаться. Возможно. Но я понял уже, что ко мне это не относится. Когда есть о чем думать и какие проблемы решать — для себя, — пока внутренне, так сказать, — никакой трагедии я вокруг не наблюдаю. Люди разные, а если к обстоятельствам относиться спокойно и без претензий, жить можно везде.

— Вполне философский вывод, — слегка улыбнулся Гордеев.

— Вот именно. Так что вас интересует в первую очередь?

— Хорошо. Ваши отношения с Игорем Платоновичем Журавлевым?

— Вполне доверительные. Дружеские — говорю это без сомнения. Работаем рука об руку. Но поскольку вопрос поставлен именно в такой плоскости, полагаю, у вас есть основания думать иначе? Вероятно, вы связываете его с дядей, Владимиром Яковлевичем? Я размышлял на эту тему. Нет, вряд ли. Да и зачем бы Игорю ставить под большой вопрос, рисковать собственными, прямо скажу, блистательными перспективами?

— Что вы имеете в виду?

— Ну... Я всерьез намерен занять губернаторский пост. У меня есть к этому все основания и большое желание применить силы на новом поприще. А Игорь? Он же становится в этом случае гендиректором уникальнейшего в стране предприятия! На нас же, по существу, целая отрасль держится.

— А встреча с депутатом не вызвала у вас никаких сомнений? Не возникло неожиданных вопросов по части некоторых нестыковок? Простите, я исхожу всего лишь из того, что мне рассказал Женя. Вероятно, имеются и какие-то иные нюансы, о которых мне неизвестно, тем не менее Женин эмоциональный рассказ...

— Евгений, в общем, в курсе наших проблем. Правда, его иной раз заносит. И крепко. Но... Однажды мы с ним уже имели беседу на данную тему, и он поклялся мне, что его пристрастие, назовем это так, ни в коей мере не отразится на его деятельности. И до сих пор у меня не было повода усомниться в нем.

— А что вы имеете в виду? Простите, я не в курсе.

— Ну, раз так, тогда это, очень прошу вас, сугубо между нами, да? — Минаев строго посмотрел на Гордеева и опять стал похож на заносчивого «ботаника». Юрий Петрович утвердительно качнул головой. — У Жени в прошлом случались срывы. Он неравнодушен... к наркотикам. Нет, это не та стадия болезни, которая уже не лечится, однако я пару раз замечал... И сделал серьезное внушение. Даже помог с хорошим специалистом в этой области. Евгений прошел курс терапии, но... Хотя пока, как говорится, Бог миловал, однако мы-то знаем, что ничего нет на свете абсолютно излечимого. Сменись обстоятельства, явись стрессовая ситуация — и нате вам!

— Скажите-е! — протянул Гордеев. — А я, честное слово, не знал об этом. Да, впрочем, и откуда? В нашей молодости это дело было как-то даже не принято, а потом... Может быть. Хотя мне показалось, что его возбуждение, когда он среди ночи примчался ко мне, было вполне искренним. Мы даже выпили с ним. Давно не виделись.

— И очень хорошо. Тогда будем считать, что нашего разговора на эту тему и не было.

— Напротив, Алексей Евдокимович. Откуда же тогда в вашем кармане появились чеки с наркотой? Поверьте, я еще никого не подозреваю, просто хочу разобраться. При каких обстоятельствах их достал милиционер из вашего кармана? Где они были? Брали ли вы их в руки?

— Ну что в руки брал — это точно. Когда меня совершенно неожиданно начали обыскивать в ресторане, выворачивать наружу карманы — пиджака, брюк... Унизительная процедура, доложу вам. Так вот, что там у меня было? Носовой платок, ключи, документы, авторучка «паркер» с золотым пером — дань прошлому... Теперь же все больше компьютерные распечатки. Ну еще какая-то мелочь. Да, портмоне. И тут совершенно неожиданно, между прочим, среди этих предметов, вываленных на стол, оказались такие маленькие целлофановые пакетики с чем-то белым. Три или четыре, не помню. Он, тот милиционер, хотя он и был в камуфляжной форме, но явный милиционер по манере вести разговор... Такой, знаете ли, самодовольный, безапелляционный, небрежный и... неуважительный, — так он сразу уперся в эти пакетики пальцем и буквально заорал: «Это что?» Ну я, естественно, взял со стола очки — он их тоже велел положить рядом со всеми остальными предметами, — надел, а милиционер снова: «Достаньте! Что это?» Я взял, посмотрел и положил обратно. Ответил, что не знаю.

— У вас какое зрение, Алексей Евдокимович? Я смотрю, линзы вроде бы сильные. И как вы вообще с очками? Снимаете? Что-то видите без них? Извините за несколько необычные вопросы.

— Да что вы! Все нормально. У меня никогда не было комплексов на этот счет. Близорукость, минус пять. А в очках, бывает, даже засыпаю, — улыбнулся он.

— Понятно. Итак, вы были уже без очков, когда обнаружили на столе, среди вынутых из ваших карманов вещей, эти пакетики?

— Совершенно точно. И удивился. Посмотрел, положил обратно на стол.

— А понятые когда появились? До вашего обыска или после?

— Понятые? Ах эти?.. Да, кажется, появились откуда-то двое — пожилая женщина и какой-то алкоголик. От него несло за версту. Но я не помню подробностей, потому что сам факт обвинения в хранении чего-то противозаконного был для меня полнейшим нонсенсом!

— А что именно было в пакетиках, вам сообщили?

— Да ну что вы! Это я уж в милиции узнал. Перед тем, как меня повезли сюда.

— Так когда появились понятые?

— Ко мне подошел другой милиционер, тоже в камуфляжной форме, приказал руки завести за спину и идти на улицу. А они там остались.

— Очки были на вас?

— Нет, у меня их забрали и вернули только в милиции.

— Прекрасно! — заявил Гордеев.

— Вы так считаете? — с иронией спросил Минаев.

— Сплошные нарушения закона, — объяснил Гордеев. — Я уверен, что на такой доказательной базе никаких обвинений против вас они выдвинуть не смогут. А я постараюсь им помочь... В смысле сесть в лужу.

Гордеев теперь понимал суть скептической мины на лице следователя окружной прокуратуры Черногорова и готов был признать, что и тот не строил иллюзий относительно дела на Минаева, которое пришлось ему завести, возможно, даже и помимо его воли. Действительно, сплошные нарушения закона. Однако же, дело-то все-таки завели? Значит, кому-то оно было необходимо позарез. Кому? Депутату, который таким образом решил не возвращать данных ему в долг денег? Губернатору, избавляющемуся от соперников? Каким-то иным структурам, давно уже положившим глаз на «Сибцветмет» и рвущимся к немедленному переделу собственности? Ох, мама родная, опять эта проклятая политика!

— Еще вопрос, Алексей Евдокимович. Причина вашей встречи с депутатом. Может, вы ему выставили неприемлемые условия? Или он уже знал о них заранее? Вам не кажется, что нападение на вас милиции, подброшенные улики — в последнем у меня сомнений нет — и ваш арест связаны уже заранее с реакцией господина депутата, не сомневавшегося, что речь пойдет о долге?

— Я не думал об этом... — после паузы несколько растерянно ответил Минаев.

— Интересно, о чем же вы тогда думали? У вас имеются собственные объяснения?

— Нет, возможно, я недостаточно четко сформулировал ответ. Я конечно же и думал, и сопоставлял, но этот вариант как-то совсем не приходил в голову... Ну, во-первых, Владимир Яковлевич ушел, пообещав подумать и предпринять некоторые шаги в том направлении... В общем, это вам не важно да и малоинтересно. Он, повторяю, ушел, после чего и началось. Но ваш вопрос... Вы что, в самом деле так считаете?

— Я не думаю, Алексей Евдокимович, что вы наивны до такой, извините, степени. Речь, насколько мне известно, идет о больших деньгах! Полмиллиона долларов, ведь так?

— Ну... предположим. Но у нас с Журавлевым-старшим до сих пор и не возникало трений по данному поводу.

— А теперь возникли? Точнее, возникла необходимость эти средства вернуть?

— Можно сказать и так. Кстати, это была моя личная инициатива. Игорь как раз предлагал еще немного подождать. И я его тоже понимаю: идея выдвинуть его дядю в Госдуму принадлежала в свое время именно ему. И он, конечно, чувствовал ответственность. Но он вряд ли брал в расчет один нюанс. Дело в том, что после губернаторских выборов, практически сразу, кончается и срок депутатства Владимира Яковлевича. А времени остается совсем немного. И я, честно говоря, подумал, что выгодное предприятию не всегда может быть выгодно городу, краю. Все-таки парочку раз Владимиру Яковлевичу удалось достаточно удачно лоббировать интересы нашего предприятия. В отношении же края, сугубо с моей личной точки зрения, его депутатская деятельность никакой ощутимой пользы для Белоярской губернии не представляет. Не знаю, возможно, у кого-то противоположное мнение. Но ведь и я своего никогда не скрывал.

— И вы что же, — хмыкнул Гордеев, — ничего не скрывая, выдавали эту самую правду, как говорится, прямо в матку?

— Юрий Петрович, уважаемый, мне бы не хотелось дискутировать с вами на данную тему. Моя позиция по ряду губернских проблем хорошо известна, я не раз это говорил с трибуны. Народ знает мою точку зрения и, надеюсь, в чем-то ее разделяет. Не во всем, конечно, ибо так и не должно быть...

«Эва, куда тебя, братец, потянуло-о!..» — мысленно воскликнул Гордеев, слушая, как директор предприятия продолжает развивать перед ним свои мысли о прозрачности взглядов и идей, о соревновательности подходов к решению тех или иных проблем. Одним словом, перед Юрием Петровичем сидел убежденный демократ самой первой волны, еще не отягощенный ни секретными счетами в швейцарских банках, ни установками на немедленную и беспощадную приватизацию всего и вся, ни иезуитской наглостью российских нуворишей. Бедняга, задержавшийся на том честном и светлом этапе начала девяностых, когда идеалы казались легкодостижимыми, а главное — понятными всем без исключения. Неужели таковые еще остались?

Или все это было тонкой и точно рассчитанной игрой? На кого? На адвоката? А смысл? Ведь человек попал, по сути, в задницу, и ему ли устраивать непонятные игры, рассчитанные на наивных дурачков? Нет, что-то не складывалось. К тому же эта информация о Елисееве... Он, что ли, наркоту подбросил? Так где в ресторане сидел Женька, а где его шеф! Однако ведь ехали-то они в одной машине. А почему бы и нет, если тот же Евгений Елисеев, к примеру, кем-то куплен? Что, тоже из области фантазий? Понятна и причина, по которой Женька носится теперь, высунув язык: снять с себя любые подозрения. Знает ведь кошка, чье мясо съела! Но это все предположения, не больше...

А мотивы? Да сколько угодно! В Белоярске, поди, тоже не идиоты сидят, знают, кому, за что и сколько надо проплачивать, ибо без этого дела нынче и паровоз не поедет. И кирпич тот же случайно на голову не упадет.

— Хорошо, Алексей Евдокимович, — прервал наконец несколько утомительную лекцию клиента Гордеев, — вы серьезно помогли мне. Я полагаю, что наше время на исходе. Будут ли у вас какие-нибудь просьбы? Передачку мы вам, разумеется, организуем.

— Если это получится, то положите туда, пожалуйста, несколько пачек сигарет, которые разрешены к употреблению в камерах. Сам я не курю, но соседи... Иногда просто необходимо сделать людям что-нибудь приятное.

— Договорились. Со следователем, ведущим ваше дело, я разговаривал, надеюсь, он мне чинить препятствия для встреч с вами не станет. И последнее. Там, в Белоярске, у вас есть доверенное лицо, с которым я мог бы пообщаться без необходимости лукавства и недомолвок?

— Ха! — улыбнулся Минаев, снял очки и стал протирать их носовым платком. Несвежим, заметил Гордеев, а Минаев, словно почувствовав это, смущенно скомкал платок в кулаке и сунул обратно в карман. — Если я вам скажу, что таким человеком является для меня по-прежнему Игорь Журавлев, вы, пожалуй, уже не поверите. Есть еще один милый человечек, который, к сожалению, многого не может, хотя душа поистине кристальная. Это моя секретарша Галочка. Галина Федоровна Сергейченко. Между нами, она, кажется, даже немного влюблена в меня. — Он тихо засмеялся. — Но все это конечно же зря. Зато она может сделать буквально все, что в ее силах. Она на нашем предприятии — своя. Вы понимаете смысл? Именно своя. Ей верят. Я — тоже. Она полностью владеет информацией и может представить в ваше распоряжение любой необходимый вам документ... Ну что ж, рад был познакомиться, Юрий Петрович. Я, честно говоря, очень доволен, что характеристика, данная вам в свое время Евгением, не расходится с тем, что я увидел. Разве что один чисто дружеский совет: надо больше верить людям. Да, Юрий Петрович. Несмотря ни на что! — Минаев грустно покачал головой. — Я понимаю, ваша работа... И тем не менее...

«Вопрос, конечно, интересный, — рассуждал Гордеев, выходя на шумную Новослободскую улицу, заваленную высокими сугробами на тротуарах. — Но он вдвое интереснее и поучительнее, если вдруг выяснится, что именно верные друзья господина генерального директора и спровадили его общими усилиями в кутузку. А теперь всячески начинают отмазываться... А Женька-то каков!»

Впрочем, грешить на старого, да к тому же и бывшего приятеля Юрию пока тоже не очень хотелось. Но уж как-то все слишком складно выходило.

Гордеев достал мобильник и, подходя к своей машине, набрал телефонный номер «Глории». Трубку взял Голованов.

— Приветствую, Юрий Петрович, вторично за сегодняшний денек. Нет желания заглянуть?

— Неужто встретился? — удивился Гордеев.

— А то! — засмеялся Сева. — Да, Юрий Петрович, тут мой босс даже изволил выразиться в том смысле, что с вас причитается. Но вы же за рулем, поэтому выводы можете делать сами.

— Я понял вас! — воскликнул Гордеев, прикидывая, в какой магазин придется заскочить по дороге. «Да черт с ним! — сказал уже самому себе. — В конце концов имею я право оставить машину на попечении «Глории» и добраться домой на частнике?» Ведь не оголодал, да и бабки завелись — худо-бедно, а взятый утром аванс подстрекательски хрустел-похрустывал в кармане.

К тому же и прошедшая напряженная ночь тоже настойчиво теперь напоминала о себе. Головка-то все же бо-бо! Пока было напряжение — как-то сходило, а теперь начало отпускать.

И тут Юрий вспомнил недолгие, но славные годы своей работы в Генеральной прокуратуре вместе с нежным другом и наставником Александром Борисовичем Турецким. Тот проблему подобного рода предпочитал решать быстро и радикально. Коньяк и раскаленные чебуреки — чтоб жир тек по пальцам, а глаза пламенели от неутоляемой жадности. Так, с коньяком — понятно. А вот чебуреки — это на Цветном бульваре, а там и до «Глории» — рукой подать, даже и остыть не успеют!

Глава шестая

ДРУЗЬЯ И ВРАГИ

Вечерок в «Глории» удался на славу! Некоторая тавтология, разумеется, но куда денешься... Одним словом, Гордеев явился домой за полночь в довольно-таки нетрезвом состоянии, но с некоторой сверхзадачей. И первое, что он сделал, — попытался по-трезвому взглянуть на неубранный стол. А увидев, что все после ночных посиделок с Елисеевым осталось так, как и было, принялся вычислять. И процесс этот был для Юрия Петровича важным, хотя и несколько затянувшимся. Суть же его сверхзадачи была связана с тем, что информация о «некотором пристрастии» Евгения Елисеева, о коей Гордеев поведал друзьям в «Глории», ни у кого не прошла мимо внимания.

Еще со следовательских своих времен Юрий Петрович приучил себя в любом деле стараться не упустить ни одной мелочи, даже, может, напрямую иной раз и не относящейся к делу. Историю же с наркотиками, извлеченными из кармана брюк, — почему именно там хранил полиэтиленовые чеки с порошком Минаев, было абсолютно непонятно и вообще не поддавалось никакой логике! — помноженную на рассказанное Минаевым, по убеждению Дениса и его коллег, нельзя было отбрасывать ни при каких обстоятельствах. У наркомана, даже бывшего, своя логика, — настаивал Голованов, которому не раз приходилось сталкиваться с людьми подобного рода.

И вот в небольшом, но приятном застолье в «Глории» возникло предложение попробовать добыть, желательно без информирования об этом самого Елисеева, отпечатки его пальцев. И тогда Гордеев вспомнил, что накануне они пропьянствовали с Женькой почти всю ночь. Причем, как помнил Юрий, разливал исключительно гость. А провести дактилоскопическую экспертизу для Дениса ни малейшего труда не представляло. Тем более что средства на это у адвоката имелись.

И вот теперь, явившись домой и с сомнением поглядывая на некоторое, мягко выражаясь, обилие пустой тары, Гордеев даже засомневался: неужели это они вдвоем с Женькой успели столько «убрать»? Впрочем, ну да, за разговором, за воспоминаниями, за спорами о политике — куда нынче без этой темы! — да еще под закуску... почему бы и нет? Но изобилие нередко усложняет задачу: какую взять бутылку, чтобы было наверняка?

Стал вспоминать, с чего начали. Кажется, с коньяка. Точно! Вот и он — «Белый аист» — удлиненная посуда. Как учили когда-то на лекциях по криминалистике, осторожно взял бутылку за донышко и горлышко, поставил на стол. Начал искать ножницы. Потом долго вырезал из крышки обувной коробки квадраты с отверстиями, надел их на бутылку и уже в таком виде уложил в коробку. Завернул в несколько газет. Еще подумал и выбрал ту рюмку, из которой, по его мнению, пил Женька. Ее — для верности — тоже аккуратно упаковал в ту же коробку. Ну вот, главное дело и сделано. Теперь можно себе позволить наконец выспаться...

Но едва улегся, затрезвонил телефон.

К сожалению, по роду своей деятельности адвокат Гордеев не мог допустить, чтобы крик нуждающегося в его помощи — в любое время суток — оставался безответным. И Юрий Петрович, громко чертыхаясь, тем не менее поднялся и пошел к телефону.

— Привет, я не поздно? — Ну конечно, какой дурак стал бы звонить во втором часу ночи! Разумеется, Елисеев. Он, кажется, уже твердо для себя решил, что если адвокат принял на себя защиту его шефа, то никаких препятствий для бесед с ним теперь не имеется уже воистину в любое время. — Между прочим, — даже с какой-то обидой произнес, вовсе и не собираясь оправдываться, Евгений, — я звонил три или четыре раза. Сегодня. И в последний — как раз когда стали передавать ночные вести, это было в...

— Слушай, друг, а ты можешь короче? — раздраженно спросил Гордеев.

— Чего — короче? — с недоумением ответил Елисеев.

— Ты на часы иногда смотри! Я давно сплю! Кстати, вы с твоим боссом — далеко не единственные мои клиенты. И у меня могут быть, как ты понимаешь, и другие дела!

— Ну извини, — безо всякого, однако извинения, в голосе сказал Елисеев. — В самом деле, почти два. Гляди-ка, я и не заметил. Нет, правда, извини. Я просто хотел поделиться известиями из Белоярска. Или, может, отложить на завтра? Но дело в том, что уже с утра...

— Женя, давай без подробностей! Если возможно отложить, то давай отложим, а если что-то сверхсрочное — давай, в двух словах...

Юрий сделал тактическую ошибку: для Елисеева, видно, сверх и супер в настоящий момент было все, связанное с Минаевым.

— Ну, хорошо, давай в двух словах... — И стал рассказывать — подробно и занудливо, как только он один и умел.

Возмущение по поводу ареста гендиректора «Сибцветмета» поднималось в Белоярске по нарастающей. Сперва появилось сообщение в столичных «Вестях». Но оно вызвало, скорее, всеобщее недоумение. А когда Елисеев дозвонился до руководства предприятия, когда выложил некоторые подробности сперва Гале Сергейченко, как наиболее информированному человеку из окружения Минаева, а затем все повторил заместителю генерального Игорю Платоновичу Журавлеву, вот тут уже возмущение побежало впереди поступающей из столицы информации.

Игорь заверил Елисеева, что немедленно свяжется со своим дядей, депутатом Государственной думы, и постарается выяснить все возможное, чем можно немедленно помочь Минаеву. Но ведь государственные лица, даже имея в карманах по три мобильника и по десятку борзых помощников, находящихся на постоянной связи, нередко находятся вне досягаемости: серьезные совещания, закрытые мероприятия, на которых не рекомендуется вести посторонних разговоров, выезды за пределы зоны слышимости — есть еще и такие районы в России. Да мало ли какие причины могут случиться!

Короче, пока городские и заводские руководители выясняли или артистично делали вид, что выясняли, подробности, причины и поводы ареста Алексея Евдокимовича, народ быстро разобрался в них сам. Естественно, что нашлись и люди, которые подсказали массам верное решение. И вскоре уже бурлило все предприятие. В отделах и в цехах прошли экстренные собрания, на которых сибцветметовские старожилы и ветераны, знающие подноготную экономических баталий на родном предприятии, увидели в аресте своего руководителя явные происки местной краевой власти. И не без причины.

Стали вспоминать историю «опускания» комбината, политику его руководства, пресловутые три миллиарда, уворованные буквально на глазах, за что никто не получил даже порицания, не говоря о более серьезных наказаниях. Словом, много чего вспомнили, как говорится, к месту.

Одновременно с проведением широких собраний вырабатывались и главные требования коллектива, оформлялись в открытое письмо президенту, правительству, ну и, естественно, Государственной думе, где заседал посланец «Сибцветмета», но никакой решительно пользы от этих его «заседаний» никто в Белоярске не видел. Не ощущал на собственной шкуре.

Более того, народные массы, уже не прислушиваясь особенно к разумным доводам заместителя гендиректора Журавлева и его коллег из руководства предприятия, решали все проблемы по-своему.

К губернатору была направлена представительная делегация, понесшая требование коллектива немедленно высказать свое отношение к происходящему беспределу, что на практике говорило о необходимости высшей краевой власти сделать свой выбор. Вы с кем, господин губернатор, бывший уважаемый генерал: с проходимцами, уже неоднократно пытавшимися прибрать предприятие к своим рукам, или с огромным, многотысячным коллективом? Вот прямо так: коротко и недвусмысленно!

Сидя в Москве и пользуясь только той информацией, которая поступала из Белоярска, Евгений узнал, что поход к губернатору, кажется, закончился если еще не всеобщим примирением, о котором мечтает всякая власть — формальным, разумеется, примирением, хотя бы временным, чтобы окончательно развязать себе руки, — то, во всяком случае, выработкой единого мнения по самому на сегодняшний день животрепещущему вопросу.

Несмотря на якобы бесспорные доказательства вины Минаева, никто ни в городе, ни на предприятии даже и не сомневался, что их генеральный директор стал типичной жертвой самой откровенной провокации. Чьей? Властей ли, правоохранителей, которые за «палочку-галочку» кого угодно готовы посадить, конкурентов, недовольных тем, что доход от трудов «Сибцветмета» попадает в казну, а не в их карманы, или все той же пресловутой братвы, чьи хищные взгляды и лапы уже давно шарят вокруг уникальных производств? Народ такими вопросами не шибко задавался: перед ним стояла задача конкретная — освободить директора, и точка! Не понять это настроение мог бы разве что полный идиот.

Губернатора, как уже сказано, таковым никто не считал. Напротив, его блистательное военное прошлое все еще высвечивало над его образом некую весьма положительную ауру. Да, в общем, и обвинить его в открытом воровстве или сотрудничестве с теми, кто мечтал разорить и приватизировать «Сибцветмет», тоже было довольно трудно. Мало ли что говорят! Говорят, что кур доят... А потом — кто говорит? Факты имеешь? Ну и то-то!..

Вот и недавнее очень громкое убийство бывшего губернатора, пожелавшего вернуть себе утерянную власть, возбудившее общественное мнение против губернатора нынешнего — в определенной степени, конечно, — быстро отошло на задний план по сравнению с нынешними событиями. Потому, скорее всего, драчка за губернаторское кресло — это дело верхов, их разборки, низов они редко касаются. В то время как арест гендиректора — событие, задевшее интересы всех и каждого в отдельности.

Примерно в этих словах описал ситуацию в городе Игорь Платонович. И добавил, что губернатор, как человек честный и достаточно умудренный нелегким жизненным опытом, принял, на его взгляд, самое верное решение. Губернатор, оказывается, охотно принял депутацию с «Сибцветмета», отложив все срочные дела, внимательно выслушал все до единого мнения и сообщил, что полностью разделяет искреннее возмущение земляков. Да, в общем, ход давно известный, однако редко применяемый политиками. Для такого хода, распинался Женька, надо быть в первую очередь умным и дальновидным человеком, настоящим политиком...

Такая оценка, надо заметить, показалась Юрию Петровичу, внимательно слушавшему Елисеева, несколько странной, если не сказать вызывающей. Лучший друг человека, идущего в бой за кресло руководителя края, мог бы в принципе и снизить свои оценки. Или все это в самом деле лишь слова, слова?..

Но вообще-то действительно лихой ход, подумал и Гордеев, но отношения своего не высказал, поскольку догадывался уже, о чем пойдет речь дальше. И ведь недаром показалась ему совсем недавно по меньшей мере странной позиция следователя Черногорова. И даже не в том дело, что знакомы они давно и хорошо относятся друг к другу — Эд и Юра. Тут было, конечно, другое! И вот оно стало наконец высовывать свой хитрый носик, словно кикиморка из-под болотной коряжки. Потому и дальнейшее не стало для него откровением, как это попробовал изобразить Женька Елисеев.

...Губернатор поблагодарил рабочих депутатов от имени руководства краем за верное понимание главных задач времени. И добавил, что сам охотно присоединяется к их петиции, куда бы ни решили они направить свои протесты. Губернатор попросил лишь задержать пересылку обращений в Москву до завтра. Он обещал также написать соответствующее обращение в Совет Федерации и Думу и даже предложил свои услуги для передачи этих документов в столицу. На что ему возразили: гонец уже имеется, это секретарь генерального директора Галина Федоровна Сергейченко, которая пользуется на предприятии всеобщим уважением и доверием. «Очень хорошо, — согласился губернатор. — Значит, до завтра?» На том и расстались, все чрезвычайно довольные друг другом.

Итак, завтра первым же рейсом из Белоярска сюда, в Москву, с петициями от рабочего класса и письмом губернатора в поддержку данной петиции вылетает Галочка. Ее надо встретить. Впрочем, все связанное с прилетом и отлетом руководства предприятия лежит на Евгении, и он никогда от своих обязанностей не отказывался.

На этом, кажется, «бобик сдох» — Женька, глубоко выдохнув, наконец замолчал. Гордеев переваривал услышанное, но трубку пока не бросал.

— Ну, чего молчишь? — спросил Женька. — Твое мнение?

— Мое твердое мнение я тебе, пожалуй, скажу завтра, после того как мы встретим эту вашу Галочку и я ознакомлюсь с документами. Надеюсь, мне это не запрещено?

— Да как ты мог подумать! — возмутился Елисеев. — Ты пойми, о ком речь идет!

— А вот этого как раз мне объяснять не стоит. Ну так до завтра? Ты на своем транспорте? Разрешаю по дороге в порт заехать за мной. Вдвоем нам, полагаю, будет сподручней.

— Да? — Женька помолчал. — Ну ладно. Если у тебя не намечено никаких других дел...

Уколол все же, сукин сын, беззлобно подумал о нем Юрий. А Елисеев продолжил, как бы в раздумье:

— У меня, понимаешь, «Жигули»-шестерка, не самая престижная машинка. Может, на твоем «форде»?

— Не получится, — сухо ответил Гордеев. — «Форд» сегодня вне досягаемости. А ехать за ним с утра у меня не будет возможности. Так что думай сам, пока.

И положил трубку. Ишь нахал! Деньги гребешь, а для работы даже престижной какой-нибудь иномарки приобрести не можешь! Понравился ему, видишь ли ты, гордеевский «форд». А «форд» спит сейчас возле «Глории», на стоянке. Надо будет завтра, кстати, найти время и смотаться за ним...

Сон теперь не шел. Гордеев лежал в темноте с открытыми глазами, смотрел, как иногда по потолку передвигаются световые пятна — это от редкого транспорта на улице Башиловка, — и размышлял над услышанным.

Он конечно же понимал, что шаг, сделанный белоярским губернатором, был единственно правильным в той ситуации, какая сложилась в связи с гибелью одного претендента на его стул и арестом второго. Это что ж получается? Никакой альтернативы? Да какой же избирком позволит подобное?! А подбирать себе карманных соперников господину Гусаковскому уже поздно, поезд ушел, агитация идет вовсю. Словом, молодец. Это в том случае, если картинка, нарисованная Женькой, соответствует действительности.

И еще он подумал о том, что с таким выстрелом из провинции вопрос об освобождении господина Минаева уже не имеет альтернативы — дело одного, максимум двух дней. Ну что ж, в их соглашении на защиту клиента ничего не сказано о влиянии на исход дела добровольных помощников. В то время как гонорар определен достаточно четко. Тем лучше, уже завтра-послезавтра можно будет скинуть эту головную боль. Чем не радость?

Покончив с этими соображениями, Юрий вдруг почувствовал, что хмель как-то сам по себе уже давно и напрочь покинул его голову. Вот тебе и на! А чего тогда старался? Как раз и хотел отключить мозги и отдохнуть. Ну все, теперь что касается сна — жди и лови.

Вышел на кухню, чтобы выпить воды. Но минеральной не нашлось, а из-под крана он не любил. Лучше уж, поскольку все равно не спится, заварить чайку... Но когда вскипел чайник, показалось, что самым полезным в настоящий момент будет рюмочка коньяку, предшествующая чашке черного и несладкого чая. А потом, почему надо это делать на кухне?

В результате бутылка — хорошо початая — перекочевала к дивану, куда Гордеев принес большую кружку чая и несколько неожиданно обнаруженных им в холодильнике пирожных — эклеров, которые он очень любил. Видно, вчера их принес Женька, да и позабыл. И слава богу, а то бы еще пили...

Отхлебывая из рюмки коньячок и запивая его крепким чаем с эклерами, Юрий Петрович вернулся теперь мыслями к сегодняшнему разговору в «Глории». Чрезвычайно интересным показалось ему сообщение Всеволода Голованова.

...Отыскать в ОВД «Москворечье» майора милиции Бовкуна оказалось задачей простенькой. Загляните в такой-то кабинет, если он на месте...

Заглянул.

За столом сидел здоровенный крепыш в камуфляжке, с квадратным затылком и заметными складками сзади на шее. Повернул к Всеволоду красное обветренное лицо, минуту пристально рассматривал и вдруг заревел медведем:

— Головач, твою мать! Ты откуда?

Голос у майора был хриплым, словно застуженным. Но громким.

Сева, как цирковой артист на арене, вскинул руки — алле-гоп!

Майор вскочил и ринулся обниматься. С минутку помяли друг друга, потолкались, будто хотели согреться. Уселись друг напротив друга, стали смотреть — глаза в глаза.

— Случайно? По делу? — наконец опросил Бовкун.

— Эх, Славка, — вздохнул Сева, — кто скажет, какое новое дело нам на шею может навесить даже приятный случай?

— Что-то больно мудрено! — хмыкнул Бовкун. — А ты мне попроще, как я своим орлам: ать-два — и полный порядок.

— Славка, ну ты ж меня знаешь!

Тот лишь поднял широкую свою и тоже красную ладонь: мол, можешь не разъяснять.

— Ну вот, услыхал твою фамилию, своим ребятам говорю: он, не он? А ты, отвечают, поезжай да погляди.

— А кто у тебя?

— Да ты их всех помнишь. Демидыч, Самоха, Филя Агеев, другие. Охранная у нас контора. Может, слыхал? «Глория». В районе Сандунов. Не приходилось?

— Врать не буду. Сева, а как с этими? — Он потер большой палец об указательный. — Express-Тити-мити — как?

— Честно? У нас как-то не принято обсуждать эту тему. А в общем, от выработки. Но в среднем — до штуки. Ну, в баксах, сам понимаешь.

— Оч-чень, скажу, неплохо! — протянул, посерьезнев, Бовкун. — Да, хлопцы, молодцы, ничего не скажешь... И как — надежно?

— В смысле?

— Ну, как говорится, на год или на достаточно обозримое пространство, к примеру до лета?

— Ха! Летом как раз самая служба! Блядство и ревность, как тебе должно быть известно, друг без дружки не существуют. Ну а кроме того, имеем хорошие контакты с МУРом. Нынешний генерал и создавал в свое время нашу контору. Так что и там ребята нас без внимания не оставляют... Слушай, а чего это мы — как неродные? У вас тут есть что-нибудь подходящее для краткой встречи однополчан, а? — засмеялся Сева.

Бовкун обрадовался. И через пяток минут, отдав необходимые распоряжения, он заявил в соседнем кабинете, что удаляется на полчаса для серьезной беседы, и они перебежали через дорогу, а потом, пройдя дворами, выбрались к довольно приятной кафешке.

— Здесь у меня... — важно покачал ладонью Бовкун. — Ну, сам понимаешь.

Ясно, чего не понять: «крышует» бравый майор это заведение. За что, поди, бесплатно кормится. А то и отстегивает ему благодарный хозяин. Да и как иначе разговаривать с командиром отделения славного российского ОМОНа!

— Ты гляди, — на всякий случай, больше для самоуважения, заметил Сева, отдавая гардеробщику свою роскошную меховую куртку, — у меня тут хрустит постоянно. — И хлопнул по карману.

— Оставь, командир, — покровительственно заметил Бовкун. Вспомнил, значит, что одно время, правда недолгое, служил в группе Голованова там, в Чечне. Ну, не попер, как несколько ребят, на рожон, так от него это и не требовалось — каждый сам себе выбирал дальнейшую судьбу. Плюнуть и смириться с хасавюртовскими предателями или послать их всех подальше. Кто — так, кто — этак, но личных счетов между собой ребята не имели. Это же был не приказ старшего, которым тогда и являлся майор Голованов, а дело совести каждого. Одни ушли, швырнув в лицо начальству награды, другие остались. Вон тоже до майоров дослужились. Жизнь...

Наконец после второй или третьей рюмки Бовкун все-таки не удержался, спросил:

— Так чего ты нашел-то меня? И не ври, командир, что это случайность. Чего-нибудь понадобилось? Мы ж, сам знаешь, нынче без нужды старое стараемся и не вспоминать... — Он вздохнул.

Хорошо вздохнул, честно во всяком случае, как показалось Голованову. И Сева решил не темнить.

Рассказал о деле сибирского директора Минаева, о его задержании, о расследовании, которое уже провели — так и сказал — адвокат и они сами, в «Глории».

Сказал также и о крупной сумме гонорара, который уже практически заработали, осталась самая малость, и все дело окончательно развалится.

— Короче, Славка, ты же понимаешь, что это — типичная заказуха. Липа чистой воды.

Бовкун мрачно слушал.

— Опять же раскололи мы ваших понятых — сплошной юмор. Куда ни сунься, всюду туфта. Но к тебе лично у нас, даю честное слово, можешь поверить, никаких претензий. У каждого своя роль. Жаль, конечно, что тебе досталась не самая приятная. Там прямых нарушений законности... мы стали было считать, да и бросили. Глупое дело. А теперь скажи мне, как своему бывшему командиру, который тебя никогда не продавал и не закладывал, скажи как на духу: дали тебе команду? Учти, твое имя нигде в этой связи фигурировать не будет, обещаю. Нам важно выйти на эту суку. Но — опять же повторяю — ты ни при чем. У нас своя разведка.

— Ну, если вы такие шибко умные и даже разведку имеете, чего ж тогда у меня спрашиваете? — хмуро пробасил-прохрипел Бовкун.

— Да потому что ты, Славка, наш человек, а подставлять тебя у нас нет ни малейшей охоты. Тебе еще пахать и пахать! Зачем же карьеру-то портить?

— Скажешь — карьера! — фыркнул Бовкун. — Вот я тут слыхал недавно, большая зачистка пойдет по нашей ментуре. С УБОПами там давно понятно, снова стулья делят, суки... А вот если нам дадут под зад, чего делать, командир? К армяшкам в охрану наниматься? Или к тем же чеченам, которых мы с тобой?.. Вот, твою мать, до чего дожили...

— Ну в принципе лично тебе-то вряд ли что грозит. У тебя, Слава, в отличие от других, настоящие друзья остались. А с таким багажом не пропадешь. Той сволочи, которая уже привыкла жопы начальству лизать, ей хуже, безусловно. Снова надо приспосабливаться к новым жопам. Опять же, не дай бог, не ту лизнешь. Или похуже того — не так! Представляешь? Вся карьера коту под хвост. А ты — другое дело. Ты — наш парень...

Долго молчал после этого Бовкун. Потом словно решился. Даже наклонился над столом, чтоб поближе было к Голованову.

— Слушай сюда, командир. Как я соображаю, «добро» пришло из дома на Житной. Особо активен у нас — это, в общем, не тайна — Толубеев, он замнач ГУБОПа. Но над ним сидит зам самого. Вот оттуда, говорят, и ветер дует. А Иван этот, ну, Толубеев, он активный. Всюду нос сует, бегает, докладывает, даже козью морду при случае тебе запросто может сделать. Говорят, откуда власть, кто ее дает? Да никто, сами же и берут... А касаемо твоего дела, я о нем, честно, Сева, и позабыл. У меня такого по дюжине на дню, все не упомнишь... Обычно так: начальник нашего ГУВД звонит мне и велит на выезд. Есть, мол, агентурные данные, что в таком-то месте и тогда-то будет находиться крупный дилер с грузом. На количество внимания не обращать. Все наверху согласовано... Ну я и провожу операцию по задержанию. Для формы приказываю положить на пол всех, кто в том кабаке окажется... А их там в это время и было-то всего с десяток! Смех один! Мне одному — на пять минут работы... Вот так, командир. Взяли, обшмонали карманы, нашли у малого с пяток чеков, отправили к себе. Остальное ты, я вижу, уже сам знаешь. Сказано — без церемоний, ну и какого хрена я должен церемонии заводить? Не я, кстати, первый, не я и последний, хотя, честно говоря, претит все это...

— Ну ладно, что ж делать, и на том, Славка, спасибо... Я понимаю, просить тебя пошарить, от кого и с чьей подачи пришла команда, дело безнадежное. Тут целое расследование... — И вдруг открыто улыбнулся. — А очки-то ты зачем с него снял? Ну, с того малого?

Бовкун опустил голову, помолчал и негромко проговорил:

— Ох, есть у меня сильное подозрение, командир, что придется тебе меня трудоустраивать... Ладно, если это тебе что-то даст. В ориентировке по этому Минаеву мне было доведено: клиент в очках и без них ни хрена не видит. В смысле, не видит тех фокусов, которые нашему брату приходится иной раз проделывать, случайно — сам понимаешь — обнаруживая при шмоне ствол ли, наркоту, прочее. И еще сказано: если окажется случайно пустой, заделать ему козью морду. И для этой цели мне было выдано, соответственно. Однако не понадобилось. Видать, кто-то впереди нас подшустрил. Все, командир, выдоил ты меня. Мамой клянусь, ни перед кем бы ни при каких условиях не раскололся. Так что запомни: если что — к тебе первому. Не прогонишь?

— Я похож?

— Мало ли?.. Время че хошь натворить может...

Так кто же у нас этот «шустрячок»-то? Вопрос не оставлял в покое Юрия Петровича, пока он не заснул. А утром, проснувшись по звонку будильника, сразу вспомнил последнюю вчерашнюю мысль. И с ней мылся и брился, позавтракал и стал ждать телефонного звонка от Елисеева.

Не верить рассказу и впечатлениям Голованова Юрий, разумеется, не мог. Хотя немалую роль тут, видимо, играл и личный момент: все-таки адвокат так и не уловил в речи Севы каких-то отрицательных эмоций или откровенного осуждения действий своего бывшего подчиненного. Ну, конечно, обстоятельства ставят человека иной раз в такие условия, когда хочешь ты того или нет, а цель-то оправдывает-таки средства. Плохо, но куда денешься!

Значит, и вывод: господина Минаева майору Бовкуну представили уже «готовенького», омоновцам даже не пришлось в собственные карманы лезть за наркотой, чтобы подбросить ее подозреваемому. Но если Минаева соответствующим образом «подготовили», то есть сунули в брючный карман несколько чеков с порошком, загодя вызвали милицию, твердо установили время и место действия, это значит, что подготовка к провокации велась долго и тщательно. Другими словами, решали проблемы не по ходу действия. Но — самое главное — готовили все это люди беспринципные. Им, вероятно, даже в голову не могло прийти, что в Минаева-наркоторговца поверить не просто трудно, а вообще невозможно. Им потребовался лишь сам факт задержания, а дальше — хоть и трава не расти. С таким же успехом ему могли подсунуть и незарегистрированный ствол с одним патроном — этого тоже вполне достаточно. Неважно, за что задержали человека, важнее, чтобы его проблемы решались как можно дольше. И пока он будет сидеть в камере, на воле произойдут события, на которые спровоцированный сиделец никак уже не сумеет повлиять.

А что это за такие важные события? По логике вещей, самое важное — это губернаторские выборы. Логично? Вполне. Может быть у того же губернатора такая заинтересованность? Обязательно! Но тогда зачем же он в открытую высказывает свое возмущение по поводу задержания соперника? Или это тонкий тактический расчет?

Второе. Обычно руководителя предприятия убирают подобным образом на какое-то время, когда хотят сменить на этом предприятии как руководство, так и политику. Тоже нельзя исключить. А кто в этом заинтересован? Даже из скупых объяснений Женьки Елисеева таковыми антиподами Минаева вполне могут быть родственники Журавлевы, как бы Евгений ни защищал минаевского друга. Да и краевая власть, на что указывают прошлые битвы, тоже очень не прочь урвать свой жирный кусок. Получается, что и тут есть свои интересы.

Наконец, нельзя исключать и чистого криминала. Широко ведь известны все эти кемеровские, барнаульские, екатеринбургские и прочие разборки, в которых криминал уже откровенно рвется во власть, не скрывая собственных интересов и методов борьбы.

Но все это, как ни странно, лишь повышает шансы Минаева. В самом деле, если против человека объединились столь мощные силы и теперь вынуждены даже прибегнуть к подлым провокациям, значит, столковаться с ним они уже не смогли и теперь обратились за помощью на самый верх. Не зря же сказал Бовкун, что источник следует искать на Житной, иными словами, в Министерстве внутренних дел. И еще в ГУБОПе. Ну, о том, что эта контора насквозь криминализована, и рассуждать нечего — открой любую газету, задохнешься от обилия фактов коррумпированности милицейской системы. Хотя, с другой стороны, и газетам тем же верить особенно нельзя. Но ведь и на пустом месте, без огня, тоже дыма не бывает.

Ладно, предположим, все это именно так, и Минаева действительно заказали. Причем именно здесь, в Москве, где за него, по сути, некому вступиться. В том же Белоярске, как показывают события, этот номерок у них просто не прошел бы.

А здесь что же? Короткая и безрезультативная беседа с депутатом, а следом — ОМОН, обыск и арест. И все подготовлено заранее. Чья работа? Милиции, несомненно. Депутат? Вполне может быть также заинтересован. А кто помогал, кто, как говорится, свечку-то держал? Вот и получается, к великому сожалению, что, кажется, без определенных «услуг» нашего дорогого Женечки тут тоже никак не могло обойтись. Очень это все плохо, но иной вывод никак не напрашивался.

Гордеев взял свой блокнот, раскрыл на чистой страничке и по привычке начал набрасывать некоторые соображения, которые ему предстояло уточнить в очередном разговоре с Евгением. Чтобы понять логику поступков, он всегда старался поставить себя на место исполнителя, представить картинку наяву: что бы он сам делал в данный момент? И это помогало.

Отвлек телефонный звонок.

— Ну, ты готов? — Это был Елисеев. — Я подъезжаю. Если можешь, выйди на трассу, а то крутиться в твоем дворе нет охоты.

— Я выйду, — сказал Юрий.

Выглянул во двор: с утра снег еще не разметали, и припаркованные у тротуаров, а точнее, у высоких сугробов автомобили и сами выглядели такими же сугробами.

— Что новенького? — был первый вопрос Елисеева.

Гордеев неопределенно пожал плечами.

— Ты мне про другое пока скажи, — ответил Юрий Петрович. — Минаев здесь, я имею в виду — в Москве, каким вообще транспортом пользуется?

— Как когда... Обычно я его встречаю и вожу по мере надобности.

— На этой, что ли, лайбе? — Гордеев безо всякого уважения оглядел «Жигули». — А что у него, нет ничего представительней?

— Как сказать?.. Бывает, что Владимир Яковлевич свой транспорт дает на день-другой. Все же... наши люди.

— А в последний раз на чем ехали?

— Я вез. А что, есть вопросы? И потом — какая разница?

Гордеев снова пожал плечами. Что-то у него не складывалось. Если Женька был за рулем, а Минаев, скажем, сидел рядом, то сунуть ему чеки в брючный карман в этом положении довольно трудно. Разве что отвлечь? Вот если бы оба сидели сзади, к примеру, на повороте легко привалиться к плечу, то да се, глядишь, а пакетики оказались в кармане. Впрочем, почему это делать обязательно в машине? Разве нельзя в том же ресторане, возле вешалки? Или еще дома... Вот, кстати, почему раньше об этом не подумал?

— А вы ехали на это свидание из твоего дома?

— Да... я же говорил. Слушай, Юра, я ничего не понимаю! У тебя есть какие-то сомнения? Вопросы? Так давай и спроси! Ты со мной будто темнишь.

— Нет, не бери в голову, я просто себя проверяю...

— А-а... ну ладно, — как будто успокоился Женька, хотя было видно, что он ничего не понял.

И не надо пока поднимать ненужной волны, всему свое время...

...В Домодедово приехали довольно быстро. И ожидать тоже пришлось недолго. Едва вошли в здание аэровокзала, как услышали о прибытии их рейса.

Елисеев сказал, что у него с утра ничего в клюве не было, и потянул в буфет — по чашечке кофе. Заодно он умял три бутерброда с сырокопченой колбасой. Юрий Петрович от пищи отказался.

Вернулись к выходу пассажиров как раз вовремя.

— Вон она, наша красавица! — значительно посмотрев на Гордеева, наконец сообщил Женька и резво замахал над головой руками.

К ним приближалась действительно очень симпатичная женщина — высокая и стройная, в белой пушистой шапке и короткой дубленке с такой же пушистой меховой оторочкой по подолу, рукавам и воротнику. И ножки у нее были то, что надо! Этакая секс-девочка из модного журнала, как говорится, «Зима-2001». Но взгляд у нее был растерянный.

— Что-нибудь случилось, Галочка? — крикнул Евгений.

Она быстро закивала, не выходя, однако, из прилетной зоны.

— Чемодан исчез! — крикнула она, разводя руки в стороны. — Багажная квитанция — вот она, а самого багажа нет!

— Черт-те что! — громко возмутился Женька. Чересчур громко. И продолжил, глядя на дежурных у выхода: — Ну что это за безобразие? Ну когда наконец закончится этот бардак?!

Девушка в форме, слышавшая диалог, спокойно посоветовала:

— А вы не кричите, гражданин, вы лучше пройдите к начальству, в службу перевозок, вон туда, — она показала рукой, — и все там выясните, может, на вылете забыли, а к нам какие же тогда претензии? Ведь правда?

— В самом деле, — согласился с ней Гордеев. — А что, Галочка, — тоже по-свойски помахал он рукой прилетевшей секретарше Минаева, — там действительно ничего?

Она отрицательно помотала головой.

— Ну так идите сюда, и пойдем выяснять к начальству. Девушка права. — И он улыбнулся дежурной, отчего та словно расцвела.

Отдел перевозок нашли легко, но перед входом в это служебное помещение Гордеев малость притормозил Елисеева.

— Ты вот что, Женя, запомни: начальство терпеть не может, когда к нему врывается толпа. Давай-ка мы тебя здесь подождем с Галочкой, а ты забирай ее паспорт, квитанцию, доставай свои ксивы и иди один. Тряси там чем хочешь, но только без истерики. Вещей-то много? — спросил он у Гали.

— Да какие вещи? — возмущенно ответила она. — Что называется, смена белья. Я ж сюда и сразу обратно. А вы тот самый адвокат, да?

— Не знаю уж, тот или другой, но точно — адвокат. Меня зовут Юрой, Юрием Петровичем. Вы не обижаетесь, что и я вот так, запросто, вас — Галочкой?

— Ой, да как хотите! Нате вам, Женя, мой паспорт! Я так вся перенервничала! Вы понимаете, Юрий Петрович, стою, жду, у всех есть, а у меня — как назло. Я к этим, которые чемоданы выкидывают на транспортер. Они мне: ждите, еще не все привезли, ну, я и жду как дура. Опять к ним, а они говорят: все, больше ничего нет. Ищите, говорят, у себя дома, там, откуда прилетели. Нет, вы представляете?

Елисеев нетерпеливо переминался с ноги на ногу, и Гордеев, заметив это, махнул ему рукой: иди, мол. Тот и ушел.

Юрий Петрович подвел Галочку к ряду кресел и предложил сесть.

— Значит, так, дорогая моя, — начал быстро и максимально доверительным тоном. — Я уже виделся с Алексеем, поговорил с ним. Сообщаю следующее, но персонально для вас. Понятно? В той ситуации, в которой оказался ваш директор, мы с ним решили круг лиц, которые могут владеть полной информацией, резко ограничить. Вы входите в этот круг. И еще я. Все остальные, включая и Журавлева-младшего, и

Елисеева, — Юрий ткнул пальцем в сторону служебного входа, — исключительно в той степени, в которой это нам покажется необходимым. Вы поняли?

Она кивнула с некоторой растерянностью. И Гордеев улыбнулся.

— Не понимаю, что тут смешного? — вспыхнула Галочка. — Я что, не то делаю? — Бровки ее сдвинулись на лбу.

— Нет, — продолжал улыбаться Гордеев, — вам очень идет такая растерянность, она делает вас, Галочка, еще более симпатичной.

— Ой, да ну вас, ей-богу! А говорили — серьезный человек!

— Да-а? Это кто ж?

— Да вот Евгений и говорил, когда звонил...

— Прекрасно, — становясь теперь серьезным, перебил Юрий. — А про что он вам говорил? Про понятых? Про что?

— А при чем здесь понятые? Ничего такого. Он сказал, что ему удалось вас уломать принять на себя защиту. Что это, извините, совсем не дешевое удовольствие... ну и так далее.

— Ясно. Ну хорошо, эту тему мы с вами обсудим отдельно. А теперь говорите мне быстро и правду. Где документы? В чемодане?

— Что ж я, совсем дура, что ли? — почти обиделась Галя. — Они со мной! Мало ли что могло в дороге случиться! А здесь, как мне сказали, свобода Алексея... Евдокимовича. — И она прижала ладонь к груди.

— Вы еще бóльшая умница, чем я мог представить, — так же серьезно сказал Гордеев. — Только теперь об этом пока никому больше не говорите.

— Даже ему? — изумилась Галочка, обернувшись на служебный вход.

— Вот именно, даже ему. Я позже скажу сам. А сейчас давайте бумаги мне, я у себя спрячу. Для остальных — пока — будем считать, что они остались в чемодане. Нам с вами, Галочка, и с Алексеем, разумеется, очень важно узнать, какова будет реакция на их утерю, соображаете? И еще, вам придется пожить в Москве несколько дней. Мы придумаем, где будет лучше. Во всяком случае, если Евгений предложит у себя, отказывайтесь. Скажите что-нибудь про подругу, про кого хотите. Я же вас увезу куда надо.

— А куда надо? — нахмурилась она. — Я ничего не понимаю! У вас тут какие-то тайны, игры? Что происходит на самом деле? И я совсем не желаю быть пешкой в чьей-то шахматной партии.

— А вы умеете играть в шахматы? — удивился Гордеев.

— Это не имеет значения, — резко отпарировала Галочка. — Да, умею, и что из этого?

— Думаю, у вас будет отличный партнер. Только не влюбитесь в него, а то я стану зверски ревновать. Про Алексея не знаю, мы с ним эту волнующую тему не развивали. А вот почему я вам все это говорю, сейчас объясню. Опять же сугубо конфиденциально. Я имею ряд фактов, которые косвенно указывают на то, что арест Минаева является тщательно спланированной, но достаточно грубой провокацией. Причины у нас еще будет время обсудить, а главное в настоящий момент заключается в том, что мы должны дать всем заинтересованным людям раскрыться. Если при этом кто-то невольно и будет обижен, этот вопрос я, так и быть, уж как-нибудь возьму на себя, а пока давайте играть в свою игру — точно и спокойно. Это самое главное.

Он вовремя закончил, потому что появился взъерошенный Елисеев.

— Твою мать! — начал с ходу. — Это же просто какой-то бардак, а не «Аэрофлот»!

— Ты невнимательно слушал радио, — усмехнулся Гордеев. — А ведь сообщали, что Галочкин рейс обслуживает кампания «Сибирские огни»!

— Да мне наплевать! Документы где? — накинулся он на Галю.

— Говорит, все было в чемодане, — ответил за нее Гордеев. — Прямо и не знаем, что теперь делать. Хоть снова всю историю начинай...

— Ну ты растяпа! — взвился было Женька, но под суровым взглядом Гордеева осекся.

— Вы одна улетали или вас провожали? — спросил Гордеев у растерявшейся от Женькиной грубости женщины. Сам же внимательно наблюдал за реакцией Елисеева.

— Игорь Платонович провожал. Шофер наш Миша. Они и сдавали багаж. — Галочка всхлипнула и закрыла глаза мгновенно появившимся носовым платочком.

— Ну вот, а теперь мы еще реветь начнем! — нервно продолжил Елисеев, но злость его показалась Гордееву не очень естественной, что ли. — Ну кончай, кончай, — поморщился Евгений, но было видно, что он как будто успокоился. — Не реви. Соплями горю, как говорится...

— Перестань, Женька! — одернул его Юрий Петрович. — Держи себя в руках! — и осторожно положил ладонь на плечо женщине, чуточку сдавил. — А вы, Галочка, успокойтесь. В конечном счете ничего страшного не произошло. Наверняка там, у вас, остались копии. Мы сегодня же позвоним и попросим, чтобы их передали, да хоть и по факсу. А ситуацию с пропажей сумеем объяснить, где это потребуется. Ну а ты-то чего выскочил? — накинулся он на Елисеева. — Где результаты? Орать на человека — много ума не надо...

Женька вроде бы смутился:

— Начальства еще нет. Говорят, в отъезде, будет через час, не раньше.

— Ну и отлично. Значит, делаем так. Ты остаешься и ждешь. Выясняешь, что тут и как, а мы с Галей берем такси и уматываем в город. Делаем звонок в Белоярск, объясняем ситуацию и принимаем решение, как действовать дальше. Ты, когда закончишь, можешь присоединяться к нам. Думаю, к этому времени появится ясность. Вопросы есть?

— Так погодите! — растерялся Елисеев. — А я что же? Буду тут как дурак?..

— Ну почему сразу как? — нагло ухмыльнулся Гордеев и почувствовал, как под его рукой вздрогнула спина Галочки — и явно не от горя.

— Да ладно тебе! — сморщился Евгений. — Острит он, понимаешь... Нашел время. А дальше-то как будем? Надо же гостиницу там, или, может, у нас с Люськой?

— А это еще кто? — удивился Гордеев. О женщинах своих Женька ему вроде бы ничего не рассказывал. Разве что еще в первый вечер, да и то по пьянке... Впрочем, кажется, это имя действительно прозвучало, но вот в какой связи?..

— Ну... невеста моя, скажем, — вдруг смутился Елисеев. — Она у меня живет.

Ах, ну да, точно! Она еще была не против наездов Минаева. Подарки он ей хорошие делал. И платил, как в гостинице. Хорошая парочка эти ребятки — Женька да Люська!

— За жилье ты не беспокойся, устроим Галину Федоровну в лучшем виде. Короче, позже созваниваемся. А ты давай выясняй.

Елисеев проводил их на площадь, посмотрел, как они сели в такси, и вернулся в здание аэровокзала. И вид у него был задумчивый — это тоже отметил про себя Гордеев.

Но больше всего его удивило спокойное лицо Галочки, когда она, усевшись на заднем сиденье машины, рядом с Юрием Петровичем, отняла наконец от лица носовой платочек, и он увидел, что глаза ее абсолютно сухи, а сама она улыбается.

— Умница,— только и сказал он.

— Я, кажется, вас поняла, Юра. Можно так? Без отчества?

— Надо, а не можно. Ну, давайте теперь посмотрим документы, а потом решим, какой шаг следующий. — И пока она расстегивала дубленку и доставала откуда-то из своих потаенных глубин запечатанный конверт, вернулся к незаконченной теме: — Значит, вы не видели, когда сдавали ваш багаж?

— Ну мы же были в VIP-зале. Шофер взял билет, чемодан, пошел, зарегистрировал. Вернул мне паспорт с билетом и квитанцией и ушел к машине. А мы с Игорем Платоновичем еще с полчаса посидели, выпили кофе с пирожными. Потом меня позвали, а он помахал рукой, пожелал, как обычно, счастливого пути, и ушел.

— И все?

— И все. Сказал, чтобы я сразу, как прилечу, позвонила его дяде, а потом ехала прямо к нему. Со всеми документами.

— Понятно. Из всего немногого, что вами сказано, Галочка, лично я могу сделать твердый вывод, что у Минаева в ближнем кругу друзей нет. Вас я не имею в виду. Скажите мне честно: он что, в самом деле такой наивный человек? Когда я был у него, он мне простачком этаким не показался.

— Я не знаю, — после довольно длительной паузы сказала Галина, — но у вас, Юра, какая-то просто удивительная способность убеждать. Полчаса назад я была о некоторых людях совершенно противоположного мнения, а сейчас... просто не знаю.

— То-то и оно, — вздохнул Гордеев, — недаром же сказано: избавь меня, Боже, от друзей моих, а с врагами я справлюсь сам...

— Страшно... — шепотом сказала Галя.

— Жизнь... — Гордеев развел руками.

Глава седьмая

СЕКРЕТАРША

Они приехали в «Глорию» — это был наиболее удобный вариант. Ну, во-первых, там стоял гордеевский «форд». А во-вторых, Юрий Петрович не мог не похвастаться замечательной женщиной, которая, по мере дальнейшего знакомства, ему все больше нравилась. И он даже начал завидовать Минаеву, которому могло достаться такое чудо, в котором тот, был почему-то уверен Гордеев, совершенно не разбирался. Все-таки есть люди не от мира сего. Может, для Минаева это и чересчур — так уж и не от мира! — но что он был прохладен к своей секретарше, по словам того же Женьки, души в нем не чаявшей, это, скорее всего, так. Иначе во время их разговора в Бутырках что-нибудь да сверкнуло бы в глазах Алексея Евдокимовича. Но ведь не сверкнуло же!

Разумеется, лучшим вариантом был бы тот, по которому Галочка согласилась бы остановиться у него.

А что до ее репутации, так кто же о том узнает, если они сами не захотят обнародовать сей факт? И еще один момент: Гордеев никак не мог решить для себя — будет ли этот факт предательством по отношению к находящемуся в узилище? Этика, черт бы ее побрал!..

Говорить на эту тему с Галочкой он, разумеется, еще не решился. Между ними уже начали устанавливаться достаточно доверительные отношения, чтобы попробовать выяснить исподволь, какие чувства испытывает молодая женщина к своему шефу.

Любовь ведь тоже бывает разная, в том числе и служебная. Служебная — это когда ты не можешь шага шагнуть, чтобы не получить немедленного одобрения начальства. Когда твое настроение и работоспособность напрямую зависят от взгляда, который, проходя мимо, кинул на тебя твой любимый начальник. Но все, вместе взятое, вовсе не обязательно должно вести по прямому адресу, то бишь в постель. Хотя чаще всего именно к ней и приводит. Служебный роман — куда денешься!

Когда-то, еще во времена работы в прокуратуре, у Юрия Петровича чуть не случился самый настоящий роман с секретаршей их следственного управления. Прекрасная была девица! И умом, и статью — всем взяла, постоянно купалась в жадных взглядах мужиков-следователей, но никто так, кажется, и не смог похвастаться победой. А вот на молодого тогда Юру, недавно, кстати, взявшего приз еще и в московском первенстве по боксу, вдруг запала. И однажды, словно оправдывая свой интерес к нему, заявила:

— Если бы ты, Юрка, был женат, то супруга твоя

была бы наверняка самым несчастным человеком. Я бы тебя у нее отбила.

— Но ведь я не женат! — возразил он, догадываясь, что последует дальше, какое предложение. И он уже заранее был не против. — Так за чем же дело?

— Я хочу тебя всерьез и надолго. А просто так — вон их сколько бегает, глазками посверкивают!

— Не понял, а жена-то при чем?

— А при том, что, будь она у тебя, она бы своего супруга видела гораздо реже, чем я. Ты ж у меня весь день перед глазами. И мы с тобой таким образом проводим вместе самые лучшие годы жизни! Осознаешь?

Он тогда осознал. И был даже счастлив какое-то время. Пока не покинул прокуратуру и не ушел в адвокаты. Ну а дальше все по тому же закону: с глаз долой — из сердца вон. А хорошая была женщина...

Вот поэтому, поглядывая на уютно прижавшуюся к нему Галочку, он старался не делать лишних движений, не торопить события и не форсировать демонстрацию своих чувств. Женщина — она мудрая, она уже по одному дыханию способна угадать степень отношения к ней сидящего рядом мужчины. Опять же — нюх! Правильно говорит всегда Александр Борисович Турецкий (и ему можно и нужно верить!): «Когда тебе заявляют, Юра, что у женщины собачий нюх, это неверно. Правильнее говорить: у собаки настоящий женский нюх! Это мы обожаем хвастаться, что все наперед знаем, умеем, уверены. Чушь! Недаром сказано: чего хочет женщина, того хочет Бог!»

Ну, Александр Борисович — известный в этом смысле философ...

— Какие у нас... простите, Юра, у вас планы? — неожиданно спросила Галочка, будто догадалась, о чем в настоящий момент думает адвокат.

— Планы-то? — встрепенулся Гордеев так, словно его уличили в тайных и грешных помыслах. Впрочем, почему — грешных? — Планы у нас с вами, дорогая моя, такие. Сейчас мы подъезжаем к фирме моих друзей. Это частные сыщики, и они всегда мне помогают в трудных ситуациях. Вот, конкретно, и в минаевском деле, надо сказать, тоже хорошо помогли. Так что вы у них можете абсолютно не стесняться, говорить что думаете и ничего не бояться. Мы побеседуем, решим кое-какие проблемы, а затем подумаем, как вас устроить.

— Ну, о последнем, я полагаю...

— Не торопитесь, это как раз очень серьезный вопрос. Одно дело — поселить вас в какой-нибудь частной гостинице, где вас никто посторонний не отыщет. Это дорого, но в принципе вполне приемлемо. Есть и другой вариант. Евгений, конечно, будет вас зазывать к себе. Ведь у него останавливается даже сам Минаев. Не говоря уже о Журавлеве и других товарищах из вашего Белоярска. Лично я против этого варианта. Поскольку, если Женька участвовал хоть каким-то боком в провокации с Алексеем, доверия к нему больше быть не может. Я еще не все выяснил, а доказательство его... ну, скажем так, вины — я не хочу произносить слово предательство — может находиться и здесь, в моем толстом портфеле.

Гордеев не стал вдаваться в подробности, объяснять, зачем у него в портфеле коробка из-под обуви, да не пустая, а с бутылкой. Да и что рассуждать на эту тему, пусть сначала поработают эксперты-криминалисты.

Между прочим, если говорить о настоящих мастерах, то им и времени много не нужно. Толковый дактилоскопист только взглянет на отпечаток, посмотрит «пальчики» и сразу скажет — чей. А отпечатки с чеков, изъятых из кармана Минаева, уже имеются в заключении экспертизы, которая находится у Эда Черногорова. Ну а копию для сравнения добыть нетрудно, у Дениса в этом смысле достаточно широкие связи и возможности. Так что совсем не исключено, что в течение ближайшего часа появится ответ на один из самых неприятных в настоящий момент для Гордеева вопросов: из чьих рук перешли героиновые чеки в карман Алексея Минаева. Пока же Юрий Петрович говорить об этом с Галочкой не хотел: всему свое время, пусть сама и убедится. Когда наглядно, оно как-то спокойней.

— Есть и третий, и даже четвертый варианты. У моих частных сыщиков, к примеру, имеется некая жилплощадь, которая ими используется в оперативных нуждах. Но отнимать ее у них, сами понимаете, не очень удобно. Хотя ребята конечно же будут предлагать. Я бы остановился на самом простом. У меня двухкомнатная квартира, в общем, недалеко от центра. Живу один, дни напролет бегаю высунув язык. Квартира, по сути, пустая. И я был бы счастлив, честное слово, предложить вам пожить у меня. Можете не беспокоиться...

— Я и не беспокоюсь. — Она посмотрела на него с улыбкой. — Юра, не нужно оправдываться. Мы же нормальные люди. И стараемся делать одно дело. Я поступлю так, как вы сочтете удобным в первую очередь для дела. Но вот Евгений?..

— Я полагаю, ему об этом знать не нужно. Он был у меня однажды, и, думаю, на этом мы и закончим. Я поставлю его в известность, что при необходимости сам привезу вас. Откуда? Оттуда, где вас не смогут достать хитрые ручонки тех, кто ловко сумел вас подставить сегодня утром в Белоярском аэропорту. Вот так. И пусть теперь все они размышляют на эту актуальную тему... Но мы уже прибыли, Галочка. Выходите, а я рассчитаюсь с нашим водителем.

Пока водитель отсчитывал сдачу с пятисотрублевой купюры, Гордеев увидел, как женщина, мелко перебирая ногами в обтягивающих икры сапожках, поднялась на ступеньки к входу и стала читать название, оттиснутое на золотистой табличке перед дверью.

— «Глория»? — Она вопросительно взглянула на него, чуть склонив голову. — Но ведь это, кажется...

— Вы не ошиблись, это действительно означает «слава». Так, кстати, зовут основателя данного частного сыскного и охранного бюро. Вячеслав Иванович, если быть точным. Он нынче начальник Московского уголовного розыска, генерал милиции. А руководит «Глорией» его племянник — Денис. Я вас с ним сейчас познакомлю. И с теми коллегами, которые могут оказаться на месте. Только...

— Что — только? — вдруг кокетливо улыбнулась она.

— Я ведь их всех хорошо знаю... Понимаете, Галочка, я сейчас в очень непростом положении. По идее, как говорится, я не могу о себе сказать, что очень уж ревнивый, но...

— Ах вон в чем дело-о! — протянула она и засмеялась, после чего ухватила его под локоть. — Я обещаю вам никому не строить глазки. Честно!

— Ну, слава богу! — шумно вздохнул Юрий Петрович. — А то я прямо не знал, как вас об этом просить...

Но, конечно, одно дело — искренне обещать, а совсем другое — неожиданно оказаться в сугубо мужской компании, где все взоры устремлены исключительно на тебя, а в глазах читается немой восторг. И ведь симпатичные мужики — крепкие, не бестолочь какая-нибудь. Поди, женатые, а туда же! Да, страшная сила — женское обаяние... Но Галя, время от времени поглядывая на Гордеева, незаметно для остальных подмигивала ему с легонькой такой, таинственной улыбочкой на губах: мол, не беспокойся, я свое слово держу.

Ее проводили в туалетную комнату, оборудованную по всем правилам еще в ту пору, когда в «Глории» работали и женщины, чтобы Галина могла привести себя в порядок. А пока накрыли в холле легкий фуршет — исключительно для гостьи из Сибири.

Пока то да се, Гордеев постарался пересказать Денису, Голованову и Филиппу Агееву суть происшедших событий. Остальные сыщики были в данный момент в бегах, на заданиях.

Кроме этого он достал из портфеля заветную коробку с пустой бутылкой, на которую уже покушался, правда неудачно, Елисеев во время поездки в аэропорт Домодедово. Все ему, видите ли, не давала покоя непонятная толщина портфеля. А что там? А зачем? Нет, не стал удовлетворять его любопытство Гордеев, перебьется пока.

Коробка тут же была отправлена по назначению.

Затем настала очередь документов.

И тут всех в буквальном смысле поразило письмо губернатора Гусаковского. Чем? Искренним участием в судьбе несчастного директора. Но почему губернатор, человек честный, откровенный и прямодушный — нередко в ущерб себе же, с чего он, собственно, и начинает свое письмо в Москву, — называет Минаева несчастным? Да, он активно ходатайствует о его освобождении и уверяет, что наркотики — это, скорее всего, чья-то ловкая провокация. Чья — без ответа. Но вот опять — «скорее всего»! Буквоед Денис обратил внимание на эти вроде бы и невидные нюансы. Можно ведь как рассудить? Несчастный потому, что сидит в тюрьме. А еще как? Вероятно, губернатор знает нечто такое, чего вслух не произносит, однако намекает, что наркота действительно может любого человека сделать несчастным. Вот ведь иезуит! Непонятно, сам ли додумался или кто просветил? Опять же и это «скорее всего» не утверждение, но сомнение от этого не исчезает, а как бы, наоборот, почти незаметно подчеркивается. Не дурак. И защищает, и не то чтобы топит, однако наталкивает на размышления. Все же остальное — общие слова о том, что Минаев — человек хороший и городу очень нужный. Не густо, в общем-то. Начал как бы за здравие, а закончил так, что и не понять: с кем вы, господин бывший генерал? С собственной-то совестью хотя бы в ладах?

А вот пространное послание рабочего коллектива составлено в лучших советских традициях. Да иначе и быть не может. Простые люди уверены, что наверх можно достучаться. Вот и стучат — не в криминальном, а самом прямом смысле слова, кулаками молотят в запертые двери! Это ничего, подобные крики души иногда вызывают адекватную реакцию у судей, особенно если они воспитаны еще советской системой и вовсе не погрязли в коррупции.

Но тут появилась сияющая Галочка, вызвав общий вздох, и обсуждение документов, во время которого никто не стеснялся называть вещи своими именами, прекратилось. При даме-с! Да вы что, господа сыщики! Совесть надо иметь!

Даже самую малость сыграли в смущение, когда Галочка наивно заметила, что разговор здесь, пока она приводила себя в порядок, был очень эмоциональным и громким, но она далеко не все поняла и теперь просит объяснить ей, что они думают по поводу петиций.

Что они думают? А то и думают, что господин Гусаковский совершенно откровенно пытается убить сразу двух зайцев: и защитить, и откреститься — одновременно. Но так, к сожалению, или, скорее — к счастью, не бывает. Уши торчат!

Оказывается, то, о чем рассуждали теперь сыщики, никому в Белоярске даже и в голову не пришло. И хотя там у заводчан отношение к Гусаковскому, мягко говоря, было прохладное, именно это его письмо както даже вдохновило заступников Минаева. Вот уж чего они не ожидали от своего губернатора, который, как известно, с самого начала был на ножах с новым директором «Сибцветмета». И даже обрадовались такой поддержке, полагая, что времена ссор наконец прошли и теперь можно работать спокойно, без нервотрепки.

Было заметно, что разочарование всерьез расстроило милого сибирского гонца. И чтобы снять ненужное напряжение, высказали общее мнение, что в принципе ничего опасного для Минаева в губернаторском послании не содержится. Ну и бог с ним.

Вставал более серьезный вопрос: кто передаст письмо дальше? Ну, копии необходимо оставить для суда. Оригинал, согласно желанию подписантов, должен направиться в администрацию президента. Еще копия — в правительство. Пусть. Раз об этом пишут в «шапке», в обращении, — значит, так хотят. А вот в Думе волю трудящихся, по идее, должен был представлять их депутат, то есть Владимир Яковлевич Журавлев. Но хорошо ли это? Станет ли Журавлев немедленно выгораживать человека, которого, скорее всего, сам и постарался посадить? Да и вообще, может быть, имеет смысл какое-то время еще подержать его в неведении? Пусть-ка обращения наверху успеют сыграть свою роль! А начнет возмущаться, всегда нетрудно задать встречный вопрос: как, разве вы не получали? А мы до вас дозвониться не смогли, так пришлось на ваше имя в отделе поступающей в Думу корреспонденции оставить. Как, и оттуда не передавали? Ну тогда вот вам немедленно копии! Их у нас много!

И пошел ты к чертовой матери! Примерно вот так.

А в администрацию как доставить? В этом вопросе, сказал Гордеев, он очень рассчитывает на Костю.

— Дядь Костя — это верный вариант, — тут же подтвердил Денис. — Я бы предложил его и на Белый дом заодно задействовать. Вы же сами хорошо знаете, что если дядь Костя попрет, его и танком не остановишь.

Пока смеялись, представляя себе такую картинку, Галочка приникла к Юрию Петровичу и шепотом спросила: а кто это такой — дядь Костя?

Продолжая смеяться, Гордеев ответил, что это заместитель генерального прокурора России, которого там, наверху, и знают, и ценят иной раз гораздо выше самого генерального. А «дядь Костя» он потому, что Денис для него вроде как любимый сын. В общем, если повезет, еще и познакомишься...

Для Галочки такой факт был, что называется, выше крыши! Вон с какими людьми тут запросто! Это тебе не Белоярск занюханный, где страшней Гусаковского и зверя нет. Она высказала это свое мнение, чем, естественно, вызвала новый приступ веселья.

Все ей здесь нравилось: и люди хорошие, и необычное, и очень вкусное угощение, и сама дружеская атмосфера — серьезная и деловая, хотя и с подковырками, юмором, искренним смехом. Прикидывая теперь, как бы выглядел в этой компании Евгений Елисеев, которого, в силу необходимости, Галочке уже удалось узнать как человека, она подумала, что он бы здесь, пожалуй, не задержался. Почему? Может быть, как раз по той причине, о которой ей вскользь сказал Юрий еще в аэропорту. Она уже тогда поняла, что адвокат не доверяет, как ни странно, лицу, уполномоченному представлять того человека, которого он взялся защищать. И уж если доводить мысль до логического завершения, как недавно это сделал, сидя уже в машине, Юрий Петрович, то вот здесь, в этом уютном холле, истинных друзей у Минаева или тех, кто за него искренне болеет и старается помочь не словами, а конкретными делами, гораздо больше, чем в том же «ближнем кругу». Как опять же заметил Гордеев.

И так тепло ей вдруг стало, так спокойно! Она поняла, что дело освобождения ее шефа, в котором она и в самом деле души не чаяла, в надежных руках.

А что касается «души не чаять», то надо реально смотреть на вещи. Сколько всяческих, и даже не всегда приличных, намеков ей уже пришлось выслушать! Сколько видеть кривых и сальных улыбок! А ведь дело-то простое: ну в самом деле любит она Алексея Евдокимовича — как старшего, умного, опытного. Как отца, может быть. Как толкового наставника. Но у нее никогда и мысли не возникало о той постели, где, по мнению иных посторонних, они с Минаевым должны были проводить время. Да если б и так — кому какое дело! Вон и Елисеев — тоже кривит свою морду, а у самого глазки-то посверкивают! И в башке наверняка лишь одна мыслишка и водится... Как всякая красивая и уважающая себя женщина, Галина Федоровна Сергейченко прекрасно знала свои возможности и видела свое отражение в глазах постоянно окружавших ее мужчин. И тайн в этом смысле для нее не существовало, не девочка давно уже. Конечно, хотелось счастья. Но пока не попался он — ее единственный, ради которого бросила бы к черту все эти свои секретарские дела и завилась бы вечным хвостиком... Скоро кончится третий десяток, а человека, чтоб за него зацепиться, все нету. Есть умные, есть красивые, да маловато добрых. И всякий сперва хочет свое получить, а уж потом решать — то или нет...

Грешным делом подумала, что вот Гордеев, кажется, из тех, кто ближе других к идеалу, который она сама себе придумала. Как-то сразу почувствовала его, и стало просто и легко. И предложение его пожить какое-то время у него тоже приняла с замирающим сердцем. Подумалось: а вдруг?..

А еще ей очень понравилось, как он разговаривал с ней — тактично и доверительно. Ну да, он же адвокат, им, наверное, иначе и нельзя — клиенты разбегутся...

Думая о своем, сокровенном, Галочка старалась внимательно слушать, о чем рассуждали сыщики. И из общей картины, которая достаточно зримо вставала перед ее глазами, она начинала понимать, что минаевское дело, возникшее по чьей-то определенно злой воле, в настоящий момент находится действительно в надежных руках и за судьбу «несчастного» — это надо же! — директора можно не беспокоиться. Правда, каждый день, проведенный в тюремной камере, любому добавит седых волос. Но тут уж ничего не поделаешь, недаром же говорят, что от сумы да от тюрьмы зарекаться нельзя.

Но если дома, в Белоярске, положение здесь, в Москве, рисовалось ужасным и почти безнадежным, то сейчас Галочка поняла: нет ничего безнадежного, зато есть справедливость, и каждый в конечном счете получит то, чего заслуживает.

И совсем другими глазами смотрела она теперь на своих, на белоярцев, на того же Игоря Платоновича, проявившего вдруг бурную активность. Но активность, вовсе не связанную с высвобождением своего друга и шефа из тюрьмы. Он немедленно занялся совершенно посторонними административными делами. Хотя, конечно, эти проблемы никогда не бывают посторонними, не важными. Но ведь есть же ситуации, когда забота о человеке становится на первое место. А Игорь как бы облегченно сбросил именно эти заботы на ее, Галочкины, плечи и тем удовлетворился. Разве что спрашивает время от времени: ну что там у тебя? — и тут же, не дослушав, убегает, уезжает —

в краевую администрацию, еще куда-то, где совершенно необходимо его срочное присутствие. И что касается всей этой беготни... Лишь сейчас, вот тут, у круглого стола, заставленного тарелками с экзотическими морепродуктами и легкими, почти безалкогольными напитками, она наконец поняла: это было имитацией деятельности, рассчитанной исключительно напоказ.

Но если ты постоянно выставляешь на всеобщее обозрение свою сильную озабоченность, а сам палец о палец не ударяешь, чтобы найти причину, и лишь поддакиваешь тем, кто хочет помочь всерьез, то, выходит, ты не так уж и заинтересован в установлении истины! Вон как складывается ситуация! А тебе верят, поскольку ты считаешься лучшим другом...

Очень неприятно думать об этом, нехорошо разочаровываться в людях. Она конечно же знала о затянувшейся подковерной борьбе, знала о расстановке главных сил вокруг предприятия, но верила, что новая команда, которую возглавили Минаев с Журавлевым, справится наконец с трудностями, о коих в городе не знает разве что приезжий, да и то не всякий.

А с другой стороны, оказывается, не у одних белоярцев положение на «Сибцветмете» вызывает серьезную озабоченность. Вот и в Москве понимают, что все у них, в Сибири, далеко не просто. И убийство недавнее прежнего губернатора, и арест Минаева — это, как заметил Юра, кого-то цитируя, «дым из одной трубы». Кто это сказал, Галочка, разумеется, не знала, но по улыбкам присутствующих поняла, что те знают хорошо автора изречения. Она не удержалась и в очередную паузу спросила:

— А кто это сказал — про трубу?

Смех был ответом, а Гордеев, проглотив очередную мидию, которую он подбирал с тарелки заостренной палочкой, сказал:

— Это у нас так обычно Сан Борисыч изрекает.

— А он — кто?

— Ну девушка! — даже руками развел могучий Сева Голованов. — Да это же бог сыска! Сам господин Турецкий! Таких людей нельзя не знать!

— Да ладно вам, — смеясь, отмахнулся Гордеев. — Откуда в Сибири могут знать Сан Борисыча? Это, Галочка, тоже наш большой друг и учитель. Я у него начинал в свое время в Генпрокуратуре. А суть в том, что когда дела, бывает, ну совсем валятся и ты не знаешь, с какого края подобраться, мы обычно жалуемся в жилетку Косте. Константину Дмитриевичу Меркулову, я уже о нем говорил. Костя дает отмашку, и тогда подключается Сан Борисыч. И с этой минуты преступный мир начинает трястись мелкой дрожью. У генерала от юстиции Турецкого ни одно дело не зависает. И все это знают. И боятся. Все, кроме нас. Поскольку нередко приходится вот им, — Гордеев окинул взглядом сотрудников «Глории», — пахать вместе. Ты подожди, не ровен час, еще и Сан Борисыча подключить к нашему делу придется... Не дай бог, конечно.

— Это почему? — удивилась она.

— Сан Борисыч — главный спец по убийствам. А у нас пока до этого дело, к счастью, не дошло...

Звон мобильника оторвал Гордеева от приятного застолья и значительной беседы. Звонил Елисеев. Он, оказывается, только сейчас смог наконец пробиться к начальству из службы перевозок и был в полнейшем недоумении. Никаких следов исчезнувшего чемоданчика обнаружить не удалось. Уже и в Белоярск звонили, и здесь смотрели — ничего. Как и не было.

Елисеев успел уже созвониться с Белоярском и постарался объяснить Журавлеву идиотическую ситуацию, в которой оказались не по своей, что называется, воле. Ну тот, разумеется, закатил истерику

Елисеев рассказывал, а Филя Агеев, быстренько сбегав куда-то внутрь помещения, вернулся с хитрым приборчиком, к которому подсоединил гордеевский мобильник, после чего голос Евгения стал слышен всем присутствующим.

— Не, ты представляешь, Юрка, это просто какая-то бабская истерика... Да, там наша дамочка рядом?

— Ну... в общем. А что?

— Ей не нужно слушать. Зачем? Платоныч в ее адрес такое ляпнул, что мне, как мужику, просто повторять стыдно.

— Так в чем же дело? — спросил Юрий. — Ты и не повторяй.

— Но тебе-то надо знать мнение нашего начальства!

— Слушай, Евгений, ты разве еще не понял, что вообще-то мне начхать на мнение твоего, — Гордеев подчеркнул это слово, — начальства? А если оно у тебя, — снова подчеркнул, — невоспитанное, так ты и займись его просвещением.

— Ладно, это все... Какие дальнейшие планы? — сменил тему Елисеев.

— Так какие? Вот ты и займись выяснением того, чем теперь станет заниматься твое начальство, не сумевшее выполнить элементарного требования производственного коллектива. А у меня пока есть свои дела.

— Та-ак... А где эта сучка?

Краем глаза Гордеев заметил, как вспыхнуло лицо Гали, но тут же кровь стала отливать и женщина побледнела. Гордеев прижал ладонь к микрофону и посмотрел на нее.

— Может, вам лучше оставить нас на минуточку?

Но Галочка резко затрясла головой, утверждая, что хочет остаться и выслушать все до самого конца — так, во всяком случае, понял ее мимику и жесты адвокат.

— Ты вот что, Евгений, — с презрительной интонацией начал Гордеов, — ты постарайся держать себя в руках, а то ведь мне придется отказаться от твоей помощи.

— Интересно, это каким же образом? — опешил тот.

— Ты всего лишь доверенное лицо, но ведь я могу общаться с клиентом напрямую. Тогда какая же в тебе-то надобность? Верно? И потом, ты не понял, я взялся защищать конкретное лицо, то есть Минаева, а не ваш комбинат со всем его начальством. Не путай, это вещи разные. И поэтому давай займемся каждый сугубо своим делом. Ты обещал доставить ко мне документы в поддержку Минаева, вот и доставляй. А как ты это станешь делать, меня не... хм-хм! Понял, что я хотел сказать? Вот так. И давай больше к этому вопросу не возвращаться.

— Как скажешь, — после короткой паузы и явно неохотно ответил Елисеев. — Тогда дай, пожалуйста, трубку этой... Ну, Галине. Я ей сам кое-что скажу!

— Опоздал маленько. Она буквально минуту назад уехала к своим знакомым, обещала, когда доберется, позвонить и сообщить, где остановилась.

— Не врешь? — насторожился Евгений.

— А смысл?

— Ну не знаю, может, у вас уже что-нибудь там склеилось... О девке-то разное поговаривают.

— А вот это меня совершенно не колышет, — перебил Гордеев. — Все, кончаем треп, у меня не городской телефон, а минуты по мобильнику капают в долларах.

— Ничего, мы возместим!

— Вот когда возместите, тогда и будете нести всякую хреновину.

— Погоди! Ну хоть сегодня-то встретимся?

— Если у меня появится такая необходимость. В чем сильно сомневаюсь, поэтому займись лучше делом. Пока.

Гордеев отключил мобильник. Молча посидел, подумал и наконец обвел всех взглядом.

— Ну? — спросил с иронической ухмылкой.

— В свете вышеизложенного, — заметил Агеев и сморщился, как от мерзости, — гнида. Есть иные мнения?

— Извините, ребята. — Денис поднялся. — Пойду сделаю звоночек по поводу одной бутылочки.

— Там еще и рюмка, — напомнил Гордеев.

— Я видел, — улыбнулся Денис.

— Вот так, дорогая Галина Федоровна, и открываются дверцы в чужую душу, — философски заметил Голованов.

— Особенно если таковая вообще имеется, — добавил Гордеев. — Но теперь, как мы видим, мосты сожжены. И у нас не остается ничего иного, как самим форсировать события, так?

— Скорее всего, — подтвердили сыщики.

— А раз это так, то где там наш уважаемый Сан Борисыч? — И Гордеев снова включил свой мобильник. После нескольких длинных гудков раздался бодрый голос:

— Турецкий слушает!

— Привет, Сан Борисыч, это...

— Здорово, Юра, узнал. Конечно, по делу?

— А то!

— Есть три минуты, излагай.

Гордеев уложился в полторы, вместив историю с арестом, передачей письма трудящихся и пребыванием в Москве симпатичного гонца из Белоярска.

Долго Турецкому объяснять не пришлось, он уже понял нужду, которая мучила Гордеева.

— Насчет Кости не знаю, это могу выяснить минут через двадцать, когда буду у него. А насчет моего участия... Есть у меня один человечек в Белом доме... Вообще-то он может ускорить прохождение, понимаешь? Что в таких делах главное? Где лежит письмо — сверху или снизу в папочке. Разве что попросить?

— Сан Борисыч! За нами не заржавеет.

— Это кто говорит? Это кому говорят? Наглец ты, Гордеев! Пусть только попробует что-нибудь заржаветь! И потом — кто это «мы»?

— Ну, я и симпатичный гонец.

— Вот! А я все никак не могу вспомнить, какой еще вопрос хотел у тебя спросить! Баба-то — как?

Гордеев растерянно оглянулся и увидел искрящиеся смехом глаза сыщиков. Галочка же, напротив, вся прямо-таки напряглась, как перед прыжком. И ее понять было можно.

— Она не баба, Сан Борисыч, она просто замечательная и очень красивая женщина.

— Юра! — строго сказал Турецкий. — Ты, часом, не заболел?

— Почему?

— Да потому, — хохотнул Турецкий, — что впервые слышу от тебя столь лестную для дамы оценку! Ладно, познакомишь... А сам гони всех с мобилы, я позвоню как смогу. Ты, кстати, где? Территориально? Это я для ориентации во времени.

— У Дениса, можно сказать, рядышком.

— Отлично, там и сидите. Привет ребятам.

— Слушайте, — недовольно сказал Гордеев, отключаясь, — может, хватит трансляцию устраивать? Этак ведь мы такого наслушаемся! Да и перед Галочкой неловко...

Но уже было всем заметно, что неловкости гостья больше не ощущала. Наоборот, ей нравилась такая свобода обмена мнений.

— А почему он, — она показала на мобильник, — говорит так странно: спросить вопрос, например, а?

— Это у Борисыча манера такая в разговоре, немножко поерничать, — подмигнул Галочке Агеев, — Да мы, в общем, и сами... того, тоже не против.

— Да-а... — протянула она. — Нравы у вас, однако... И каждую женщину вы тоже вот так... обсуждаете?

— Да вы что, Галочка?! — почти возмутился Филя. — Только красивых. Ну а когда очень красивые, вот вроде вас, тем еще хуже приходится! Прямо никакого удержу! Вон адвокат подтвердит.

Вернулся Денис и серьезно посмотрел на Гордеева. Все замерли, ожидая решения эксперта-криминалиста.

— Есть «пальчик», — всего-то и сказал Денис, но настроение у всех вмиг испортилось.

Вот ведь странность: пока подозревали человека в подлянке, как-то думалось, что произойдет ошибка. А когда подозрение подтвердилось, всем стало очень неудобно, — будто каждый сам во всем оказался виноват, словно взял да и жидко обгадился в присутствии посторонних... Чрезвычайно скверное ощущение.

— Ошибки быть не может, — скорее утвердительно сказал, нежели вопросительно поинтересовался Гордеев.

— Исключено. «Пальчик» четкий.

— Ну вот и наступила ясность, — вздохнул Гордеев. — Я тут с Александром разговаривал. Может, удастся выйти и на Костю.

— Ну, тебя учить не нужно, — кивнул Денис. — Все, ребятки, делу — время. Филипп, я попрошу. — Он указал рукой на стол.

— Будет сделано, шеф.

— Я помогу, — вскинулась Галочка.

— А я не возражаю! — тут же отреагировал Агеев и многозначительно посмотрел на Юрия Петровича.

— Валяйте, — заулыбался адвокат. — Денис, еще на два слова.

— Пошли в кабинет. Всем спасибо...

Когда Галочка, постучавшись и дождавшись «войдите», зашла в кабинет, Денис приветливо улыбнулся ей, как если бы ничего неприятного не произошло, а, напротив, все складывалось как нельзя удачно.

— Заходите, заходите, присаживайтесь... А мы тут кое к чему пришли и уже хотели вас пригласить, чтобы посоветоваться.

— Я слушаю, — смиренно ответила она, садясь напротив Юрия Петровича. А Денис сидел за широким письменным столом — девственно чистым. Вот разве что большой компьютер — на приставном столике, сбоку. Экран высвечивал ползущие цифры таймера.

— Итак, мы подумали и пришли к выводу, что в Белоярск сейчас надо сделать звонок. Побеседовать с Журавлевым. Но звонить должен Юрий Петрович, а не вы, Галочка. Вы ввели адвоката в курс дела и пока на этом свою миссию завершили. А дальше — уже его проблемы. Понимаете?

— Не очень. Во-первых, если с моим багажом произошла не случайность, а опять-таки хитро подстроенная провокация... Я все время думаю об этом, — добавила, словно извиняясь, и, дождавшись поощрительного кивка Дениса, продолжила: — Если все это сделано нарочно, то мой чемоданчик уже давно в руках у Журавлева. Или у водителя Миши. Но тогда они его уже открыли и убедились, что никаких бумаг там нет. Зачем же было ругаться? Не понимаю.

— Хорошо, учтем. А что во-вторых? — спросил Денис.

— Во-вторых, я совершенно не понимаю своей роли. Зачем послали-то? Если вовсе не собирались отправлять бумаги?

— Логично, — подтвердил Гордеев. — Разрешите мне. Начну со второго. Послали, чтобы успокоить возмущение трудящихся. И все. Отчитаться, так сказать, перед общественным мнением: сделали все, что было в силах. Но! Возвращаясь к первому, они не ожидали, что вы, Галочка, окажетесь предусмотрительнее. Они теперь просто обязаны делать вид, будто не знают, куда девался ваш багаж. Они будут настаивать, что вместе с ним пропали и бумаги. И, не торопясь, уже с оглядкой, готовить новые экземпляры. Возможно, даже что-то уточнять, исправлять и так далее. И отправят их уже не с нарочным, а прямо в адрес своего депутата, где обращения трудового коллектива и губернатора проваляются еще бог весть сколько времени, которое им необходимо позарез. Для каких целей — другой вопрос. Это уже ваша тамошняя внутренняя политика. Ее я пока не касаюсь.

— Все бы хорошо, — сказал Денис, — но ведь они знают, что наша Галочка, — легкий поклон в ее сторону, — попросту говоря, натянула им нос. И какова реакция? Может быть, стоит их уверить, что бумаги действительно потеряны? Ну, скажем, положила она их отдельно, в целлофановую сумочку, которую забыла! Ну да, забыла в волнении все там же, в Белоярском аэропорту, в буфете, где пила кофе с пирожными, так? Думала, что в чемодане, была уверена, потому и оказалась столь беспечной.

— В принципе неплохо, — подумав, согласился Гордеев.

— Скажите, — вмешалась вдруг Галочка, причем выражение лица ее сделалось сердитым, — а зачем нам нужны все эти странные сложности? Не проще ли позвонить тому же Игорю Платоновичу и сообщить ему, что бумаги у меня? Что я нарочно, подозревая кое-кого в нечестности, приняла сама такое решение. И черт с ним, с чемоданом, в конце-то концов. Не на нем же свет клином сошелся! А бумаги я честно передала по назначению. Что же касается нашего депутата, которому лично я не верю, как не верит и половина Белоярска, то он как-нибудь перебьется. Или пусть сам Игорь Платонович информирует его лично. Не проще ли поступить именно так, господа?

Воинственный тон и это «господа» вызвали улыбки.

— А ведь она права, Денис, — заметил Гордеев. — Кажется, мы с тобой маленько перемудрили. Ну да, не хотелось раньше времени раскрывать свои карты. Елисеев-то уже нервничает, это однозначно. Не найдя бумаг в чемодане Галины Федоровны, запаниковал и Журавлев-младший. Наверняка в курсе дела и дядя-депутат и теперь тоже волнуется: куда это девался гонец? А что касается губернатора, то он, пожалуй, единственный, кого ничто не тревожит. Он сделал главное для себя: перетянул на свою сторону общественное мнение города, а дальше хоть и трава не расти.

— Но тогда тем более следует абсолютно точно продумать линию поведения Галочки и выверить ее текст. Вот пример. Кто сказал, что бумаги исчезли вместе с чемоданом? Об этом в Белоярск сообщил Елисеев? А откуда он это узнал? От нее — от Галочки? А разве она это говорила? Вот же свидетель рядом — речь шла исключительно о чемодане.

— Ага, — живо подхватил Гордеев, — Галочка мало знакома с этим типом, а я давно его знаю. И что он наркотой балуется — тоже. И мне, как и Галочке, показалось, что Женька был немного не в себе. Мог что-то не понять и перепутать. Я — тому живой свидетель... Скверно это, конечно, грязно, но, рассуждая логично, он первый начал. А чтоб не сильно залупался, я ведь могу ему и про «пальчик» намекнуть. Про тот, который обязательно выплывет в суде. И что он станет делать дальше? На меня бочку катить? И что после этого поимеет? Не уверен, что он полный болван.

— Однако, ребята, — сказал Денис, — все это можно пустить, как говорится, в производство лишь после того, как ваши бумаги лягут на столы адресатам. Я имею в виду Кремль и Белый дом. С Думой, полагаю, будет все гораздо проще. Кинем в Комитет по законности и правопорядку либо еще кому-нибудь, минуя сознательно господина Журавлева-старшего, чем лишний раз подчеркнем народное к нему недоверие. Как?

— Я согласна, — первой отреагировала Галочка. — Но ведь мы должны быть уверены, что документы действительно лягут на указанные столы. А что касается нашего депутата, то у меня имеется твердый аргумент: меня народ, в смысле — общее собрание уполномочило передать письмо руководству страны, а о депутате речь шла только вообще. Кстати, в его адрес было высказано немало претензий. Вот тут я действительно могла что-то и перепутать. Виновата!

Она склонила прелестную свою голову, и было видно, что на самом деле ни в чем виноватой себя не считает. И умница.

Александр Борисович не заставил себя ждать.

Пока обсуждали более мелкие вопросы, раздался звонок городского телефона. Денис взял трубку.

— Привет, Дениска! Турецкий. Юра с э-э... еще не уехал от тебя?

— С Галочкой?

— Да-а? Уже Галочка? Ну вы, ребятки, смотрю, быстрые на ногу! Эй, Денис, только не ври, у тебя громкая связь?

— Как скажете, дядь Сань, — ухмыльнулся Денис, глядя на своих гостей. — Могу и выключить.

— Да ладно, негодяи, я ж не собираюсь... Извини! — Из динамика раздался пронзительный телефонный звонок, затем он стал тише, как если бы Турецкий прикрыл ладонью свою трубку. — Послушай, подруга моя дорогая, — донеслось до них, — я тебе уже объяснил, что этот Самойлов — помощник, и всего лишь.

Не больше. А зовут его Федором Михайловичем. Как писателя Достоевского, сечешь? Читала «Записки из мертвого дома»? Как, не читала?! Клавдия, душа моя! На чем же ты воспитывалась? Боже, какой просчет! Все! Успокойся, это дело мы с тобой быстро поправим... Вот когда скажу, тогда и поправим! Повторяю, если бы мне нужно было самому звонить Самойлову и сообщать о своем желании сегодня же встретиться с его шефом, то я бы так и сделал. Понимаешь, радость моя ненаглядная? Но мне до самого разрезу необходимо, чтобы его поставила об этом в известность верный страж самого Меркулова! Осознаешь высокую честь?.. Да с Костей я договорился... Вот именно! Главное — безапелляционный тон и абсолютная уверенность в правоте нашего общего, святого и законного дела... Что — когда? А-а, теперь и я усек! Как только дам команду, так и готовься. Нет, книгу доставать не надо, у меня есть в домашней библиотеке, я захвачу... Аут, Клавдия! — Пауза, звук стал сильнее — видимо, Александр Борисович убрал руку с микрофона. — Извини, Дениска! Так о чем я?

— Про громкую связь, — спокойно ответил Денис. — Выключить, а, дядь Сань? Или пускай ее?..

— Ну-у-у... — непонятно было, изумился Турецкий или оказался поверженным навзничь.

Галочка, глядя на лица Дениса и Юры, отчаянно зажимала рот рукой, чтобы не разрыдаться от смеха — такое у них было выражение лиц. Пока шел монолог Турецкого, не рассчитанный, естественно, на посторонние уши, Гордеев шепотом успел объяснить ей, что это Сан Борисыч так воспитывает секретаршу самого Меркулова. Ну манера у человека такая, куда денешься!

— Не понял, дядь Сань, Юру, что ль, позвать?

— Давай, — слабым голосом ответил Турецкий.

И когда Гордеев взял у Дениса трубку и сказал: «Привет еще раз», в кабинете раздался совершенно спокойный и деловой голос Турецкого:

— Петрович, имеешь еще что-нибудь добавить?

— Важная деталь, только открылась, — и Юрий

Петрович рассказал об отпечатке пальца журналиста, спутника Минаева, оставленном им на одном из пакетиков с наркотиком.

— Кто дактилоскопию делал? — спросил Турецкий.

— Это у Дениса.

— А, понятно, тогда сомнений быть не может. Ладно, обсудим. Значит, Юра, как ты слышал, проблема с Белым домом на мази. Теперь касаемо Кости. Он может принять вас в районе четырех. Но сперва зайдете ко мне. С Галочкой, ты понял? Без десяти будьте у меня. Пропуска закажу, диктуй, как ее зовут.

— Галина Федоровна Сергейченко.

— Хохлушка, что ли? Пышечка?

— Наоборот, стройная и изящная. Брюнетка, не в твоем вкусе.

— Гляди-ка... Ох, кругом знатоки! Клуб веселых, понимаешь, и шибко находчивых... — Он еще что-то невнятное пробурчал и закончил: — Так что жду. Привет ребяткам.

Глава восьмая

АДВОКАТ И КОМПАНИЯ

Без четверти четыре Гордеев припарковал свой «форд» возле проходной Генеральной прокуратуры, а через пять минут, бережно поддерживая женщину под локоток, поднялся на нужный этаж и, пройдя по длинному и извилистому коридору, вежливо постучал в дверь кабинета «важняка» Турецкого.

Стол следователя по особо важным делам был завален толстыми папками с делами. Что, как помнил Юрий Петрович, не было характерным для Александра Борисовича. Или, может, он таким вот образом хотел пустить пыль в глаза красивой гостье? Нет, похоже, Турецкий был и в самом деле озабочен чем-то, туфтой вроде не пахло.

Он вышел из-за стола, пожал руку Юрию Петровичу, посмотрел внимательно на Галочку, отчего та немного смутилась. Он взял Галочкину руку и изысканно коснулся губами ее пальцев.

— Прошу. У нас с вами еще десять минут. Нам позвонят... Значит, вот вы какая, лягушка-путешественница? — И, заметив недоуменный взгляд женщины, добавил, точнее, пояснил: — Ведь та, если память мне не изменяет, тоже летала этак... налегке. Без вещей.

— Ах, в этом смысле. — Галочка улыбнулась.

— Смысл у нас всегда один, — слегка подмигнул ей Турецкий. Потом взглянул на Гордеева и ловко изобразил свое восхищение. Снова стал серьезным. — Мы тут с Костей немного обменялись мнениями. Ну, в общих чертах, сам понимаешь. Возникли, соответственно, кое-какие мыслишки, так, предварительно. У нас будет еще время обсудить. Возможно, даже и сегодня. Да, кстати, совсем забыл спросить: как у вас, есть где остановиться? — Он явно задавал вопрос Галочке, но смотрел при этом на Гордеева.

— Я думаю, самое надежное — у меня, — сказал Юрий и посмотрел на женщину.

— Девушка не возражает? — улыбнулся ей Турецкий.

— Нисколечко! — весело ответила Галя.

— Заметано. А планы на вечер имеются уже?

— Все будет зависеть от разговора с Константином Дмитриевичем. Ну и еще от твоего контакта. Документы с нами.

— Это отлично. Когда пойдем, я попрошу Клавдию сделать хорошие копии. Чтоб ничем не отличались от оригинала. Она умеет.

— Клавдия Сергеевна — настоящая богиня, — хмыкнул Гордеев.

— Да уж... чего есть, того, как говорится, и силком не отнимешь. А к чему это я? Ах да! Если планы ваши несколько... э... неопределенны, мы можем с удовольствием пригласить девушку в нашу компанию. Сегодня Славка обещал славный грязновский шашлычок. Который делать будет, разумеется, не он сам, а, как обычно, любимый племянник. И поэтому, если девушка не против, рады будем вас видеть...

Галочка посмотрела на скромно потупившегося Турецкого и сказала — на этот раз Юре:

— Вообще-то девушка не против. Если вы считаете, что это удобно. С ходу — и новая компания.

— Это удобно, — деловым тоном остановил ее Турецкий. — Заодно и обменяемся рядом соображений. Приятное, так сказать, с полезным. Между прочим, не исключаю, что и Константин Дмитриевмч подъедет, попозже.

— А что, разве событие какое? — насторожился Гордеев.

Турецкий окинул его уничижительным взглядом:

— Не ожидал, юноша, подобной вампуки! Особенно от вас! Фи! Примите мое презрение! На прошлой же неделе у Славки был день рождения! Как ты мог забыть?!

— Да погоди! Не надо ля-ля! У него день рождения летом. Это я точно знаю.

— Значит, это был день ангела! — без смущения настаивал Турецкий. — День тезоименитства, в конце концов! Почему я должен объяснять молодому поколению, черт возьми, правила светского тона? Юра — ай-я-яй! Праздник у человека. А как он называется, тебе-то какое дело? На прошлой неделе у нас ничего не получилось, заняты были очень, а сегодня — пятница, значит, самое время вспомнить об упущенном.

— Это — другое дело. А то я уж испугался — подарок же надо бы!

— Между прочим, присутствие красивой женщины на торжестве — уже само по себе подарок. А очень красивой — это выше, это — дар! Который от Бога. Но... хватит балагурить, чего это Клавдия заснула?..

И в этот момент раздался звонок внутреннего телефона. Турецкий поднял трубку и, не слушая, сразу ответил:

— Уже в пути!

...— Что-то я начинаю опасаться, — шепнула Галочка Гордееву, когда они вслед за Турецким пошли по коридорам в приемную Меркулова.

— Причина? — взглянул на нее Юрий Петрович.

— А вы что, в самом деле по-настоящему красивых баб не видели? Ну чего вы на мне зациклились?

— Это хорошо, — кивнул Гордеев. — Скромность всегда должна украшать героев. Героинь — тем более... Нет, это просто от свойств характера зависит. В нашей компании, если так можно выразиться, суки и зануды не уживаются. А подлецы — тем более. Но ты... простите, Галочка, вы сами это увидите.

— Пора бы уже и на «ты», — поправила она его.

— Позже. С удовольствием. Ну вот и пришли.

— О чем это вы? — обернулся к ним Турецкий.

— Девушка в восхищении, — ответил Гордеев.

— А-а, ну-ну... Прошу, — и пропустил вперед себя в открытую дверь.

Галочка сразу поняла, что главная в этой обширной приемной именно Клавдия, кажется, Сергеевна. И она склонила перед ней голову.

— Здравствуйте, Клавдия Сергеевна.

— Милости просим, — улыбнулась та в ответ и окинула гостью ревнивым взглядом. — Проходите, Юрочка, Константин Дмитриевич ждет. Александр Борисович, на минуточку задержитесь!

Меркулов понравился Галочке с первого взгляда. Крупный, седой, в отлично сшитом мундире с тремя большими звездами на погонах, он излучал явную мощь, спокойствие, порядок, которых так не хватало ей в последнее время.

Жестом пригласил садиться, приподнялся и пожал руки сперва Галочке, затем Гордееву. А тут и Турецкий появился с лукаво сверкнувшими глазами. Взял от стены стул и подвинул к приставному столику, где уже сидели Гордеев с Галочкой. Но сел-то рядом с ней. И хитро взглянул на Юрия Петровича: вот, мол, тебе, съел?!

— Времени, дорогие мои, у нас немного, поэтому давайте о том, чего мы еще не знаем. Александр Борисович немного ввел меня в курс дела, Юра. Я позвонил Прохорову... московскому прокурору, — пояснил он отдельно для Галочки, — и попросил его посмотреть, что там случилось. И если все именно так, как мне стало известно, в чем я, в общем-то, не сильно сомневаюсь... к сожалению, то придется принять определенные меры. Кто ведет дело?

— Наш друг Черногоров, — подсказал Турецкий.

— Ах Эдуард? Ну и что? С ним что-то случилось?

— Разрешите я, Константин Дмитриевич, — вмешался Гордеев. — Эд, насколько я его понял, сам завис. «Вот тебе бесспорные улики — и давай оформляй». А у него душа, извините, не лежит.

— Ишь какие мы! — словно ежик, фыркнул Меркулов. — А кто ж его заставляет?

— Указание свыше, — объяснил Юрий.

— А чего донесла разведка? — поинтересовался Меркулов.

— Житная, Константин Дмитриевич. И опять же ГУБОП.

— Господи, опять!

— Если вы позволите, Константин Дмитриевич, — словно в классе подняла руку Галочка, вызвав у мужчин усмешки.

— Ну конечно, иначе зачем собрались? — развел руками Меркулов.

— Я хотела сказать, что совсем недавно, буквально два дня назад, к нам в Белоярск прилетал заместитель начальника ГУБОПа генерал Толубеев. Был личным гостем губернатора, потом быстренько, скорее даже формально, пошерстил нашу криминальную милицию, пару ночей переночевал и отбыл в Москву. Зачем прилетал — никто так толком и не знает.

Мужчины переглянулись.

— М-да, — сказал Меркулов и откинул голову на спинку кресла.

— Отчет или расчет? — задал самому себе вопрос Турецкий,

— А если и то и другое? — хмыкнул Меркулов. —

Вы не в курсе, Галина Федоровна, там у вас что-нибудь сдвинулось относительно убийства Смирнова?

Она пожала плечами.

— По-моему, все спускается на тормозах. И поводом к тому — арест нашего гендиректора.

— Красиво получается, — заметил Турецкий, — клин, так сказать, клином... А потом еще кого-нибудь замочат — и по новой!

— А у нас больше нет кандидатов на губернаторский стул, — сказала Галочка. И все внимательно посмотрели на нее, будто именно она открыла им суть происходящего. Тайну, понимаешь, открыла!

Вообще, Галина вдруг отметила про себя, что в ее присутствии мужчины чего-то явно недоговаривают, словно знают нечто такое, о чем ей знать, может быть, даже и не следует вовсе. Они переглядывались, многозначительно похмыкивали, но совсем не спешили делиться с нею своими соображениями.

Наконец вошла Клавдия Сергеевна и принесла две красивые папки тисненой кожи, внутри которых были привезенные из Белоярска письма. И сделаны они были так классно, что, глядя на них, Галочка, честное слово, не могла бы ответить себе — где тут копии, а где оригиналы.

Меркулов немедленно углубился в чтение. А Турецкий аккуратно и как-то по-чудному — не по горизонтали, а по вертикали — сложил две странички и сунул их в плотный конверт с темной бумагой внутри. Специальный, догадалась Галя. Сам конверт небрежно сунул во внешний карман пиджака.

Ознакомившись с текстами, Меркулов оглядел мужчин и спросил:

— Внимательно читали?

Оба кивнули.

— Заметили, да?

— А то! — вскинул голову Турецкий. И добавил: — Я думаю, Костя, все в конечном счете закономерно.

— Ты имеешь в виду этого? — Меркулов ткнул пальцем в письмо губернатора. — Да-а... Ну ладно, подумаем. Завтра у нас что? — спросил он, ни к кому конкретно не обращаясь.

— А завтра у нас суббота! — каким-то цирковым голосом ответил Турецкий. — А нынче у нас...

— Помню, не отшибло память еще, — пробурчал Меркулов. — Ты там скажи Вячеславу... Не могу обещать, но...

— Мы рассчитываем именно на это самое «но», Костя, — сказал Турецкий и поднялся, делая знак остальным.

— Спасибо вам огромное, Константин Дмитриевич, — поднялась и Галочка.

— Нэма защо, — почему-то по-украински ответил Костя.

— Вы угадали, — засмеялась Галочка, — у меня есть и хохлацкие корни.

— Я ж вижу, — довольно пробасил Меркулов.

Время подбиралось к пяти. Турецкий, проводив Гордеева с дамой до лестницы, напомнил, что время встречи изменить никак нельзя, поэтому прибыть следует по известному адресу не позже восьми. И, еще раз чмокнув кончики пальцев у Галочки, повторил:

— Будем особо рады вас видеть. А его, — он ткнул пальцем в грудь Гордеева, — попросите не опаздывать. Есть у него, видите ли, такая неприятная манера.

И ушел к своему кабинету.

Уже сидя в машине, Гордеев спросил спутницу: как, по ее мнению, лучше использовать оставшееся время? Можно заскочить снова в «Глорию», чтоб потом двинуться вместе. Можно смотаться на Башиловку, к нему домой. Да хоть и душ принять. Отдохнуть, а там и ехать в гости к начальнику МУРа. У Галочки, видно, уже голова кружилась от Москвы, от всех этих высоких чинов и званий. Да и куда денешься, когда кругом сплошь генералы! Но в любом случае именно сегодня следовало бы прозвониться в Белоярск. Учитывая разницу во времени. Там ведь уже глубокий вечер, скоро народ спать начнет ложиться, А завтра — субботний день, у кого-то выходной.

Решили поехать домой. Гале действительно захотелось хоть немного отдохнуть, сбросить напряжение, да и вечерний макияж нанести. Женщина должна ведь оставаться женщиной в любых ситуациях.

Пока ехали, Гордеев продумал свой разговор с Журавлевым-младшим и пришел к окончательному выводу, что Галочкин прагматизм будет, пожалуй, наиболее правильной позицией в диалоге с этими деятелями.

Дома сказал без всяких предисловий:

— Сейчас набираем домашний, да? Ну этого вашего Игоря Платоновича. Диктуй. И, пожалуйста, побудь рядом, поконтролируй меня, а если чего, подскажи.

И она легко отреагировала на это его «ты», будто все уже было обговорено и принято.

— Только ты сам не горячись. А то я Игоря знаю, он обожает быть главным и чтоб слушали только его одного. Самонадеянный тип. Странно, что они до сих пор жили душа в душу с Минаевым. Впрочем, это они так говорили... Хотя я и не видела, чтобы они ссорились там либо орали или просто повышали голос друг на друга. Совсем разные люди, а не конфликтовали.

— Значит, кто-то из них мудрый, а кто-то умный.

— А что, есть разница?

— Сама посуди. Мудрый — тот, кто зря не перечит, не выставляется, не стремится удержаться наверху любыми силами. А умный — тут посложнее. Как правило, подлецы дураками не бывают, верно?

— Вон ты куда! — засмеялась Галя.

— Простите, это квартира Игоря Платоновича Журавлева? — начал Гордеев, когда услышал хрипловатое, но бодрое: «Алло?»

— Я слушаю.

— Здравствуйте, вас беспокоит из Москвы адвокат Юрий Петрович Гордеев. Извините, что так поздно. Я совсем забыл за беготней, что у вас давно вечер. Ну а завтра — суббота, и я не хотел бы каким-то образом ломать ваши завтрашние планы. У вас найдется для меня несколько минут?

— Здравствуйте, — несколько замедленно отозвался Журавлев. — Разумеется, временем я располагаю и готов вас выслушать. Особенно в свете весьма неприятных последних событий.

— Что вы, простите, имеете в виду?

— Ну как же? Извините, у меня просто не хватает слов от возмущения! Это черт знает что такое! — Господин Журавлев явно накалялся, точнее, сам себя заводил на праведный гнев — на что же еще иное?

— Если позволите, — вклинился в паузу Гордеев. — Мне не совсем понятно ваше раздражение. Будьте любезны, объясните, в чем дело? Может, я просто не в курсе? Или меня Галина Федоровна невольно ввела в заблуждение?

Гордеев подмигнул ей, словно заговорщик. Он держал трубку не вплотную к уху, а чтобы прислонившаяся к нему женщина могла тоже слышать ответы из Белоярска.

— Как не в курсе? — словно запнулся Журавлев. — А документы?

— Какие? Вы имеете в виду те, что мы сегодня уже положили на столы помощника президента и министра юстиции? Так за это можете не беспокоиться, там люди внимательные. Кроме того, полностью в курсе дела руководство Генеральной прокуратуры. Я после той значительной помощи, которую вы лично и господин губернатор оказали мне как адвокату, хотел бы выразить свою глубокую признательность.

— Что-то я не понимаю... — Там, в Белоярске, похоже, воцарилась полнейшая растерянность. — Разве эти документы...

— Ах вон в чем дело! — обрадованно рассмеялся Гордеев. — Вам, вероятно, доложили, что пропал багаж Галины Федоровны? Да?

— Естественно!

— Ну, доложу вам, Игорь Платонович, Галина Федоровна об этой пропаже не сильно и переживает. Жалко, конечно. Но все это конечно же пустяки по сравнению с мировой революцией! Помните, как мы совсем, кажется, недавно выражались на этот счет? Так что, в сущности, ничего страшного не произошло. А документы ваши сильные, я уверен, они обязательно сыграют свою положительную роль. Я снял копии и постараюсь уже завтра дать прочитать ваши письма в поддержку самому Алексею Евдокимовичу. Уверен, что ему будет очень приятна такая дружная и искренняя помощь и трудового коллектива, и руководства предприятия, и Андрея Ильича. Несомненно! Если появится возможность, передайте, пожалуйста, господину Гусаковскому благодарность и от моего имени. Я, понимаю, всего лишь какой-то адвокат, но тем не менее. Вероятно, ему тоже небезразлично мнение простых работников юриспруденции. Вот, собственно, и все, что я хотел вам сообщить. Что же касается Галины Федоровны, то она обещала перезвонить мне завтра, и, если у вас появятся к ней поручения, я с удовольствием ей это передам.

— А где она? — быстро спросил Журавлев.

— Вероятно, у родственников. Так, во всяком случае, сказала мне.

— А Елисеева вы сегодня видели?

— Разумеется, в порту. А потом мы уехали по неотложным делам, а он остался искать чемодан. Но так и не нашел. О чем и сообщил. — Гордеев вызывающе рассмеялся.

— Простите, разве что-то было... не то? Вы так смеетесь? Есть причина? — насторожился, ох как насторожился вмиг господин Журавлев!

— Да... это я так, своим мыслям. Ах, Женька, Женька, непутевая головушка... Ну да ладно, это все неважно. И к нашему общему с вами делу прямого отношения не имеет.

— А косвенное? — уже не отставал Журавлев.

— Ну, разве что... косвенное, — неохотно согласился Гордеев.

— Но я должен знать! — настаивал Журавлев.

— О чем, Игорь Платонович, уважаемый? О чем знать? Женька в достаточно отдаленном теперь уже нашем прошлом был моим приятелем. С той поры много воды утекло, и когда мы встретились, вот недавно, в связи с делом Минаева, я увидел, что меняется все, кроме Женьки. Как был балбесом, так им и остался. Но я очень прошу, вы ему мое мнение о нем не выдавайте. Достаточно того, что я ему уже и сам сегодня об этом сказал. И он обиделся.

— А что с делом Минаева? Вы начали и...

— Хотите мое личное мнение? Чистая туфта. Причем безграмотная, дураковатая, как все, за что берутся тупые дилетанты. Надеюсь в самые ближайшие дни доказать это и по возможности прекратить глупый фарс. Те, с кем я уже успел побеседовать, кстати, полностью разделяют мою точку зрения. Ну хорошо, у вас поздно, а у нас тут только начинается вечерняя программа. Не буду морочить вам голову на сон грядущий. Мой телефон у вас имеется, это Елисеев мне сказал, так что если будут вопросы — милости прошу, я к вашим услугам. Спокойной ночи.

Гордеев отключил мобильник и отшвырнул его на диван.

— Вот же сволочь! Я ж по его голосу слышу, что он понимает, куда попал! Понимает, что в полной жопе, а хорохорится. Или еще не осознает?.. Ой, простите, Галочка, я, кажется, маленько сорвался. Но поверьте, мне было нелегко мягко беседовать с ним.

— Я все слышала, и ты, пожалуйста, не извиняйся, все сказано правильно. А я даже восхитилась твоей выдержкой! Ах, молодец! Так бы и поцеловала!

То ли это случайно вырвалось у нее, то ли она в самом деле «дозрела» до такого проявления чувств, но Гордеев, растерявшись только на краткий миг, так же мгновенно пришел в себя и совершил то, что было высказано как предположение.

И не пожалел. Потому что неожиданный поцелуй оказался пьяняще сладким и, главное, долгим. Это ведь мимолетные поцелуи ни к чему не обязывают, а вот такие, почти взасос, с приступом острого душевного томления, — такие запоминаются. И более того, требуют обязательного продолжения...

— Может, никуда не поедем? — вдруг, в какой-то миг, предположил Гордеев. — Ну что нам?..

— Как скажешь... — прошептала Галочка.

— Нет, все-таки надо, — решительно сам себе возразил Гордеев. — Ребята могут обидеться. А это нехорошо. Как считаешь?

— Я считаю лишь одно: пока нам лучше при них говорить друг другу «вы», а то я себя буду чувствовать чрезвычайно неудобно.

— Думаешь, поймут?

— Так ведь на физиономии у тебя, дорогой, все написано! И это не только моя губная помада... Но мы не будем там долго?

— Давай так: ровно столько, сколько выдержим, а?

— Я могу терпеть долго, зато потом... Все-все-все! Иди умывайся и приводи себя в порядок. Потом — я... Хорошо-то как, Госпо-ди-и!..

Был момент, когда ей показалось, что она, наверное, зря так поторопилась. Ведь хотелось думать о будущем, а не только о краткой и ярчайшей вспышке страсти. Может быть, одно и не исключает другого, но в мужской психологии есть такой пунктик, что если женщина отдается ему не сразу, то о ней можно думать в перспективе. А если сразу? Если у нее весь день зрело это жгучее желание, если этот чертов Юрий Петрович словно гипнотизировал ее своим темпераментом, если она все видела и терпела изо всех сил, тогда как? Вот и не устояла... Но жалеть ли теперь об этом? Эх, мать, сказала она себе, не бери в голову. Зато как легко!

И еще. Она поняла вдруг, что ей совершенно не интересно, что будет да хоть и с тем же Елисеевым, который оказался такой сволочью. Ну не сам же, не по своей воле сунул Минаеву пакетики с наркотиками, поди, приказали! А кто? Ну кто ему, живущему в Москве, может приказать подставить того, кто тебя в прямом смысле кормит?

Она была теперь почти уверена, что знает главных недругов Минаева, и переворот, совершившийся не без помощи Гордеева в ее сознании, вверг ее в полную растерянность. Это же значит, что никому на свете нельзя верить! Тогда как же с ними жить? Но уж если так случилось, то пусть все гады получат по заслугам!..

Вернулся Юрий, и она отправилась в ванную. Разделась, стала под душ и принялась рассматривать себя в большом зеркале, укрепленном на двери. А что, очень даже неплохо! Уже за тридцать, но фигурка как у восемнадцатилетней, и все ладно, все на своем месте, даже самой нравится... Зажмурилась, вспомнив гордеевские объятья — там, на диване, и даже вздрогнула, заново ощутив их силу и собственную стремительную покорность, будто всю жизнь трепетно ожидала она этой его яростной мощи, а лишь соприкоснувшись, мгновенно расслабилась, растворяясь куском сахара в кипятке...

И оттого сладкие мысли уж рисовали продолжение, ведь завтра — суббота, а потом еще воскресенье! Это же только подумать, сколько времени отпустил ей Бог для такого неожиданного счастья! И не надо далеко загадывать, что будет, пусть будет, как есть.

Накинув тяжеленный махровый гордеевский халат, Галя вышла в комнату за своей сумочкой, где находилась косметика. Хозяин на кухне возился с чем-то. Услышав ее шлепающие шаги, выглянул, сказал:

— Поторопись, дорогая, давай перед отъездом по чашке чая...

Договорить ему не дал телефонный звонок.

— Кого это черт? — проворчал Юрий Петрович и прошел в комнату, где на диване, в самом углу, дребезжал его мобильник. — Гордеев слушает, — сказал он противным гнусавым голосом. И тут же насторожился, сделался серьезным и даже мрачным. Долго слушал абонента, не глядя на Галю, которая уставилась на него, потом, отстранив слегка трубку, сказал, словно перебил говорящего: — Ты вот что, друг сердешный, давай-ка, во-первых, выбирай выражения, а то я попросту пошлю тебя к определенной матери, понял? А во-вторых, мне с высокой горы наплевать на твои взаимоотношения с белоярцами. И еще могу дать дельный совет, уже от себя. Если собираешься крутить поганку... Знаешь такое блатное выражение?.. Ну как же не знаешь? А еще — журналюга! Так вот, раз подписался — не подставляйся сам. Лопушок при себе имей постоянно, чтоб задницу в нужное время прикрыть, понял?

Галя слушала, широко раскрыв глаза. Гордеев увидел ее то ли испуганный, то ли ошарашенный взгляд и, улыбнувшись, подмигнул.

— А ты не бойся! Попал в дерьмо, так хоть не чирикай! Нет, она этого никак не может слышать по той простой причине, что ее, к сожалению, рядом нет. Но я бы и при ней не постеснялся это тебе сказать. Вот так, Женечка хренов! Погоди, не мельтеши, ты ведь еще не все знаешь... Держи карман шире, так я и раскрыл перед вами тайны следствия! Ладно, Женечка, вот выйдет ваш начальник, он с вашей шайкой сам разберется, и всем воздастся, не беспокойся. Так что втык от Платоныча можешь рассматривать как предварительную клизму. Главная у тебя впереди. Пока... Мне некогда — говорю тебе! Я уезжаю!.. — Гордеев опустил трубку, подержал в руке, снова поднял и, не слушая, прорычал: — Какое твое говенное дело, с кем я водку пью?! На хрен ты мне нужен?! Нет, не приезжай, я не открою, потому что, скорее всего, там, у ребят, и останусь... Не знаю, когда завтра! И послезавтра ты мне ни на хрен не нужен! Все. Замри! — и отключил мобильник. Совсем, просто выключил. — Вот же мерзавец какой! — сказал Гале. — Слушай, подруга, а ты чего рот открыла? Почему до сих пор не готова? А ну бегом! — И, идя следом за ней, продолжил: — Елисеев, видать, серьезный втык получил от Журавлева, вот и заколготился. Ну, нам-то с тобой это понятно, а ему-то — нет! Что, за что? Какие документы? Действительно, голова кругом пойдет. Он даже не догадывается, какой фитиль горит у него под задницей...

— Юр, а тебе его не жалко? — вдруг спросила Галя.

— Жалко, — не задумываясь ответил Гордеев, — как всякую гниду, которая уже не станет вошью... Да нет, конечно... Ты понимаешь, я воспитан в другом времени. И нас не учили особо вникать в психологию предательства. Это сейчас старательно выясняют различные аспекты и нюансы — мол, если предал, сволочь, то по какой причине, да есть ли оправдательные моменты, да еще, может, и не большая сволочь, а поменьше и так далее, понимаешь?.. У каждого времени, в конце концов, свои принципы.

— Не у времени, а у людей, которые уверяют, что именно они это время и олицетворяют. Вот как! — поправила Галочка.

Гордеев даже слегка опешил.

— Э-э, мадам, да ведь с вами, оказывается, есть о чем поговорить... лежа-то в мягкой постели?

— Как ты говоришь, а то!

— Это не я, — ревниво заметил Гордеев, — это Турецкий. А вот его цитировать в моем присутствии тебе совсем необязательно. У него и без тебя достаточно апологетов... женского пола.

— Ах ты, собственник! — почти взвизгнула она и кинулась к нему на шею. — Уж и глядеть по сторонам запрещает! — Халат распахнулся и соскользнул на пол.

Гордеев подержал ее в руках, чуть отстранил, оглядел весьма выразительным и заинтересованным взглядом и вздохнул — тяжко и протяжно:

— Нет... Этак мы никогда в гости не попадем. — Отпустил и добавил: — Но ты поторопись, пожалуйста, давай уж без чая обойдемся, черт с ним. Я оставлю ключи. Как оденешься, захлопни дверь и замок — на два поворота. Спускайся, а я пока машину погрею. Да и погляжу, чтобы этот псих не вздумал вдруг слежку за нами устраивать, с него станется. Как говорит все тот же Сан Борисыч, озверевший фраер страшнее бешеной собаки.

А вот об этом — мелькнула мысль у Галочки — она совсем и не подумала. И зря. Здесь хоть и Москва, а глаз да ушей, поди, не меньше, чем в том же Белоярске, где каждый твой шаг словно просвечивается, а после, при нужде, выставляется на экране — для всеобщего обозрения.

Может, еще и этим обстоятельством объясняется ее сегодняшний взрыв, поразивший даже ее самое: вдруг ощутила свободу? Отвязалась, как та Жучка у строгой хозяйки? Впрочем, вот так думать как раз и не хотелось бы...

Что за праздник придумали себе Турецкий с Грязновым, Гордеев не знал, да и вряд ли бы угадал, если бы даже и хотел. Но любой праздник требовал как бы личного взноса. Юрий Петрович прикинул, не слишком ли расшиковался на аванс, выданный ему по доверенности Женькой Елисеевым, и решил, что вполне может сделать ход бутылкой хорошего коньяка. Выглядеть мелочным в глазах прекрасной дамы ему совсем не хотелось.

На Енисейской улице, в районе Грязнова-старшего, ему был ведом один приличный магазин, где точно не подсунули бы вместо коньяка какую-нибудь отраву. Кажется, именно здесь и сам Вячеслав Иванович имел обыкновение отовариваться. Или, по выражению Дениса, загружаться.

Когда вошли в магазин — Галочка тоже пожелала присутствовать при выборе напитка, — Гордеев заметил, что, несмотря на вечернее время, магазин вовсе не был пуст. И мало того, буквально все мужики, словно по команде, обернулись в их сторону. Видно, оно и в самом деле так, если даже для Москвы, привыкшей ко всему, в том числе и к обилию эффектных женщин, вошедшая в магазин Галя — в коротком тулупчике с белым мехом и такой же шапочке, кокетливо сдвинутой набок, длинноногая, стройная — показалась созданием неземным, удивительным и... возбуждающим. В странно возникшей на какое-то время тишине только цокали тонкие каблучки модных ее сапожек да слышалось чье-то неровное дыхание.

Замерший на миг Гордеев вдруг усмехнулся, чем вызвал удивление в глазах Галочки. «Потом!» — объяснил ей жестом. И лишь в машине, уже когда купили бутылку и сели, чтобы ехать дальше, Юрий открыто засмеялся.

— Ну анекдот вспомнил, старый, ему сто лет, с вон какой бородищей!

Галя потребовала, чтобы он немедленно рассказал. И как ни отнекивался Гордеев, как ни уверял, что анекдот не совсем приличный, не отставала. Ладно, отмахнулся он от такой навязчивости. И рассказал, естественно.

Ну, ехали двое солдатиков, смотрят: красавица заходит в вагон, ну вся такая, что у несчастных ребят в глазах пошли сплошные миражи! А она перед ними то так, то этак, одним боком повернется, другим, закуривает, кокетничает... Растаяли парни, вот один и шепчет другому: «Какое чудо!» А второй отвечает: «Ага, и ведь наверняка кому-то повезло, трахает он элементарно это твое чудо! Кто же он такой, этот счастливчик?» А красотка словно прочитала их мысли, поворачивается к ним и говорит...

— Все! — воскликнула Галя. — Больше ни слова! Я сама знаю!

— Да? — высокомерно спросил Гордеев. — И что же она им ответила?

— Она сказала, — серьезно продолжила Галочка, — кто ее именно трахает! Такой же дурак, как ты, несчастный солдатик!

— Там, правда, был не дурак, а покрепче, но остальное правильно! — так же серьезно поправил Юрий и, рассмеявшись, поймал своими губами губы Галочки. А оторвавшись, закончил: — Но ты в самом деле выглядела чрезвычайно эффектно — ножки-сапожки, недаром мужики языки свои проглотили!

— Ага! А я ведь еще и твои глаза видела! Ничего, знай наших! Ну, трогай, поехали, а то мне уже не терпится вернуться домой!

Вот в таком возбужденном состоянии они и явились на Енисейскую. И уже возле лифта, на площадке перед дверью Грязнова, ощутили совершенно потрясающие запахи, доносящиеся, вернее, густо струящиеся из-за обитой черным дерматином бронированной двери.

Галочка тихо охнула и как-то беспомощно посмотрела на Юрия.

— Прошу тебя, — сказала дрогнувшим голосом, — последи за мной, не давай много есть, а то мне потом плохо будет, а я уже сейчас не могу удержаться!..

И Гордеев едва не хлопнул себя по лбу. Идиот! За весь день человеку ничего, кроме каких-то там маринованных мидий и креветок, нормального предложить не додумался! Привык сам все делать на бегу... Чайку ей, видишь ли, чашечку! Да и той не налил...

Застолье было организовано в лучших традициях дома Грязнова. Денис на кухне возился с шашлыком — это от шашлыка распространялся в подъезде сумасшедший запах. Сам хозяин квартиры, повесив на спинку большого кожаного кресла свой парадный мундир, с засученными рукавами и в фартуке с цветочками, готовил закуски. Правильнее сказать, потрошил уже готовые упаковки и пытался их красиво расположить на тарелках.

Знакомство произошло стремительно, и уже через мгновение Галина оттеснила генерала от стола и принялась все делать сама. Грязнов-старший уступил ей свое место с видимым облегчением. Но, поглядывая искоса, хмыкал при этом и значительно ухмылялся.

Турецкий же кайфовал, полулежа в том самом генеральском кресле и отшвырнув свой пиджак на диван. Жестом подозвал к себе Юрия Петровича.

— Хоть ты и перебежчик, старик... — Он все никак не хотел забыть, несмотря на то что уже прошло более чем достаточно времени с тех пор, как Гордеев покинул прокуратуру, подавшись к антиподам, то есть в адвокатуру. И при каждом удобном случае поминал об этом. — Однако ты — наш человек... как выражается Славка. Слушай, а ведь он тоже запал на твою хохлушку? — Последнее сказал таинственным полушепотом и сделал при этом страшные глаза. — Ой, лишенько, как говаривала наша Шурочка. Шо ж воно деется! Чую, Юрка, быть дуэли! Не, ты заметь, как он поглядывает, какого косяка давит, а?

Конечно, понимал Гордеев, что просто дурака валяет «важняк», но малый прилив ревности все же испытал. Видно, этого и добивался Турецкий. Насладившись смятением на лице Юрия Петровича, сменил тему, став серьезным.

— Был я по твоему делу. Сегодня на Краснопресненской состоялся большой хурал, поэтому удалось переговорить сразу с несколькими нужными людьми. Минюст сделает свое представление, а вот реакция куратора показалась мне далеко не однозначной. Помоему, Юра, там, в Белоярске, какой-то очень нехороший узел завязывается. Здесь что-то знают, но делают вид, будто они в стороне. Ну списывают на региональные сложности. Выборы ведь всегда вносят в общество нервозность. А нынешний их губернатор кому-то сильно нужен в Москве, понимаешь? Вот и игры вокруг него несколько двусмысленные. Как это у китайцев-то? Пока тигры дерутся, мудрая обезьяна сидит себе на дереве и наблюдает. А уже после драки развешивает свежие шкуры на ветках. Вот, говорит, чего можно добиться простым терпением. Да, кстати, ты Славку-то расспроси насчет этого Толубеева. Он его хорошо знает. Мы тут уж перекинулись, пока тебя не было. Так Славка его Азефом назвал. Помнишь, был такой классический пример провокатора? Вот-вот. Замечен, как говорится, и неоднократно. А баба-то хорошая? — поинтересовался безо всякого перехода. — Поди, успел уже?

Гордеев резко нахмурился.

— Молчу, молчу, — миролюбиво вытянул обе руки перед собой Турецкий. — Я просто к тому, что, будь на твоем месте, ни в жисть бы не удержался. Ну, валяй, твое дело молодое, — вздохнул со значением и поднялся, но, вместо того чтобы уйти на кухню, наклонился над Юрием и сказал негромко: — Я обсудил с Костей и «пальчики». Потом позвонил Эду Черногорову. В общем, он вызовет к себе в качестве свидетеля твоего журналиста и вынет из него душу. Как это он умеет. Нельзя ж оставлять без последствий, верно? Ну а возбуждать новое дело, я думаю, — значит затянуть проблему до бесконечности. Не надо возбуждать. Он согласился. Имей в виду. Пусть будет кое-кому сюрпризом. — Выпрямился и закричал: — Эй, молодежь! Вы долго собираетесь нас мучить? Я с утра не жрамши! Сколько можно?

И отправился на кухню — торопить.

А Гордеев задумался о сказанном. Вроде бы ничего особенного и не сообщил сейчас Александр Борисович, но ведь он и не любит разжевывать и вкладывать в рот слушающему уже готовую кашицу. Сам умный, соображать должен. Намек дать — другое дело. Указать более верную дорожку, если остановился перед выбором, — тоже. Но думать ты должен сам. Он и так уже за сегодняшний день сделал немало. И главное здесь вот что: сам факт озвучен в высоких сферах, теперь никто не сможет сказать, что не знал, не слышал. Ясно стало, что развернувшаяся борьба в Белоярске не есть только результат их собственных, внутренних, местных разборок, а что она направляется отсюда, из Москвы. Особая заинтересованность вице-премьера, которого Турецкий назвал куратором данной отрасли, тоже указывает на то, что выборы губернатора в Сибирском крае кое-кому менее важны, нежели игры вокруг «Сибцветмета». И в центре этой борьбы — Алексей Евдокимович Минаев. Точнее, его производство. И если его потребовалось срочно, любым способом, убрать с дороги, чтоб не путался под ногами, — а такой вариант напрашивался сам, — то, значит, времени у заинтересованных лиц оставалось совсем немного, а именно время и является в данной ситуации решающим фактором. Мол, хоть и на время с глаз долой, да мы успеем, а если человека потом и оправдают, тоже беды не будет. Время — вот что самое главное.

И что же имеется в сухом, как говорится, остатке? А то, что, если Минаев выйдет на волю в ближайшие дни, у кого-то что-то здорово сорвется! Вот в чем соль...

И речь здесь вовсе не о губернаторских выборах, нет! До них еще скакать и скакать. А как иногда говорит наш добрый друг и отчасти учитель Сан Борисыч? А говорит он так: во всех нынешних убийствах, во всех криминальных разборках, во всем, связанном с кровью и грязью, одна основа — экономическая. Простая жажда власти — это уже из области преданий, этакая макбетовщина. А нынче во главе любого угла — деньги, экономика, а уже от них — и власть...

А еще очень пришелся по душе Гордееву совет Турецкого относительно допроса Елисеева. Тут тоже имелась своя тонкость. Если бы с таким предложением к Черногорову обратился Юрий Петрович, это выглядело бы не очень этично. Хотя и абсолютно справедливо по отношению к предателю Женьке. Но, видно, Сан Борисычу не надо было объяснять некоторых истин, он сам все понял. А два следователя, особенно если они в самом деле уважают друг друга, всегда могут договориться, не осложняя жизни адвокату. Так что получалось, что инициатива исходила вовсе и не от Гордеева, уж тут он может не прятать глаза. А вот для Евгения это будет чувствительная оплеуха. Ну и пусть теперь сочиняет наиболее приемлемые для себя версии, он юрист, придумает...

Меркулов, весь цветущий с морозца, появился, когда народ в застолье уже успел и принять и закусить. Денис — на правах младшего — отправился встречать в прихожую и оттуда поманил Гордеева.

Костя кивнул приветливо и, раздеваясь с помощью Дениса, сообщил самое главное, как он заметил, чтобы потом уже не возвращаться к вопросу.

— Нехорошо, конечно, что человек лишние два-три дня проведет в неволе, но ты можешь завтра съездить к своему клиенту, отвезти передачку и сказать, что дело практически в шляпе.

Гордеев просиял: вот что бывает, когда у тебя столь высокие покровители! Да и вообще, если тебя окружают хорошие люди...

— Если твой Минаев не станет настаивать на сатисфакции, а я полагаю, она ему совершенно ни к чему в данный момент, дело будет прекращено без всяческих последствий. А если его все же обуревает жажда немедленного мщения, что ж...

— Думаю, совсем не обуревает, — отрицательно затряс головой Юрий Петрович. — Я ведь уже беседовал с ним. У него совсем о другом мысли.

— Ну и хорошо. Тогда ты в понедельник со всеми своими выкладками — то, что у понятых добыл, актами экспертиз и прочим — изволь прямо с утра прибыть в Московскую горпрокуратуру, к Прохорову. Он тебя примет, посмотрит — я попросил, и даст согласие следователю прекратить уголовное дело в отношении Минаева за отсутствием события преступления. Ну а остальные проблемы пусть уж решаются в ведомственном порядке. Устраивает вас такой вариант?

— Константин Дмитриевич! — Гордеев прижал обе ладони к груди. — Просто не знаю, как и благодарить!

— А вот это — пустое. Саня уже успел сообщить тебе свое мнение?

— Конечно, первым делом.

— Вот и делай выводы, Юрочка... Да, пожалуй, и клиента своего предупреди, что пока нам удалось отбить разве что предварительный удар. Ну, пойдем. Что-то к ночи аппетит разыгрался, не знаю, к добру ли?..

Костю встретили с восторгом. Раздвинулись и освободили самое почетное место — возле Галочки, это чтобы она ухаживала за Меркуловым. А с другой стороны Гордеева, на правах хозяина дома, бесцеремонно оттеснил от гостьи Грязнов-старший, с вызовом при этом поглядывая на Юрия Петровича. В шутку, конечно. А Галочка, видно было, уже давно почувствовала себя как рыбка в воде. Все ей нравилось, от всего она была в восторге, все за ней почтительно ухаживали, причем наперегонки и без передышки.

— Ну чего? — наклонился к нему Турецкий.

Гордеев показал большой палец. Галя, похоже, поняла, о чем речь, и просияла. А Юрий Петрович лишь одобрительно кивнул ей.

— Так, ребятки, дорогие мои, — поднял рюмку с коньяком Меркулов и жестом требуя тишины, — за что пьем сегодня?

Вопрос был кстати, потому что Гордеев и сам давно уже хотел спросить, но как-то забыл.

— Ну, нехристи! — прямо-таки в отчаянии откинулся на спинку стула Вячеслав. — Да вы что, и впрямь некрещеные, что ли? Завтра же Благовещение!

— Вячеслав! — чуть не поперхнулся Меркулов. — Ты в себе? У тебя как с этим делом? — Костя покрутил пальцем у виска. — Благовещение — всегда в апреле!

— Ну оговорился! — вовсе не смутился Грязнов под общий хохот. — Я хотел сказать: Богоявление.

— А ты-то к нему какое отношение имеешь? — настаивал Костя.

— То есть как? — опешил Вячеслав. — Так ведь же праздник! Крещение Господне! А на Крещение я всегда! Вот и морозы опять же!..

Словом, объяснил. И все поняли, что событие, собравшее друзей в застолье, действительно важное и в дальнейшем публичном обсуждении вовсе не нуждается...

Все покатилось по привычным рельсам, причем разговоры шли в основном деловые, хотя всякий раз кто-нибудь напоминал, что здесь не служебный кабинет, а вовсе наоборот, но просто иных тем не было. Когда люди всерьез заняты своим делом, на посторонние пустяки, в общем-то, и времени не остается.

Несколько раз затрагивали и гордеевское дело, но в оптимистичных тонах. Грязнов дал краткую, однако достаточно емкую характеристику Ивану Толубееву, упорно называя его Ванькой, будто он большего был недостоин. И время незаметно закатилось глубоко за полночь.

Первым это заметил Меркулов и пожелал проститься. Денис, как бывало обычно в подобных случаях, взялся лично довезти дядю Костю до его семьи.

Что касается прелестной гостьи, то Грязнов вдруг зациклился на мысли о том, что Юра с Галочкой должны остаться ночевать у него, благо квартира трехкомнатная и мест хватит на всех. Даже Турецкому, если пожелает тоже не рисковать по ночной Москве, да еще в подпитии. Гордеев наблюдал за купающейся в нежных взглядах, порозовевшей Галочкой, и ревность все больше и больше томила его. Он, хоть и выпил достаточно, полагал, что надо ехать домой. Тем более что перед мощными аргументами Вячеслава Ивановича редко кто вообще смог бы устоять. И Галя, судя по ее настроению, кажется, готова была согласиться и даже уговорить его самого.

Но тут Гордеев решительно уперся, даже потребовал от Грязнова таблеток «антиполицая», но это — на всякий случай, потому что за рулем он себя чувствовал всегда прекрасно. Да, впрочем, если по правде, то не так уж и много выпил, помнил же, что ночевать хотел дома. Короче, провожая гостей — Турецкий решил-таки остаться, — Вячеслав с игривой насмешливостью не преминул шепнуть Гордееву на ухо:

— Твое счастье, что дамочка не согласилась, а то видал бы ты ее, как собственные уши! — и захохотал, чем вмиг снял едва не возникшее напряжение.

Нет, по-трезвому никаких таких мыслей даже и не возникло бы, другое дело, когда ты под банкой и каждый намек кажется очень подозрительным. Эта мысль и успокоила Гордеева.

— Какие замечательные мужики! — Эта фраза была первой и, пожалуй, последней, которую в ту ночь успела еще произнести прекрасная Галочка. Потому что все остальные звуки обернулись исключительно воплями восторга, перемежающимися счастливо и мучительно обрывающимися стонами...

Глава девятая

ГЕНЕРАЛЬНЫЙ ДИРЕКТОР

— На каком основании его выпустили?! — орал в телефонную трубку свирепым генеральским басом Андрей Ильич Гусаковский. — У вас там что, народ — полностью охренел?!

— Не шуми и не колготись без пользы, Андрюша, — обиженно возражал ему Иван Толубеев. — И, между прочим, ты первым свой шаг выполнил! Так какие претензии, если к твоему высокому мнению охотно прислушались? Как аукнется, дорогой мой губернатор, так и откликнется. Ты бы вот лучше побыстрее правильные выводы сделал, а не горлопанил! Не на плацу, Андрюша!

— Писал я или не писал, какая разница? Вы-то где были? Куда наш куратор глядел?

— Ишь ты! Сразу виноватых горазд искать! А с самого, значит, и взятки гладки? Нет, брат, шалишь, так дело не пойдет. А что касаемо основания, так я тебе напомню, ты же, поди, в УПК и не заглядываешь? Так вот, на основании статьи пятой Уголовно-процессуального кодекса нашей с тобой Федерации, пункт первый. Там говорится об обстоятельствах, исключающих производство по уголовному делу. За отсутствием события преступления, Андрюша. К сожалению, наши лопухи в торопливости жизни — иначе и объяснить их дурость нечем — совершили ряд промахов. И когда все сложилось в единую картину, вылезли уши. Туфтель наша, блин, непрофессиональная! Хорошо еще, я слышал, что твой этот вроде не собирается встречный иск вчинять! Вот тут бы наши мудаки побегали!.. Но от кое-кого все равно придется тихо избавляться. Я подобных проколов по службе не прощаю, ты меня достаточно знаешь.

— Все твои утешения, Ваня, — это мыльные пузыри: дунул — и нету... Я тут тоже, конечно, разберусь со своими... Да, похоже, ты прав: там недоработали, тут зевнули, а кто-то ловко воспользовался. Все — неправильно! Ладно, кончаем, а тебя как друга прошу: думай, Ваня, думай! Мы не можем, не имеем права допустить... понимаешь меня?

— А я про что? Придется, видно, опять навестить твои палестины, мать иху...

Швырнув, будто в изнеможении, телефонную трубку, губернатор нажал клавишу интеркома и рявкнул:

— Горбатову сюда!

Вошла Лидия с папочкой под мышкой. По ее лицу не видно было, чтобы ее мучили какие-то сомнения или что-то ей не нравилось и так далее. Спокойный взгляд, вальяжная походочка, которая так возбуждала мужиков, независимая поза. Гусаковский еще не отошел от телефонного разговора и чуть было по привычке не продолжил срывать свою злость на сотрудниках. Но, поглядев на Лидию, неожиданно будто обмяк в кресле. Буркнул, отводя глаза в сторону:

— Садись давай... — Помолчал и добавил: — Ну рассказывай, чего напортачили?

Лидия неопределенно пожала плечами.

— Что, не в курсе?

— Ну почему же? Минаева выпустили. Кажется, было на этот счет личное распоряжение московского прокурора. Или что-то в этом духе...

— Вот именно! — сорвался опять губернатор. — В духе! Вашу мать! Ничего путного поручить нельзя, портачи поганые!..

Лицо Лидии вспыхнуло, и она резко встала.

— Ты чего? — вскинулся Гусаковский. — Да сиди! Не понимаешь, что ли?

— Я вижу, Андрей Ильич, — сдерживая себя, начала Лидия, — что вам сейчас представляется, будто я дала неправильный совет, а вы, двое мыслителей — я имею в виду вас с Толубеевым, — как детишки послушались и сделали, а когда все якобы не по-вашему получилось, вдруг опомнились! Что, не так? Тогда чего ж вы орали друг на друга, да так, что в приемной было слышно? «Неправильно!»

— Это плохо, — сразу стих губернатор. — А ты могла бы и сказать, между прочим. Зайти и сказать. Не чужая тут. Только чего правильного-то? Или я уж совсем стал старым дураком?

— Вы хотели, чтобы Минаева выпустили?

— Ну... это вопрос не простой.

— А если бы его выпустили не благодаря, а вопреки вашему желанию, тогда как? Вам сказал Иван Иванович, какие силы совершенно неожиданно подключились к этой, вообще-то случайной и мелкой, проблеме?

— Ну знаю, Генеральная прокуратура, и что?

— А то, Андрей Ильич, — спокойно стала объяснять Лидия, — что ваши москвичи слишком легкомысленно отнеслись к своему делу и едва не подставили вас. И крепко! Радоваться надо, что пронесло и вы по-прежнему на коне.

— А я что-то не помню, чтобы собирался слезать с него, с этого твоего коня! С чего это ты так решила?

— Я хочу напомнить, что решаете здесь вы. А я всего лишь стараюсь быть скрупулезным исполнителем. Здесь, подчеркиваю, а не в столице, где свои дуболомы. Извините.

— Чего извиняться-то, права... Я и сам об этом думаю. Но тем более нам что-то ж надо срочно предпринимать, разве не так?

— И опять вы абсолютно правы, Андрей Ильич.

Отлично знала Лидия, как смирить гнев шефа. Просто ему надо постоянно напоминать, что он всегда и во всем прав. Неистребимая генеральская логика: я — начальник, ты — дурак. Вот и все.

— Однако, — продолжила она, — как заметил один великий писатель, из каждого свинства всегда можно вырезать кусочек ветчины. Поэтому почему бы и нам не прикинуть, какую пользу мы можем извлечь из ситуации, которая нам не очень, скажем прямо, по вкусу.

— Если есть конкретные предложения — давай! — как отрезал Гусаковский. — Нет? Значит, быстрее думай! И постарайся найти возможность пересечься с этим сопляком Журавлевым. Он должен постоянно помнить, что наш с ним договор остается в силе. Что бы ни произошло! Понимаешь?

Лидия кивнула, улыбнулась и, зачем-то оглянувшись, негромко сказала:

— Но ведь ты же не можешь отрицать, Андрей, что пользу от истории с Минаевым мы все равно свою извлекли?

— Ты о чем?

— Так ведь смирновское дело-то совсем ушло на задний план. Никто о нем и не вспоминает. Наша прокуратура возится. И будет еще возиться до скончания века, а где нежелательный шум?

— О господи, — вздохнул Гусаковский, откидываясь на спинку кресла, — если бы все решалось так просто!..

— Вот ты и высказал свое заветное желание, — усмехнулась Лидия, вставая.

— Перестань! — нахмурился Гусаковский, но голоса, однако, не повысил. — Не ровен час, услышит кто, ведь ни хрена не поймет, а вони будет!..

— Интересное дело! — хмыкнула она. — Оказывается, для нас важнее, чтоб не смердело?

— Во-во, стихами заговорила... Ты там подумай, как нам удобнее будет с Минаевым встретиться. Надо же...

— ...отметиться. Правильно. Он завтра прилетает. Ехать в аэропорт — велика честь. А вот пригласить и высказать... это вполне. Ну а Журавлев, полагаю, перебьется. Пусть свое место знает.

— Ну ты — политик! — ухмыльнулся Гусаковский. — Принято, действуй.

Гордеев с Галиной приехали на Новослободскую к стеклянному вестибюлю Бутырской тюрьмы. Оставив спутницу в машине, Юрий Петрович поднялся к дежурному, предъявил свое удостоверение и поинтересовался, когда будет выпущен Минаев. Тот позвонил в канцелярию и предложил подождать: выйдет с минуты на минуту.

Юрий Петрович вернулся во двор жилого дома, примыкавший к тюремной проходной, чтобы предупредить Галину, и увидел запыхавшегося Евгения, бегущего от своей машины.

Жестом остановил Елисеева:

— Не торопись, не опоздал, — и пошел к своему «форду».

Женька двинулся за ним. Ни здравствуй, ни до

свидания, будто и не расставались вовсе. Увидел Галину, сделал шутовское движение, мол, здрасте вам, госпожа! И повернулся к Гордееву:

— Ссориться с тобой у меня нет ни малейшего желания, но сказать, что я о тебе думаю, надеюсь, имею право? — Это прозвучало с откровенным вызовом.

Юрий Петрович, помогая Галине выйти из машины, скривился недовольно, словно от надоевшей мухи, и спросил в свою очередь:

— Знаешь, что было одним из аргументов, указывающих на невиновность Минаева в этой грязной истории с наркотиками? Хочешь знать? Или тебе все равно?

— Ну почему же? — надменно избоченился Женька.

Он еще что-то пытается изображать, с раздражением подумал Юрий. Интересно другое — удалось ли его расколоть Черногорову. Судя по поведению Елисеева, вряд ли. Но хотя бы припугнул, и то польза. Только, похоже, с Женьки как с гуся вода:

— Вообще-то мне думалось, что было бы лучше, если бы тебе о том рассказал твой работодатель. Он наверняка уже знает.

Глаза у Елисеева как-то беспокойно заметались, но он промолчал. Значит, не хочет говорить, что был у следователя. Ладно.

— Так вот, Евгений Алексеич, голубь ты наш, на тех дозах, что извлекли из заднего кармана брюк Минаева, были «случайно» обнаружены отпечатки твоих пальцев.

— Всего один! — возразил Женька и прикусил язык — сорвалось!

— Да хоть и один. Но о чем это говорит? О том, что пакетики оказались у Минаева не без твоей помощи. И это у человека, который тебя кормил и поил, лечил от пагубной страсти, был, по твоим же словам, лучшим другом! Каково?

— Ну и что — отпечаток? Я мог, не зная, нечаянно задеть и не обратить внимания! Это — не доказательство! Можете ехать ко мне домой и производить обыск, если хотите! Ничего не докажете!

Ну вот — он весь в этом.

— А я вообще думаю, что это вы нарочно меня подставили! Ну каким образом, объясни, следователь мог подумать, что этот отпечаток принадлежит именно мне?

— Элементарно. Я ему сам сказал. И передал акт экспертизы, в котором криминалисты уверенно указали, что отпечатки на чеках с наркотиками идентичны тем, что оказались на бутылке и рюмке, представленных мною... Помните, Галина Федоровна, вы спрашивали меня, что это за предмет такой пухлый в моем портфеле? Так это и была коробка с теми предметами, что я передал экспертам. И никакой ошибки, Евгений Алексеич, тут быть не может. А ты сам уже ищи объяснения для следователя.

— Ну и сука ж ты! А говорил, что товарищ...

— Извини, это как раз ты утверждал, что Минаев — твой лучший друг. Впрочем, у тебя сейчас будет возможность повторить это все ему лично.

— Ну ты...

— Евгений, — спокойно остановил его Гордеев, — еще раз услышу, размажу вон по той стене. Жаль, конечно, не хочется думать о людях, которых вроде бы давно знаешь, как о мерзавцах, о предателях. Верно, Галина Федоровна? А ведь я вез вещдоки и Бога молил, чтоб не совпали отпечатки, верите? Вот так. Неосторожно ты действовал, Евгений Алексеич, неграмотно. И это тебе наука на будущее. И раз тебя следователь не задержал как соучастника преступления, чего еще колготишься? Гуляй!

Лицо Елисеева было словно обмороженным, неестественно бледным, даже белым. И еще появилось странное ощущение, что он немного под хмельком, не пьяный, нет, но, как говорится, слегка выпивши. Однако и алкоголем от него не пахло. Неужто вернулся к прошлому?

Он хотел что-то возразить, нахмурился, делал непонятные движения руками, будто таким образом подбирал нужные слова в свое оправдание.

— Да ты не старайся, — отмахнулся Гордеев. — Минаев, я уже сказал, в курсе дела. Как и о чем вы будете разговаривать, меня абсолютно не колышет. Поэтому оставь речи до встречи с ним. А я вот все думал: когда же ты сунул-то наркоту ему? В машине — не смог бы. Очень там неудобно, да и ты был за рулем, а он сидел, оказывается, сзади, он сам мне сказал. Значит, дома? Пока твой шеф умывался и зубы чистил, ты ему, по дружбе, так сказать, да? А команду получил раньше? От кого? От Журавлева-старшего или от младшего? В принципе мне и на это наплевать, кто там у вас руководил процессом. Только вот, видишь ли, исполнители оказались полными мудаками и сорвали с твоей помощью так славно придуманную операцию. А за это тебе спасибо скажет теперь не Алексей Евдокимович, а кто-то другой. В жопе ты, Женечка, причем в очень глубокой... — Гордеев неожиданно вскинул обе руки и закричал: — Привет! Да здравствует свобода!..

На крыльце показался Минаев.

Дальше последовала несколько сумбурная встреча с Галочкой, которая не удержалась от слез. По-дружески полуобнялись с Гордеевым. Елисеев все никак не мог прийти в себя, и Минаев крикнул ему:

— Ну а ты чего?

— Переживает, — сказала Галина.

— Ну иди, хоть поздороваемся по-человечески!

Женька подошел, пряча глаза, пожал протянутую ему Алексеем Евдокимовичем руку и отступил на полшага.

— Ну, слава богу! — Минаев оглянулся на входные двери, покачал головой. — Можем ехать? Куда?

— Предлагаю, пока ко мне, — сказал Юрий Петрович, — позавтракаете, приведете себя в порядок и решите, что делать дальше. А Евгений привезет ваши вещи, так?

— А почему сразу нельзя ко мне заехать? — вроде осмелел Елисеев. — Там все в порядке, как всегда...

— У тебя? — Гордеев с насмешливым любопытством уставился на Женьку.

— Да я уж теперь как-то и не знаю... — заметил и Минаев. — Но поговорить нам все равно надо. Да и о билетах в Белоярск решить. Не женщину же посылать, верно? — Он с недовольством посмотрел на Елисеева.

— Как скажете, — ответил тот и повернулся, чтобы идти к своей машине. — Со мной никто не хочет?

— Да нет, пожалуй, мы с Юрием Петровичем. А ты двигай следом. И про вещи мои не забудь, пожалуйста. И учти еще, Евгений, я человек не злопамятный, могу представить себе всякую тяжелую ситуацию, в которой может оказаться любой человек. И постараюсь его понять. Но — только один раз. И потому у меня к тебе будет очень важное поручение. Так что давай туда и обратно, одна нога здесь, другая там, у Юрия Петровича. Ясно?

— Ясно, Алексей Евдокимович, — с заметным облегчением выдохнул Елисеев...

— И часто это у вас, позвольте полюбопытствовать? — спросил Гордеев, когда они уже ехали на Башиловку.

Минаев сидел рядом с ним, а Галина — сзади. Женька же умчался за сумкой Минаева.

— Что вы имеете в виду?

— А приступы альтруизма.

Минаев усмехнулся, помолчал и вдруг заговорил, обернувшись почему-то к Галочке:

— Вот сразу видно, Юрий Петрович, что вы никогда не руководили крупными коллективами, где сотни совершенно разных по характеру и призванию людей. Вы говорите: альтруизм. Не совсем так. Я ведь постоянно пытаюсь понять — кто чем дышит, кто от кого зависит, почему человек думает об одном, а иной раз вынужден делать совершенно противоположное. Это очень нелегкий и даже болезненный процесс — все переварить и вывести формулу собственной политики. И вовсе не для красного словца, но приходится в буквальном смысле наступать себе на горло, а как же!.. Конечно, он поступил как сукин кот. Но вот сидел я в камере и размышлял... Неожиданно появилось свободное время, можете себе представить? До сих пор не получалось... Словом, попытался я проиграть заново ситуацию на «Сибцветмете», еще раз внимательно посмотрел на людей. А когда вы, Юрий Петрович, раскрыли мне тайну провокации, я долго думал: что могло заставить Евгения поступить именно так? И знаете ли, нашел объяснение.

— Оправдывать мы всё умеем, этому учить не нужно, — заметил Гордеев.

— Боюсь, что это вам только кажется, Юрий Петрович, — возразил Минаев. — Мне было нелегко. Я попытался поставить себя на его место... И знаете что? Мне его стало по-настоящему жалко! Ведь он хороший парень. Умница. Острое и злое, когда надо, перо. Нет, с ним не так все просто, и я попытаюсь...

— Образумить? — не отрываясь от дороги, спросил Гордеев.

— Скорее, объяснить...

— Ну и флаг вам в руки, как говорится, — ответил Гордеев и действительно потерял интерес к дальнейшему разговору.

Минаев, видно, это почувствовал и тоже посмурнел, откинулся на подголовник сиденья, демонстрируя усталость. Его-то понять как раз было можно. Да вот только Гордееву люди подобного рода не сильно нравились. Он был более категоричен в оценках поступков, хотя, как адвокат, должен был являться терпимым изначально. Да ведь мало ли что должен?

Гордеева иное заботило в настоящий момент: не осталось ли в квартире следов длительного пребывания прекрасной гостьи из Сибири. Вроде не должно. С утра все внимательно просмотрели, проветрили от уже устоявшегося запаха Галочкиных духов. А впрочем, и визит гендиректора никто не собирается затягивать, и, вероятно, в первую очередь сам Минаев. За время его «посиделок» в Белоярске, поди, такого наработали, что впору все бросать и кидаться на выручку. Так что будет не до скрупулезных анализов. Сама же

Галина Федоровна, по легенде, жила все это время у своей давней подруги в Свиблове. Это, как пояснил ей Гордеев, не доезжая дома Вячеслава Ивановича Грязнова и налево, к излучинам Яузы.

Кстати, договорились также, что самому Минаеву она может вполне доверительно рассказать потом и о вечере у генерала. Обсуждали ведь минаевские проблемы! А где ж и обсуждать, как не в узком кругу! Но это опять-таки к слову. Если возникнет необходимость. А то ведь и в самом деле, скажем, с подачи прощенного Елисеева вдруг возникнет вопрос: а чем ты занималась, пребывая несколько дней в Москве. Нет, конечно, не возникнет, но — мало ли!

Странная вещь, вот ведь ни о чем таком даже и не думали, полностью отдавшись захватившей их страсти. И субботу, и воскресенье... А как заговорили на эту тему, вмиг оба почувствовали не то чтобы отчуждение, а непонятную неловкость. Не о чем-то запретном или неудобном речь, но будто отодвинулись они друг от друга, отдалились слегка. Может быть, поэтому и не было им нужды сейчас изображать перед Алексеем Евдокимовичем подчеркнутую любезность своих отношений — и ничуть не больше.

Правда, ему это было, кажется, совершенно до фонаря...

Елисеев обернулся сомнительно быстро. Примчался буквально следом, Минаев всего и успел-то раздеться и уйти в ванную, чтобы принять душ. На первый случай Юрий Петрович предложил ему свой совсем новый халат и такое же ни разу не надеванное белье — комплект был даже не распечатан. Может, немного великовато, но ничего страшного.

Однако Елисеев, видно, торопился. Может, побаивался, что разговоры пойдут без его участия. Гордеев даже подумал, что эту сумку Минаева с вещами Женька вообще возил в багажнике своих «Жигулей», только боялся в этом признаться: мало ли что мог подумать Алексей Евдокимович? Поэтому, видать, и возникла вся эта игра — «а может, ко мне?». Обо всем Елисеев догадывался заранее...

— Вот тут все чистое, — сказал Женька, входя и протягивая Гордееву минаевскую сумку.

— Раздевайся, проходи, — небрежно кинул ему Юрий Петрович.

Все-таки был он засранцем, этот журналюга, им и останется до смерти, ничто его не исправит! Так подумал Гордеев, заметив, как тот, снимая дубленку, хищно повел вмиг заострившимся носом. Ну да, запах духов почуял. Но Галка оказалась сегодня молодцом, густо надушилась и в квартиру, когда приехали, вошла первой, распространяя вокруг себя тягучие волны французского аромата. Парфюма, как нынче выражаются. Впрочем, Минаев на это дело как раз не обратил внимания. Или сделал вид, черт их разберет, этих интеллигентных экономистов!

Наконец главный гость вышел из душа, облаченный в собственное белье и спортивный костюм, доставленные Елисеевым. Галя успела накрыть на кухонном столе легкий завтрак для Минаева, остальным — кофе и чай — по желанию. И когда с едой было покончено, Минаев наконец в упор взглянул на своего «пресс-секретаря» и сказал:

— А теперь, Евгений, давай все по-порядку. От и до. Кто велел, когда и на чем ты прокололся. И не стесняйся, здесь сейчас все свои. А чего ты такой бледный?

Евгений конечно же не ожидал ничего подобного. Понимал, что допроса не избежать, даже, поди, ответы загодя подготовил, чтобы каким-то образом оправдать себя, придумать такую ситуацию, в которой он выглядел бы несчастной жертвой. И все равно первый же вопрос заставил его растеряться. А Минаев, заметив это, уточнил тоном, не допускающим двусмысленного толкования:

— Начни хотя бы с того, сколько тебе заплатили.

— Ничего! — словно испугался Елисеев. — Ей-богу, клянусь!

— Ну уж... — усомнился Минаев. — Так ведь не

бывает. Разве что ты поступил так из собственных убеждений? Но тогда это выглядит гораздо хуже. Ошибся человек, понимаешь ли, или там пожадничал, или, на худой конец, поймали его на чем-то запретном... Это понять можно. А в твоем случае?.. Не знаю, — протянул с сомнением. — Что вы думаете? — обратился он к Юрию Петровичу и Гале.

Гордеев неопределенно пожал плечами: ему меньше всего сейчас хотелось участвовать в судилище. А вот Галя, та, наоборот, словно ждала сигнала, команды «фас!». И за три буквально минуты вылила на голову Елисеева целый ушат помоев. Здесь было все: и наркотики, от которых Женьку, по сути, вылечил Минаев, и его жадность, о которой Гордеев даже и не подозревал, когда Елисеев клянчил деньги фактически за каждый свой сделанный шаг: встретить человека — плати за бензин, отвезти письмо или дозвониться до нужного лица — плати за потраченное время, за все — дай, дай. И все при том, что он имеет, по существу, вполне приличную зарплату от предприятия. Но просто такой вот мелочный человечишко, кусочник, которому чего и сколько ни дай, все равно окажется мало.

Юрий вспомнил объемистые бумажные пакеты, с которыми прибыл к нему в первый раз Евгений, подивился тогда его щедрости. Но, оказывается, никаким приятельством здесь и не пахло, все было заранее проплачено, и каждый бутерброд, не говоря уже о бутылках, вносился в отчет о произведенных тратах.

И еще вспомнилась Женькина же фраза, что его подруга Люська, с которой он так до сих пор и не удосужился Юрия Петровича познакомить, очень любила, когда приезжал директор: он ведь и за проживание свое в Женькиной квартире платил, как в дорогой гостинице, и за все остальное, вроде чистого белья на постели, завтраков и ужинов. Вот это — публика! Слов нет.

Женька сидел красный теперь, как вареный рак. Но вряд ли ему, как показалось Гордееву, было стыдно или неудобно перед старым товарищем. Перед своими же — наверняка нет. Да и не первый это, похоже, был такой разговор. Тогда чего он краснел, наливался?

Минаеву, видимо, надоела напористая речь Галины, ибо она не несла в себе никакой для него новой информации, и он жестом остановил этот поток красноречия.

— Хорошо, Галя, пусть все это и так, как ты говоришь, но ты не забывай и другого: в конце концов мы вынуждены платить за все в этой жизни. А что характер мелочный — ну так что ж? Найди, у кого он получше. Хуже, на мой взгляд, другое: жадность Евгения привела его в лагерь наших потенциальных врагов. И я хочу знать не только их имена, но и планы. Хотя бы в тех параметрах, которые известны Евгению. Вот — главное, а остальное — мелочи жизни. Ты уж давай, Женя, по существу, не будем размазывать кашу по столу. И кстати, насколько я понимаю, ты забыл или же просто не успел произвести окончательный расчет с Юрием Петровичем. А ведь он выиграл дело. Причем в кратчайшие сроки.

Елисеев резко поднялся и вышел в прихожую. Пошебуршил там чем-то и вернулся, держа в руке плотный конверт. Бросил на стол.

— Здесь остаток от обговоренной суммы.

Минаев взял конверт, раскрыл, быстро пересчитал купюры, сунул обратно и протянул Гордееву:

— С глубокой благодарностью, Юрий Петрович. Полагаю, мы на этом не остановимся, но на будущее — все под Богом ходим — я хотел бы надеяться и рассчитывать в трудных ситуациях на вашу помощь.

Юрий Петрович неопределенно пожал плечами и, словно не придавая особого значения деньгам, небрежно сунул пакет на полку над своей головой.

— Так что, Евгений, — продолжил Минаев, — не слышу честной исповеди! Или, может быть, мы больше не будем работать вместе?

— От Владимира Яковлевича началось, — с великим нежеланием признался Елисеев и, побледнев еще больше, хотя, казалось, больше некуда, сбивчиво заговорил: — Перед вашим приездом, когда я готовил встречу... Он ведь постоянно занят, и время выкроить довольно трудно... Вот он и сказал, что в Белоярске назревают серьезные перемены...

История была настолько банальной, что могла бы стать примером вечно повторяющегося человеческого идиотизма, настоянного на самой примитивной жадности. Это когда ради мифических перспектив человек готов пожертвовать своим твердым и уверенным, а также далеко не бедным настоящим.

Рассказывали старую байку о богатых и весьма своеобразных по характерам картежниках. Один из них, сидя за ломберным столом, вдруг зажег сторублевую ассигнацию — дело еще при царях было! — после чего долго ползал под этим самым столиком в поисках упавшего на пол и куда-то закатившегося пятирублевика, посвечивая себе, естественно, этаким вот факелом. Или своеобразная иллюстрация из гениального лесковского «Чертогона» — богатейший дядюшка, спустив за ночь беспробудного и безобразного пьянства миллионы, после искал, как сэкономить две копейки на самоваре с чаем, поскольку ежели на одного, так пятачок, а для компании — три копейки. Великий идиотизм, имеющий под собой унавоженную национальною почву...

Все, что рассказывал Евгений Елисеев, четко укладывалось в эту, ставшую классической, схему.

Он, по указанию Минаева, позвонил депутату Журавлеву, чтобы договориться о времени и месте встречи. О теме разговора его никто не уполномочивал рассказывать, а тем более предварительно дискутировать. Но ведь и Владимир Яковлевич — не мальчик какой-нибудь, а серьезный человек. Он тут же назначил Елисееву время и сказал, где ждет его для дальнейших уточнений. Место было выбрано вполне достойное: зимний сад ресторана «Прага». Довольно дорогое удовольствие — Евгений много слышал об этом саде, но ни разу до сей поры не был.

Депутат Журавлев, надо отдать ему должное, особо

и не расспрашивал о том, чего хочет от него Минаев. Вероятно, племянник информировал его достаточно полно. Зато он проявил большое знание елисеевской биографии, в том числе и некоторых неприятностей, которые случались с Евгением прежде. Но разговор за столом не был связан с выставлением каких-то условий. Совсем нет. Депутат посетовал, что Евгению приходится постоянно быть на побегушках, в то время как он вполне мог бы... ну и пошел живописать прекрасные перспективы, которые открылись бы перед журналистом, если бы он согласился, на первых порах, стать его — депутата — помощником. Будет персональный транспорт, будут некоторые приятные привилегии и так далее. Ведь Владимир Яковлевич уже давно, оказывается, присматривался к нему. С подачи племянника Игоря, конечно. Тот, во всяком случае, очень высоко ценил умственные способности Елисеева и его профессиональные возможности. Откровенная лесть, подкрепленная какими-то экзотическими напитками, до которых депутат оказался большим охотником, окончательно расслабила журналиста.

Но решающим был следующий аргумент. Судьба «Сибцветмета» уже практически решена. Но не в Белоярске, а здесь, в Москве. И об этом не знает лишь один пока человек — сам Минаев. Он еще надеется на свои акции, будучи не в курсе, что в правительстве мнение склоняется к пересмотру результатов проведенной Минаевым приватизации. И само предприятие будет подвергнуто реструктуризации. Как обычно: банкротство и затем реструктуризация.

В звенящей от обилия неожиданной информации голове Елисеева была теперь полнейшая каша. И когда он, по мнению депутата, окончательно дозрел, тот уже безо всякого смущения предложил Евгению финансовую сделку — в качестве как бы первого взноса в дальнейшую совместную работу.

Короче, по утверждению Журавлева-старшего, песенка Минаева была практически спета. Им недовольны в руководстве отрасли, недовольны в городе, брожение среди непосредственного руководства предприятия, а теперь еще и эта совершенно идиотическая идея завоевать губернаторский трон! Словом, найдутся, конечно, те, кто поможет снизить на время ненужную и даже вредную активность генерального директора. Не навсегда, зачем же? На какое-то время. Да к тому же он, говорят, способный экономист, вот пусть и занимается теоретизированием, это у него лучше получается! Достаточно вспомнить тех знаменитых экономистов-теоретиков конца восьмидесятых — начала девяностых, тех гайдаров и прочих, которые все знали наперед, статьи какие писали! — а как до дела, так и развалили экономику державы. А все почему? Так теоретики ж! Очень убедительно выглядел Журавлев, просто и понятно раскрывавший перед глазами Елисеева причины развала российского хозяйства. Нет, по-человечески депутат никаких особых претензий к Минаеву не имел, но есть же еще и дело! А эта сторона показывала, что дела-то как раз обстоят самым дохлым образом, о чем свидетельствует отношение к директору «Сибцветмета» и в центре, и, как говорится, на местах.

И последний аргумент. К сожалению, далеко не всегда этические соображения напрямую взаимодействуют с практикой, с необходимостью иной раз принимать жесткие решения. В данной ситуации необходимость кардинального решения проблемы стала непреложной. Но что делать? На аморалке Минаева не прихватишь, это в добрые старые времена можно было. На чем еще? На растрате государственных средств? Это будет само собой, готовятся комиссии Минфина, от налоговиков и так далее, но это опять же — время. А время, как сказал великий американец Джек Лондон, не ждет! На оружии? Так Игорь сказал как-то, что у Минаева имеется официальное разрешение на применение в порядке самозащиты; местные же правоохранители еще и выдали, в виде, правда, исключения, и как руководителю производства, связанного с секретными разработками. Что еще?

И тут опять, вроде как случайно, вспомнил Журавлев неприятную страницу из биографии Елисеева, когда он по настоянию Минаева просто вынужден был пройти курс лечения от наркозависимости. Вот, собственно, и решение проблемы! Несколько чеков с опием либо гашишем, да хоть и с героином — и дело в шляпе! Возьмут как миленького. Подержат. Ничего не докажут, естественно, и отпустят. А дорогое время будет выиграно. Да и потом — к человеку, побывавшему под следствием, да еще и по такой причине, доверие масс резко падает. Был бы он криминальным авторитетом, тут как раз наоборот, неожиданный арест мог бы быть представлен как сведение счетов с ним властей предержащих.

Вот так поговорили, отвлеклись, а вернулись к теме в самом конце, за десертом. Журавлев назвал сумму, которая должна была компенсировать моральные издержки, убытки, так сказать, угрызения совести. Большая сумма, и половина — сразу. После ареста — вторая. Которую, кстати, до сих пор не выплатили, а теперь вряд ли отдадут. Плюс информация о действиях возможного адвоката и все такое прочее — исключительно для порядка. Ну чтобы не светиться на мелочах, не скользить на ровном месте, не прокалываться.

Ничего не смог с собой поделать Елисеев, соблазн оказался слишком велик, а происходящее было истолковано общими усилиями не как элементарное предательство, а исключительно как смена ориентиров. Что умно и, главное, очень своевременно. Известно же: кто опоздал, тот потерял. И хотя совесть все-таки продолжала мучить, депутат Журавлев проявил необычайную жесткость. И его активно поддержал племянник, позвонив на следующий день. Так была разыграна и карта с посланием трудящихся, к которой позже присоединился, а точнее, возглавил поход сам губернатор. Но все сорвала своенравная Галина Федоровна.

Ее должны были легонько подставить, списав неудачу на вечные проблемы с перевозками, потерями багажа и прочим российским разгильдяйством. Ну и стали бы потом делать все по новой, а улита едет и когда-то будет...

Самоотверженность верной помощницы Минаева

поломала эту, казавшуюся довольно удачной, комбинацию. А стараниями проницательного адвоката — Гордеев уловил в этих словах злую иронию, приглушенную, однако, смиренной интонацией словно бы каявшегося рассказчика, — развалилась и операция с наркотиками.

Почему торопились заказчики, Елисеев не особо вникал. Но что они торопились, это факт. Единственное, что может приоткрыть причины их столь бурной деятельности, — это общее собрание акционеров, которое намечено на самые ближайшие дни. Этими вопросами занимается лично Игорь Платонович.

— Вот с этого и надо было начинать, — мрачно подвел итог Минаев. — А все остальное — это детские игры в казаки-разбойники... Смелые ребятки-то! — Он раскрыл свою сумку, достал из нее папку с бумагой, авторучку, положил все на стол перед Евгением и закончил: — А теперь изложи все тобой рассказанное на бумаге. И распишись.

— А вот этого я делать не буду. Не дам я вам никакого оружия против себя!

Ну, то, что рассказ его утомил, было видно. Бледность на лице не проходила, а обильный пот, блестевший на лбу, казался неприятно липким. Ко всему прочему у Женьки как-то странно, словно у кота, изготовившегося к прыжку, сузились зрачки глаз, а в быстрой речи, очень необычной для его манеры разговора, появились нелогичные паузы.

— О чем ты говоришь? О каком оружии? — возмутилась Галя.

— Я знаю, что вам... нужно! Вам... жертва нужна, посадить! Не выйдет... — Последнее он произнес шепотом и откинул голову на спинку стула.

— Не трогайте его сейчас, — сказал Минаев. — Я, кажется, начинаю понимать, что случилось. Он опять подсел. И лучше всего его отвезти домой. Завтра ломка начнется, я был однажды свидетелем... Жаль парня, хоть и по-сволочному поступил, но это у него уже неизлечимая болезнь.

— Но я его в первый раз вижу в таком состоянии, — возразил Гордеев.

— Значит, дозы были малыми. А сегодня слишком перенервничал — и вот результат. Мне, конечно, неудобно, Юрий Петрович, просить вас еще и о таком одолжении, но... положение мое, как бы сказать поточнее, оставляет желать лучшего. Надо срочно улетать, а то мои мальчики напортачат там, чего доброго. И его оставлять у вас тоже незачем. Хотя он, в общем, не агрессивен.

— Ну и пусть себе валяется. Придет в себя — уедет. Давайте перенесем его только в ту комнату...

Гордеев скоро понял, что у Минаева не было больше желания оставаться в Москве для решения каких-то своих проблем. С авиабилетами у него тоже, оказалось, проблем не было — он мог лететь любым рейсом «Сибирских огней», его все знали. Не собирался он, похоже, и вступать снова в контакт с депутатом Журавлевым.

Улучив момент, когда Галя ушла на кухню, чтобы вымыть посуду и убрать со стола, Юрий Петрович спросил все-таки:

— А для чего вы хотели получить письменное свидетельство Елисеева? Оно что, прибавит что-нибудь к уже известному? Или вы хотите обнародовать эти показания?

Минаев внимательно поглядел на него поверх очков и усмехнулся:

— После тех весьма значительных усилий, Юрий Петрович, которые пришлось приложить вам и вашим друзьям, разоблачительные показания такого человека, как Елисеев, ничего не значат практически. Да и не собираюсь я устраивать публичные торги, опираясь на оправдания раскаявшегося предателя, это — глупо. А люди мне поверят и так. Я просто хотел, чтобы этот сукин кот не решил, что для него все обошлось — пожурили и отпустили. Нет! Я его заставлю, когда он придет в себя, всерьез заняться прямым своим журналистским делом. Я решил опубликовать большую статью с описанием истории противостояния на «Сибцветмете» — со всеми необходимыми экономическими выкладками и реальными портретами действующих лиц. Вот Евгений этим и займется. В самые ближайшие часы. И мне наплевать, как он это станет делать. Иначе я ему пообещаю устроить очень неприятную жизнь.

— А если он откажется?

— Не посмеет, — твердо заявил Минаев.

— Да? — с сомнением хмыкнул Гордеев и подумал: «А ведь вы — порядочные циники, господа технические интеллигенты!..»

— У него не останется иного выхода. Я тоже умею быть жестким.

— Ну, дай вам Бог, как говорится, — вздохнул Юрий Петрович. — А как же вы сообщите ему о своем решении? Если он в отключке...

— Вот, — поднял указательный палец Минаев. — В этом проблема. Но она решаема. Если бы вы, Юрий Петрович, взяли этот вопрос на себя. Разумеется, не из дружеского, смею надеяться, расположения ко мне. Зачем же, любые усилия должны быть оплачены. И я готов не авансировать, а попросту выдать вам всю сумму сразу, но вас просил бы лично проследить, чтобы Евгений не валял дурака, а немедленно взялся бы за работу над материалом. Все данные у него имеются, историю проблемы он хорошо знает, нужно, чтобы он, невзирая на лица, сорвал маски. Где будет опубликован этот материал, я сообщу отдельно.

— Вы, вероятно, захотите, чтобы и рассказанная сегодня история тоже нашла свое отражение?

— Но только в качестве одного из призеров противостояния. Не более. Заострять на ней внимание, думаю, не стоит. Это, знаете ли, как в известном анекдоте: не то Иван Иванович шубу украл, не то у него шубу украли, но в чем-то неприличном он был замешан, это точно! Нам этого не нужно. Я имею в виду — наше дело.

— Ну и во что оцениваете вы мою помощь? Помощь, насколько я понимаю, чисто полицейскую. Роль надзирателя, я не ошибаюсь?

— Зачем же? Вам достаточно передать ему мое указание и по-товарищески убедить, что это для него будет самым лучшим выходом из той пропасти, куда он попал по собственной воле.

— А, значит, еще и роль духовника-наставника?

— Зачем же иронизировать? Я лично всегда считал, что, если ты можешь помочь кому-то, спасти от неприятностей, это надо делать незамедлительно. Вы же назвали Евгения своим товарищем? Или это были общие слова? Ну хорошо, не будем обсуждать эту сложную этическую проблему, речь шла о гонораре, так я понял ваш вопрос. Верно?

— Не стану кокетничать, я работаю, чтобы зарабатывать. И вопрос гонорара — не последний в моей жизни. Но в данном случае я не вижу цели, ради которой мне следовало бы затратить некую толику собственных усилий. И потом, честно говоря, ваши заводские и прочие проблемы, о которых вы тут так много рассуждали, меня мало волнуют, если не сказать большего. Поэтому поймите...

— Это нетрудно... — поскучнел Минаев. — Ну ладно, а просто поговорить с Евгением вы можете? В конце концов, сходите с ним в тот же ресторан, который ему так понравился. Я оплачу счет заранее. Сколько нужно? Тысячу? Две?

— Вы, надеюсь, не о рублях? — усмехнулся Гордеев.

— Не волнуйтесь, я догадываюсь, сколько стоит ужин в приличных заведениях. Ну, трех тысяч вам достаточно?

Гордеев неопределенно пожал плечами. А Минаев немедленно достал из сумки толстую барсетку и вынул пачку купюр. Начал отсчитывать, но вдруг добавил наугад еще с десяток купюр и протянул Юрию Петровичу.

— Думаю, вам хватит. Впрочем, можете и не ходить по ресторанам. Как сочтете нужным. Но я очень на вас надеюсь, Юрий Петрович.

Минаев тут же кинул барсетку обратно в сумку, полагая разговор законченным, а вопрос решенным.

— И при всем при том, он парень изначально честный. Я ж вижу — и бумажки не взял...

— В смысле, в карман не залез?

— Экий вы... — поморщился Минаев. — Галина Федоровна! — крикнул на кухню. — Ехать пора. Вы нам не поможете, Юрий Петрович? Нам бы лишь такси поймать, а дальше — без проблем.

— Ну почему же, я мог бы и отвезти вас в Домодедово.

— Не надо, это далеко. А потом, этот типчик может проснуться и невесть что подумать... Только до ближайшего такси.

— Это у Савеловского вокзала.

— Вот и отлично. Тогда собираемся...

Пришла Галя, выслушала указание шефа, кивнула, ушла в прихожую одеваться. Гордеев двинулся следом, чтобы подать ей верхнюю одежду. Минаев тем временем переоделся.

Запахнув свою дубленку-тулупчик, Галя повернулась к Юрию Петровичу и, подняв большие и влажные глаза, прошептала:

— Ну, прощай...

— Может быть, до свидания?

— Не думаю, вряд ли. — И осторожно, чтобы не испачкать помадой, притронулась губами к его щеке. — Мне было очень хорошо с тобой.

— Да-а... Ну, лети!

— Как бабочка? — неожиданно усмехнулась она.

А он вспомнил.

Вчерашней ночью, утомленные и мокрые от пота, они выбрались вдвоем в ванную. Юрий включил душ на всю мощь. Забрались вместе, задернули занавески. И тут он снова не удержался — подхватил женщину под коленки и припечатал ее к кафельной стене, а Галочка обхватила его руками и ногами, распласталась спиной среди струящихся потоков... а локти ее и бедра, часто подрагивая, делали ее чем-то похожей на бабочку, которую безжалостный энтомолог методично приспосабливал к своей коллекции. Хотя нет, настоящий энтомолог, пожалуй, не стал бы так долго терзать роскошную махаоншу, это все-таки гнусная прерогатива собирателя из любителей. Да и в самом деле, ну какой там профи из Гордеева? Действительно, способный любитель, и не больше.

А позже он спросил женщину, как она себя чувствовала? Ответ потряс его точностью попадания:

— Как бабочка в руках юного натуралиста...

Глава десятая

ГЕНЕРАЛЫ

Андрею Ильичу доложили, что Минаев прилетел вечерним рейсом и что он, никем из заводчан не встреченный, тут же вместе со своей помощницей уехал на комбинат. Теперь, скорее всего, находится в своем кабинете.

Губернатор задумался: стоит ли в данном случае проявлять инициативу или подождать, когда в Минаеве проснется совесть и он сам пожелает высказать слова благодарности краевому начальству. Вопрос был тонкий. По идее, Алексею следовало позвонить губернатору первому, читал ведь, поди, письмо. Ну а если сочтет это ниже своего достоинства, вот тогда можно будет тактично напомнить ему, что без краевой поддержки сидел бы он, голубчик! И никакие прокуроры не помогли бы!

А с другой стороны, пристало ли ему, Гусаковскому, умудренному мужику, бывшему генералу, чиниться, по сути, с мальчишкой? Ну не понимают они, сопляки, субординации! Так ведь нынче и не вобьешь в башку — демократия ж! Уговоры-переговоры, а болтать они, нынешние молодые, вон как научились!..

Решив, что утро вечера воистину мудренее, Гусаковский перелистнул страничку перекидного календаря и написал на завтрашний день — выше всех остальных поручений — одно слово: «Минаев». Кинул ручку в стаканчик, где торчали еще с десяток подобных.

Подумал, что можно бы и расслабиться, да вот все не давал покоя вчерашний поздний звонок из Москвы. Как обычно, информировал Толубеев. И вести от Ивана не были приятными, как ожидалось. Он теперь уже владел ситуацией и подробно рассказал, кто и какие конкретные усилия предпринимал для прекращения дела Минаева. Но выпустить мужика из тюрьмы — это, оказалось, половина проблемы, с которой друзья-приятели адвоката Гордеева справились весьма успешно. Вторая часть состояла в том, что и в руководстве страны, и в Думе народ оказался проинформированным, что в Белоярске затеяна целенаправленная травля руководителя крупнейшего и важнейшего в отрасли предприятия, а во главе этой своры борзых выступает белоярский губернатор. Тот самый, на которого постоянно катят бочки за авторитарное руководство краем и явное непослушание. И вот это уже было совсем некстати. Под угрозу срыва подпадала хорошо продуманная операция со сменой руководства на «Сибцветмете». И тут как бы не возник эффект домино. Сорвется одна акция — мигом всплывет история с миллиардами, канувшими в неизвестность, с убийством бывшего губернатора Смирнова. И хотя к тем миллиардам лично Гусаковский не имел прямого отношения, кто станет выяснять детали? Тем более что со Смирнова и взять нечего, в гробу предшественник. И многое на него теперь приходится списывать...

Понимал Андрей Ильич, что акция, так сказать, во спасение Минаева была конечно же вынужденной, чтоб лица своего не потерять, как выражаются косоглазые. Да и сам Лешка Минаев это тоже, несомненно, понимает, потому как довольно трудно объяснить, с чего бы вдруг губернатор кинулся вызволять его из темницы, когда сам спит и видит, как бы покрепче загнать его туда. Но это все общие слова, они для митинга, а не для дела. А вот если б Лешка послушался умных людей, другой бы расклад получился. И сам бы только выиграл, и другим бы поперек дороги не становился. А практика показывала: когда кто-то пытался перегородить путь генералу Гусаковскому, ничего хорошего из этого дела не получалось. Генерал всю жизнь только и делал, что убирал препятствия со своего пути, и преуспел! Так неужели кто-то на гражданской службе посмеет противостоять ему? Смешно...

Хотя, оказывается, он не прост, этот Лешка Минаев. Очень непрост. Оттого и произошла первая осечка. Но второй уже быть не может. Так и сказал Андрей Ильич своему товарищу Ивану Ивановичу вчера, в самом конце разговора. Мол, мотай, Ваня, на ус, но на кон поставлены слишком крупные деньги, чтобы снова ошибаться в расчетах. Знает, о чем речь, Ваня Толубеев. И недаром загодя строят его дочь с зятем красивый особнячок на благодатной кубанской земле, где так приятно будет Ивану на старости лет наслаждаться видами морских далей и домашними виноградными винами. Мечта, можно сказать, почти уже сбылась, однако окончание процесса строительства требует повышенного внимания к своим обязательствам. Но это — Ваня, у него и проблем других нет. И на службе он не шибко надрывается, и на «гражданку» особых планов не строит.

А вот Гусаковский видит себя иначе. Руководить, командовать — это ведь призвание! И тот, кто вкусил истинную сладость потрясающего душевного состояния, когда твоей воле, твоему приказу готова немедленно и без рассуждений подчиниться тьма народу, уже не сможет отказаться от власти добровольно. Отстранить, конечно, могут, но пусть сперва попробуют! Ладно там Валерка-покойник: он хоть походил под этим бременем, а выводов правильных для себя не сделал, так это другой разговор. Но — походил! А этот мальчишка-экономист? Он-то куда? И ведь настырный...

Надо будет напомнить Лидии, чтоб заглянула там в свои законы: может ли претендовать на выборную должность лицо, побывавшее под следствием? Интересный, между прочим, вопрос. Может, нужда-то дальнейшая и отпадет — сама по себе? Ну а нет, придется снова Ваню задействовать. С его силовиками. На своих уже никакой надежды не остается. Развращает их, что ли, своими высказываниями генеральный директор «Сибцветмета»?

Нет, то, что на комбинате дела наконец пошли, тут двух мнений нет. Бывший этот, Кобзев Юрка, не дурачка вместо себя предложил, когда почуял, что совсем уже близко для него самого жареным запахло. А так вроде и положение на предприятии стало выправляться, и заказы удалось организовать серьезные, и, главное, рабочий класс — будь он неладен! — замолчал со своими безумными требованиями. Но тут же сказалась и основная закавыка.

С прежним руководством комбината все же умели договариваться, понимая трудности и преодолевая их в нужном направлении. А этот Минаев вдруг почему-то решил, что он лицо самостоятельное и ни на какие компромиссы не согласное. Анклав такой, понимаешь, образовал в крае, где Минаев сам себе судья и начальник. Нет, такие номера у Гусаковского никогда не проходили. Не проходили прежде, не пройдут и теперь. Опять же возникала совершенно нерешаемая финансовая проблема. Кто должен распоряжаться деньгами? Естественно, губернатор, а не какой-то там директор. Комбинат прежде всего принадлежит краю! Он жрет ресурсы края, пьет его воду, сосет электричество. Да что рассуждать? А если ты — анклав, так и поставь вокруг забор и живи себе за этим забором! И мы посмотрим, долго ли протянешь!

Чувствуя, что совершенно зря распаляется, Андрей Ильич решительно отодвинулся от стола и вызвал секретаршу.

Та вошла и, раскрыв большой блокнот, почтительно уставилась на губернатора. Гусаковский хмурым взглядом окинул ее с ног до головы, отметил про себя, что Лидия наверняка отстаивает эту грымзу специально — для контраста, и сказал наконец:

— Запиши себе. Если будут звонить с комбината, соединишь. На мой мобильник. Я сейчас поеду... — Он сделал многозначительную паузу и закончил: — Словом, Горбатову пригласи. А встречу с комбинатскими запланируй на всякий случай на завтра — на двенадцать.

— Уезжаете? — удивилась Лидия, входя в кабинет и видя, что Гусаковский стоит возле стола уже одетым — в привычной его розовой дубленке, оставшейся от прошлых цековских еще лет, и в высокой, розоватой же, пыжиковой шапке. Память дорогая! Сколько ни говорила Лидия, что все это давно вышло из моды, что нынче выглядеть надо иначе — как об стенку горохом.

— Давай-ка и ты одевайся. Съездим ненадолго в «домик», — он имел в виду бывшую обкомовскую дачу. — А заодно звякни туда, чтоб баньку затопили, что-то у меня внутри о простуде напоминает. И обсудить звоночек Ивана следует.

— Я поняла, — чуточку ухмыльнулась Лидия и, подчеркнуто вильнув бедрами, пошла к себе.

— Чертова девка, — буркнул губернатор. — И не хочешь, так заставит...

Не нравились генералу Толубееву участившиеся в последнее время намеки Андрея Гусаковского, что, мол, плохо стали работать, что проколы обидные сделались как бы нормой, а не случайностью, что ушами стали много хлопать, вместо того чтобы глядеть вперед и загодя просчитывать ситуацию. А что в тех же проколах была явно заметна его собственная вина, про то бывший генерал слышать не хотел. Оно и понятно: какой командир пожелает слушать критику в свой адрес?

Но в глубине души Толубеев видел, что недовольство Андрея все же имеет под собой почву. Особенно неприятно задело Ивана Ивановича то обстоятельство, что даже, казалось бы, верные помощники, на которых он полагался, которым оказывал посильное покровительство, вдруг пробовали перечить, высказывать свое, никому не нужное мнение, иметь точку зрения! Ну это уж вообще ни в какие ворота...

Да взять хоть того же Бовкуна. Чем ему было плохо?

Поручения не тяжелые. В Чечню никто не гонит, хотя вполне мог бы уже загорать под горным солнышком в ожидании шальной пули ваххабита. Делать что-то совсем уж стыдное или запретное тоже не заставляют. Но каждому оперу известно, что если иной раз начальству позарез нужно, чтобы у клиента оказались в кармане вещдоки, необходимые для задержания, то так оно и должно быть, независимо от того, какое у тебя на сей счет мнение. Это — служба, где все подчинено единой высокой цели — борьбе с криминалом. Кто-то считает, что это громкие слова? И неправ, потому что истина обсуждению не подлежит. А суть ее в древнем выражении: друг моего врага — мой враг, а вот враг моего врага вполне может быть мне и другом. Иначе говоря, методы работы допускают различные варианты. Иной раз приходится предпринимать не совсем законные действия ради достижения высшей цели. И все это знают. И не допускают философий по этому поводу. О чем тут еще рассуждать? А этот мудак, иначе и не скажешь, вдруг заговорил! Да перед кем? Кому стал показания давать? Какому-то говенному адвокатишке!..

Ну вот и вызвал Толубеев к себе начальника этого Бовкуна, приказал разобраться с подчиненным, но так, чтобы волны не было. Меньше всего сейчас нужен шум, когда на РУБОП покатили такую мощную бочку. А что получилось? Уж лучше бы оставил все, как есть...

Надо же! Какой-то майор вдруг заявляет, что его принудили совершить противозаконное действие, подставили, одним словом, и он теперь в глазах хороших людей выглядит чуть ли не преступником! И понес! Ладно, что начальник УВД оказался мужиком умным, не стал вступать в дискуссии. Сказал просто: «Не нравится служба, пиши заявление, отпущу по собственному. На твое место много желающих найдется!» Тот и накатал, а полковник, тоже на себя тянуть не желая, привез рапорт: на, товарищ генерал. Дело-то серьезное, резонанс никому не нужен, договорились с управлением кадров, те подмахнули, и — гуляй Вася!..

Спросил потом у полковника: «Он хоть пожалел, что покидает ряды, так сказать?» Какой, к черту! Уже отыскал себе, сукин сын, какую-то частную структуру. И зарплата там стоящая, и забот тебе никаких, а главное, сказал, дураков над твоей головой нет. С намеком, конечно, сказал, мерзавец... Вот полковник и обиделся. А надо не обижаться, но — воспитывать! Совсем, понимаешь, забросили вопросы воспитания кадров! А теперь жалуются: не с кем работать!

Сам Толубеев себе подобных вопросов не задавал. Он знал, с кем может работать в низовых звеньях. А вот на некоторых начальников — и это тоже стал понимать в последнее время — положиться, оказывается, нельзя, могут подвести, подставить. Шибко умные и шустрые становятся.

Андрей тут высказался в том смысле, что операция не завершена. Ничего не возразишь. Были у Ивана Ивановича, конечно, соображения, но сам он не хотел принимать на себя окончательное решение. Опять же и оплата должна быть соответствующая, не из своих же средств оплачивать хорошее настроение сибирского губернатора. Даже если он приятель тебе. Придется снова лететь.

Нет, что лететь, проблем особых не предвидится. В нынешних условиях всеобщего подозрения никто из руководящего состава не желает отчитываться перед главным начальством в планах будущих операций, достаточно краткого доклада о результатах. А как там, и что — это уж твои проблемы. И он решил позвонить Гусаковскому, чтобы предупредить о своем прилете в Белоярск. Он даже решил, что и форму надевать не будет, не нужно лишнего шума и фанфар. Дело — важнее.

А еще ему вспомнилась та весьма любезная дамочка, коей обычно потчевал его Андрей, как дорогого гостя. Ох, и ловка стервозочка! Ох, до чего шустра и обильна ласками... А Иван Иванович был уже в том возрасте, когда, полагал он, уже не сам мужчина, а женщина должна проявлять инициативу во всем. И Лидия это хорошо умела, да-а... Вот и еще повод навестить товарища.

...Они сидели будто на знаменитом совете в Филях. Только оба в гражданской одежде. Гусаковский давно уже сменил китель на пиджак, но чувствовал себя по-прежнему человеком военным, а вот Толубеев его удивил. Он вообще, казалось, не снимал своего генеральского мундира и в обычном костюме будто терял что-то, значительность, может быть, солидность, особую строгость...

И прилетел один, без привычного сопровождения. Сказал, что не хочет лишней болтовни. А какая там болтовня? Его и сам Гусаковский, сидевший в машине возле трапа прибывшего самолета, не сразу узнал — мешок мешком. Невидный какой-то. Даже и мысль не могла бы прийти, что этот вот, спускающийся по трапу, на самом деле важная фигура в министерстве, а кое для кого и гроза, страшней которой не бывает.

Как обычно, вперед была выпущена Лидия, которая уже одним своим присутствием умела создавать нужное настроение. Растворялись инспекторские души от ее невзыскательной лести: «Батюшки, как вы прекрасно выглядите!.. Да вы просто помолодели с прошлого вашего приезда!.. Так приятно встретиться снова!» — ну и все такое прочее. Перед Иваном, конечно, не стоило разыгрывать спектакль, но раз уж повелось, пусть...

И хмурое настроение генерала, с которым он прилетел из Москвы, быстро рассеялось.

Почему хмурое? Да все то же — новая метла, чистка, внутренние разборки... Неспокойно в министерстве, ждут перемен, а они для многих весьма нежелательны. Опасаются резких кадровых перестановок. Новый министр, по достаточно уверенным слухам, собирается навести порядок среди своих заместителей, значит, позовет варягов из провинции, а хуже этого ничего быть не может. Появятся свои амбиции; устраиваясь на новых стульях, варяги станут и соответствующие кадры подбирать под себя. А кто больше всех страдает в аналогичных случаях? Да прежде всего те, кто «на земле» работает — оперативники, профи высшего класса!

Толубеев изрекал известные истины с искренней горечью, будто сам всю жизнь провел «на земле», будто в операх до сих пор бегает. Но Гусаковский-то знал, что ничего подобного и близко не было. Никогда. И получал свои очередные звезды на погонах Иван, не выходя из служебных кабинетов. Однако если ему угодно выразить свое недовольство кадровой политикой нового министра — это его личное дело.

По себе самому, по своему прошлому, хорошо знал Гусаковский, что генеральское недовольство происходящими ведомственными переменами, как правило, опирается на сплетни. И это уже может представлять интерес. Как и всякий анекдот, четко сохранявший в себе и передающий потомкам самую суть конкретного времени.

Ну вот, к примеру, поскольку речь зашла о прекращенном деле Минаева, очень было любопытно услышать Гусаковскому, что у адвоката, получившего достаточно приличную сумму за освобождение задержанного с поличным, то есть с наркотиками в кармане, директора «Сибцветмета», оказывается, полным-полно дружков-приятелей в Генеральной прокуратуре. А те поговорили, посидели за коньячком разок-другой, да и прекратили уголовное дело. Кто нынче может, тому все просто!

А еще и собственных раздолбаев хватает, но об этом уже говорил Толубеев Андрею Ильичу. С кем работать приходится! Уму непостижимо!..

Опять же и депутат! Ведь слова доброго о нем не скажешь! Дуболом, каких мало... Этому бы все интриги вязать, а пользы от него практически никакой.

Вот в этом, пожалуй, был согласен с генералом Гусаковский. Его тоже стал раздражать удобно устроившийся в Государственной думе посланец белоярцев. Нет, тот конечно же не забывал напоминать, что представляет самые животрепещущие интересы края в высшей законодательной власти, не забывал и обращаться с постоянными просьбами помочь ему в том и этом, словом, тянул на себя, как мог. Ограничиваясь при этом крутыми обещаниями, козыряя громкими фамилиями, близостью к президентской администрации и прочим слугам народа, как их называли в недавнем прошлом. А звание народного избранника нынче вообще отпадает за ненадобностью. Избрали, посадили себе на шею, а теперь кормите и не надоедайте докучливыми просьбами. Все равно никто до срока не снимет, не отзовет, если только не попадешься на явном уже криминале. Да и то найдутся друзья по фракции, которые не сдадут, не отменят и депутатский иммунитет...

Полностью согласен был со своим старым товарищем Андрей Ильич. И не раз заявлял об этом с высоких трибун, отчего и прослыл не всегда управляемым. Но одно ведь дело заявлять, а совсем другое — следовать собственным заявлениям. И это тоже большая политика, будь она неладна...

Но из всего услышанного от Ивана Ивановича в машине, по дороге к «домику», Гусаковский сделал для себя один главный вывод. И был он малоутешительным. Ну, во-первых, с такими помощниками затевать серьезную борьбу с Минаевым может только неумный человек. Оборзевший депутат, наркоман-журналист, алкашня-свидетели... Куда что катится?..

Во-вторых же, Минаев только кажется уязвимым — этаким интеллигентиком с принципами, выше которых для него ничего не существует. А на самом деле — так получается — за ним стоит вон какая силища!

Нет, у губернатора и в мыслях не было сойтись с Минаевым, да хоть и в том же «домике», за дружеским столом, договориться путем, прекратить распри между городом и предприятием, поделить финансы, чтоб и волки сыты, и овцы целы. Может, не совсем точно применима пословица, особенно когда твердо знаешь, кто овцы. Но жить-то надо. А вот Минаев, после всех пертурбаций, вряд ли поутихнет. Скорее, наоборот, сделает все, чтобы насолить и губернатору, и другим своим недругам.

Звонил вчера — ночью уже — Игорь-то Платонович Журавлев, племянник депутата... Голосок заполошный, растерян парень. А всего и дела-то, что отменил прилетевший из Москвы генеральный директор общее собрание акционеров «Сибцветмета», которое с таким старанием и напором форсировал Игорек. Надеялся, что, пока Минаев загорает в клетке, успеет произвести смену руководства. Да, большие планы имел, почти наполеоновские. Уверял, что проблем нет. А они — нате вам! И ведь как уверял! Какие авансы давал! Хорошо, что Гусаковский как человек хоть и решительный, но и достаточно при этом осторожный, то есть умеющий не лезть туда, где уже припекает, ограничился устной поддержкой и тоже взаимными обещаниями. Мол, ты давай начинай, а я в нужный момент организую существенную поддержку. Но слова ими и остаются, их к делу не подошьешь, зато конфликт города и комбината выглядит теперь обыкновенной внутренней драчкой, склокой в руководстве предприятия. И кто из них прав, а кто виноват – это уже вопрос, как говорится, интересный...

И еще одну истину понял Гусаковский: кавалерийским наскоком обозначенного врага не взять. Значит, нужны более сильные и действенные меры. Вот о них и надо было поговорить с Иваном, в общем, мастером всякого рода интриг. А потом, ведь есть же и его собственная заинтересованность. Денег хочешь? Так паши!

Расслабленный хорошей банькой, Толубеев был в полнейшем кайфе и похотливо поглядывал на суетящуюся у стола Лидию, которую друг Андрюша пообещал оставить здесь с ним на ночь. Но, сделав одолжение, Гусаковский посчитал необходимым сперва решить дело. Как быть с Минаевым в новых условиях? Вопрос серьезный.

— Я тебе еще не все рассказал, — помаргивая глазками, слабо махнул ладонью Толубеев. — Это тоже твоего сраного депутата касается.

— Слушай, Ваня, он сейчас далеко не самое главное!

— Как сказать! Выслушай, а после сделаешь вывод. Я ведь не с бухты-барахты к тебе намылился. И прибыл, честно говоря, почти инкогнито! Во! — Он поднял указательный палец, подчеркивая значительность события.

— Ваня, друг ты мой сердечный, плевать мне на всяких депутатов! Вот отрину от кормушки — и посмотрим, что запоет! Не знаю, как еще убедить тебя, что мне очень мешает Минаев. Сидел бы он в своем кабинете — и хрен бы с ним, но он же метит на мой стул! А впереди добрых три месяца, и общественное мнение, будь оно трижды проклято, сто раз успеют переменить, вот в чем беда.

— А ты что, ас, хочешь пройти безальтернативно? Вроде как не положено, — заметил Толубеев.

— Это у вас в Москве не положено, у вас даже на выборы дворников, поди, собирают группы поддержки! Демократы хреновы... Эта проблема пусть тебя не волнует. Мне вот доложили, что Минаев зачем-то вдруг со своим предшественником пробует снюхаться. Был, ты знаешь, еще при Валерке, прежнем губернаторе, в директорах комбината Юрка Кобзев. Тот еще прохиндей! Так вот, отыскал его Минаев на пенсии, какие-то переговоры завел, а я так думаю, что хочет он к истории с миллиардами вернуться, которую наша прокуратура благополучно похерила. Если раскопает и вернется, нам всем может мало не показаться. А меня после этого известия, да теперь и твоих рассказов о тех ребятках, которые Алешку взялись в столице-то выручать, сильно беспокоит одна мысль: а ну как он и их успел уже натравить? У тебя есть кто в Генеральной прокуратуре?

— Поискать — всегда найдем.

— Надо поискать, Ваня. И к Алешке отнестись теперь без легкомыслия, дорого может обойтись.

— Пусть-ка Лидочка пойдет погуляет маленько, Андрюша, — совершенно трезво, хотя было принято на грудь уже немало, сказал Толубеев. — Оно, правда, где знают двое... но все-таки.

— А пойдем-ка в кабинет, нам туда перенесут что

надо. А ты, Лидочка, пока телевизор посмотри, чем нас нынче поливают? Очень интересно знать, понимаешь...

— Вот что, Андрей, — начал Толубеев, когда они уединились, — как ни противен тебе твой депутат, а ты послушай...

— Опять ты о нем! — скривил лицо губернатор.

— Ты неправ. Он мне звонил и сказал вот что. Уезжая из Москвы, Минаев этот ваш поручил своему журналисту, ну который жидко обосрался с наркотиками, срочно написать большую статью про те три миллиарда, которые ты только что поминал. И сказал также, что сам будет ее печатать. Не слабо?

— А депутат откуда узнал?

— Так сам журналист и доложил. Перекупил его депутат у Минаева. Не знаю, что он за товар, но мне представляется полным ничтожеством. Однако, как известно, именно ничтожный зверь, загнанный в угол, бывает особо опасен. Минаев угрожал ему, чем, не знаю, но журналист его явно боится. А еще больше он боится, что и мы его возьмем за жопу. Вот и крутится, как глист!

— Считаешь, напишет?

— А куда ему деваться. Я так думаю, что он позвонил, чтоб заранее предупредить. А потом, ты же знаешь, вся эта сволочь всегда была продажной изначально.

— А убрать... проблему? Трудно?

— Вот, вижу — мыслишь в правильном направлении. Солидарен с тобой. Но, следуя твоей логике дальше, я бы предложил убрать две проблемы, как ты выразился. Что знает этот твой Кобзев?

— А все знает!

— Опасен?

— Если пойдет на поводу у Минаева, то да.

— А если не пойдет? Не успеет, к примеру?

Гусаковский выразительно посмотрел на Толубеева и усмехнулся.

— Ты чего? — нахмурился тот.

— Показалось, что ты постарел, Ванька. Ан нет!

По-прежнему гусар! Хорошая мысль. Вообще-то я в тебя всегда верил.

— Приятно слышать... Тогда попробуем проработать такой вариант. Для Москвы. Ты потом Лидке намекни, что тот паренек, что как-то навещал ее здесь, может получить от нее новое задание. Ну и соответствующий гонорар. Не сомневаюсь, что этой нашей дамочки на всех хватит и еще останется.

— Так, заметано. Дальше?

— А дальше я днями подошлю к тебе парочку своих оперков, им надо будет показать клиента, а дальше они и сами разберутся, что и как делать. Я в них верю, настоящие профи. Пришлю как бы для усиления, по просьбе местных товарищей, которые организуют ко мне соответствующее письмо.

— Ты хочешь одним махом обоих?

— Зачем? Алешку трогать не надо, но вот засадить так, чтоб никакой Меркулов его не достал, это уж моя, извини, профессиональная честь. Ребятки и постараются. А этого, как его? Кобзева?.. Да ты Лидке же и скажи — пусть тот паренек и поработает. И добавь гонорару, не скупись, дело того стоит.

— Дело не в гонораре, а в чистоте работы.

— Ну жалоб ведь пока не было?

— Бог миловал.

— Надеюсь, и дальше служба не подведет. Правда, всяко бывает. Тут ведь как? И на старуху бывает проруха.

— Бывает. Но нам — нельзя.

Не прошло и нескольких дней, как в местном «Хилтоне» снова появился высокий мужчина тридцати с небольшим лет, приятной наружности, со спортивной сумкой на плече.

Увидев знакомого по прошлому приезду швейцара, по-приятельски подошел к нему, хлопнул по плечу и шутливо-серьезным тоном поинтересовался, какие новости.

Швейцар узнал, заулыбался, помня щедрые чаевые. Стал рассказывать, что крещенские морозы малость отпустили: мол, в прошлый раз — эна как поджимало! А нынче вроде потеплело маленько. Для Сибири, считай, Африка. Поинтересовался, надолго ли в гости.

— Обычные дела, — небрежно отмахнулся приезжий, сбрасывая с плеча сумку. — Пусть поваляется, а я пока пойду номерок оформлю. Пару деньков придется... — Наклонился к самому уху швейцара: — А что ты в тот раз намекал насчет?.. — Он большим пальцем потыкал себе за спину, в сторону ресторанных дверей. — Еще не перевелись девочки-то?

Швейцар напустил на лицо таинственности, подмигнул, будто заговорщик заговорщику:

— А что, есть желание прямо с корабля на... — прикрыл ребром ладони рот, — на баб?

Подмигнул и приезжий:

— Вот именно.

— Так попозже. Нет, в том плане, что и сейчас найдется, да попозже ранжиром, будет так сказать, повыше. С после обеда.

— Ну что ж, — рассудил потенциальный клиент, — пока то да се, устроюсь, приму вид, а там, говоришь, и подойдут?

— Так точно!

— Благодарю за службу! — шутливо отдал честь мужчина и ловко сунул швейцару в боковой карман фирменного пиджака сложенную пополам купюру достоинством в пятьдесят рублей. Не сильно велика цена, но очень важно, чтобы служивый приглядел, не тормозил вопросами, лишний раз на приличный кадр указал и прочее, чем обычно занимаются услужливые провинциальные сторожа дверей.

Гостиница эта считалась лучшей в городе. А так как народу приезжего здесь всегда было много, то и с номерами иной раз возникали проблемы. Особенно многочисленный контингент, проживающий в гостинице, составляли, естественно, южане, люди так называемой «кавказской национальности», прибывающие сюда в сибирскую глубинку, как правило, с коммерческими целями. Народ они не бедный и старались занять номера побогаче, попросторней. Своеобразное зеркальное отражение их потребностей. Хотя нужды, чаще всего, в том никакой не было. Но пыль в глаза пустить, понты раскинуть, — пожалуй, для них самое милое дело.

По этой причине на долю остальных приезжих, лишенных желания постоянно пускать эту самую пыль в глаза, оставались либо самые неудобные номера, либо чересчур дорогие.

Зная это положение, местная администрация, имеется в виду — городская, постоянно держала под своим контролем один из этажей двадцатипятиэтажного билдинга. Иногда этот этаж называли губернаторским клубом, поскольку здесь имелся приличный зал для заседаний и несколько хорошо оборудованных служебных помещений. Другие же номера находились как бы на бро́не администрации — забытое нынче слово «бронь» обозначало, что поселиться в таком номере можно было, лишь получив разрешение кого-нибудь из руководителей края.

Подобная «бронь» была загодя выписана на имя Суслина М. Л., ответственного сотрудника Министерства внутренних дел. Вмиг оформив свое прибытие — для этого всего-то и потребовалось лишь предъявить симпатичной администраторше в рецепшене красное удостоверение, после чего очередь черноголовых приезжих была слегка оттеснена в сторону, — Суслин вернулся к швейцару, забрал свою сумку, еще раз подмигнул по-приятельски и отправился к лифту. Пятый этаж — невысоко, можно в крайнем случае и пешочком. Теперь оставалось бросить вещи, принять хороший душ — Максим добирался сюда поездом, поскольку в сумке вез необходимый для работы «инструмент», — и дожидаться либо телефонного звонка, либо посещения. Здесь был установлен порядок: как только в «губернаторских номерах» появлялся новый жилец, сведения об этом сразу поступали во-он туда, через обширную площадь, в громадное серое здание краевой администрации. Ну а как поступит сигнал, так об этом узнает прекрасная Лидочка. И, пожалуй, не удержится лично засвидетельствовать свое удовольствие от встречи со старым дружком. А подобные встречи на бегу известно, чем кончаются, благо «девушка» — большая мастерица на разного рода экспромты.

Он оказался, в общем, прав в своих предположениях, разве что посещение состоялось не сразу же, а спустя три часа не очень томительного ожидания. Максим включил телевизор, убавил громкость и завалился на диван. Он не любил поезда, хотя пользоваться ими в работе приходилось нередко, все по той же причине. А не любил потому, что не мог нормально выспаться: если не зануда-попутчик со своими вечными проблемами, то рывки вагона, пьяный шум за стенкой и прочие прелести дорожной жизни. А сейчас, под легкую музыку, бормотание диктора, он та́к хорошо всхрапнул, что, открыв глаза, увидел, что за окнами давно уже вечер. Ну, если не будет гонца от заказчика, то пора бы подумать и о краснощекой сибирской красотке, для которой, возможно, обслуживание клиента еще не превратилось в нудную и оттого скучную, автоматически выверенную обязанность.

И только он об этом подумал, как услышал веселый стук в дверь. Веселый оттого, что пришедший (или же пришедшая, что — лучше) не стеснялся стука и к тому же «выстучал» какой-то неуловимый песенный ритм.

Потирая глаза, Максим пошел к двери, повернул ключ, и на него словно пахнуло свежим морозцем. Чистым воздухом, смешанным с приятным запахом духов. Ветерком удовольствия.

— Нет, вы только посмотрите! — радостно воскликнула шагнувшая в прихожую Лидия и спиной закрыла за собой дверь. — Надо же! Он, оказывается, спит! И ждать не стал? Ну что стоишь, раздевай! — И она широко распахнула руки.

Пока он помогал ей раздеться, ее губная помада основательно исчеркала его щеки, нос и подбородок. И чего она у нее вечно мажется, подумал он с легким раздражением, мельком увидев свое лицо в зеркале. Есть же какие-то... которые совсем не мажутся. Или это она таким вот образом всякий раз утверждает свою власть над мужиком? Нет, у Максима не было никаких иллюзий относительно такой милой и щедрой с ним Лидочки. Поскольку и эти ее замечательные качества тоже имели непосредственное отношение к ее же работе. А в прошлый раз ему показалось, что даже в момент самого острого оргазма она умудрилась не потерять нити их прерванного приступом страсти разговора. О чем тут рассуждать!..

— Ты, разумеется, не ужинал? Очень хорошо, и я голодна, как волчица! Сейчас закажем ужин в номер, а заодно и прикинем наши дела, хорошо? Но учти, я беру инициативу на себя!

Отлично, подумал он. Впрочем, инициатива-то исходит не от нее. И даже, скорее всего, не от местного губернатора, хотя про него и говорят, что личность он неординарная, а значит, способен на многое, в том числе, видимо, и на специальные операции. Но информацию о новых заказах Максим все же получает в Москве. А Лида до сих пор могла разве что догадываться о сути его работы, не более. А может, уже знала? Ох, черт их разберет! Знала — не знала, какая теперь разница? Есть заказ, значит, есть и посредник между заказчиком и исполнителем. Ну что ж, получается, что на этот раз таким посредником является подружка детства, не растерявшая для него своей привлекательности и возбуждающая в нем горячее желание. А он, чудак, уже собрался было притащить в номер местную шлюшку!..

— Подождем ужина или?.. — церемонно спросил он, сознательно не закончив фразы.

— С «или», дружок, мы и начнем, когда отсюда уйдет официант, — как-то озабоченно ответила она, моя руки в ванной. — Я, наверное, у тебя останусь... — Она вышла с полотенцем в руках. — Если у тебя нет иных планов. — Она отдала ему полотенце. — А?

— Чудик! Какие могут быть планы, когда я вижу рядом тебя?

— Ой! Охмурять девочек вы все ба-альшие мастера! — Она игриво прижалась к нему крутым бедром. Ее рука скользнула по его груди, опустилась ниже, еще... — Молодец! — констатировала она. — Я соскучилась, а то ведь сплошная работа... — И скривила лицо, будто проглотила какую-нибудь откровенную гадость...

Они отрывались по полной программе. Давно не чувствовал себя полностью выжатым лимоном Максим Леонидович Суслин, хоть и не страдал от отсутствия, так сказать, «присутствия» женского пола. А чего ему — мужик видный, в силе, при деньгах, на кого, бывало, «клал глаз», тех и увозил к себе, никогда не задумываясь о последствиях. Но с Лидкой словно бес какой-то вселялся. И ведь второй раз. Вот же девка! Довела его до полного изнеможения, выгнала под душ, а когда он, красиво запахнувшись простыней, словно какой-нибудь древний грек, явился пред ее очи, она уже раскрыла свою сумочку и разложила на столе несколько фотографий-визиток. Со всех, в разных ракурсах, смотрел на Максима пожилой мужик с седым ежиком волос. Отвисшие щеки, глубокие складки от ноздрей к подбородку, резкая вертикальная морщина на лбу и острый взгляд из-под приспущенных тяжелых век. Запоминающееся лицо. Максим подумал, что такие физиономии, как правило, бывали у бывших, как их называли, промышленных генералов, крепких директоров крупнейших производств...

Однажды поинтересовался, откуда пошли эти «генералы производств»? Пожилой сослуживец объяснил, что, к примеру, в сталинские времена, да и долго после, и в армии, и в промышленности носили практически одинаковую форму, просто знаки различия были у каждой отрасли свои. Вот у геологов, которые работали на золоте, скажем, была почему-то морская форма — черная. Объясняли просто: промприбор драга — как тот же корабль, только ходит не по воде, а по тундре. А директора таких предприятий приравнивались как бы к армейским генералам.

И этот мужик, чьи фотики рассматривал Суслин,

явно принадлежал к разряду именно таких директоров-генералов. Впрочем, подробности биографии клиента никогда не интересовали Суслина, а если и возникали какие-то вопросы, то были связаны они в основном с теми деталями, которые так или иначе влияли на способы исполнения заказа.

Если это был «генерал», то он наверняка и проживал не в обычной пятиэтажке.

— Выбери, которая тебе больше нравится, — равнодушно сказала Лидия, набрасывая на голые плечи простыню, — остальные я ликвидирую. Адрес на обороте. — И красиво легла, вытянувшись на диване.

Значит, он оказался прав. И от этой «правоты» почему-то стало немного не по себе. Как будто что-то вдруг изменилось для него в Лиде: была любимая подружка, жаркая любовница — и вдруг оказалась обыкновенной проституткой, продающей, подобно ему, свои уникальные способности. Максим был прагматиком в жизни и не переоценивал своей роли.

Он взял одну, посмотрел на обороте — все правильно, остальные ребром ладони сдвинул на край столика. Посмотрел на Лидию, она тут же откинула в сторону простыню. Сел сбоку. Поиграл фотокарточкой, тоже кинул ее на стол, в другую сторону. И все это медленно, даже лениво.

— Я, наверное, поторопилась, — слегка охрипшим голосом сказала Лидия. — Надо было утром... Так всегда бывает, когда вмешивается проклятая работа.

Она резко поднялась и пошла в ванную.

— Наверно, — сказал он сам себе, уже не чувствуя мощного притяжения, которое испытывал к женщине большую часть ночи.

— Ты спи, — крикнула ему из ванной. — А я сварю себе чашечку кофе и уйду через часок. Потом позвони мне на мобильник. Если захочешь. Но перед твоим отъездом мы должны увидеться.

Если захочу? Смешно! Конечно, захочу, улыбнулся Максим, уже превращаясь в киллера. Теперь его ждала срочная и ответственная работа, и время отдыха и размышлений кончилось. А вот потом, когда заказ будет выполнен, — в самом деле, отчего бы перед отлетом в Москву не вернуться в жаркие, надо прямо сказать, и чрезвычайно возбуждающие объятия дорогой «девушки»?.. Увидимся!

Глава одиннадцатая

КИЛЛЕР

Он вышел на охоту.

До ухода Лидии так и не заснул, лежал, глядя в потолок. Она увидела, что он не спит, пришла с чашкой кофе и села рядом. Говорить им почему-то не хотелось, не тянуло и друг к другу.

Посидев немного и допив свой кофе, Лидия негромко заговорила:

— Эти уголовники — народ непредсказуемый...

Он вопросительно посмотрел на нее: к чему бы это?

— Очень много у нас в городе развелось бандитов, прямо какая-то криминальная империя, бесконечные разборки, трупы, кровища... Я ж телевидением руковожу, знаю... Каждый день новые съемки, свежие факты... Ужас!

Она поднялась и выразительно посмотрела ему в глаза: мол, ты понял, о чем я говорила? Он задумчиво кивнул. Понял, конечно. Вероятно, ему намекают, что очередной труп будет списан на местную братву, на беспредельщиков, постоянно что-то делящих и устраивающих по этому поводу кровавые разборки. Правда, какое отношение к сегодняшней сваре имеет давно уже отошедший от дел бывший директор, объяснить довольно трудно. Хотя... С кем-то в свое время не поделился, кого-то надул самым бессовестным образом, а может быть, его убирают, чтобы скрыть свои прежние грехи? Вот последнее, пожалуй, и будет самым верным. Но киллера все эти местные проблемы абсолютно не должны были волновать. Гонорар вполне приличный — семьдесят пять кусков. «Зеленых».

Включая сюда транспортные расходы и инструментарий. Небось потому, что бывший. А за нынешнего, поди, вдвое бы увеличили. Но это уж — политика, до которой исполнителю заказа и вовсе не было никакого дела...

В рецепшене он узнал адрес фирмы, занимающейся прокатом автомобилей, и через короткое время уже рулил на далеко не новом, но вполне удобном для него джипе «паджеро». Карта Белоярска лежала рядом на сиденье для пассажира. Сверяясь с ней, киллер довольно скоро отыскал поселок «Коммунарка», давно вошедший в городскую черту, но сохранивший свое старое название.

Дорога туда была хорошо расчищенной, значит, проживали в нем люди, облеченные властью, а также обладающие большими возможностями. И коттеджи стояли один краше другого, словно соревнуясь между собой. Тот, что принадлежал бывшему «генералу», мало чем отличался от остальных — такой же массивный, по-крепостному мощный, крытый зеленой пластиковой черепицей. И строился он, конечно, во дни благополучия бывшего теперь директора, без стеснения и оглядки возводился. Так нагло и бесцеремонно строят себе нынче дома, дворцы... черт знает, как их правильнее назвать, те, кому наплевать на то, что о них подумают окружающие. Они выше чьей-то зависти, выше правды, у них свои заботы, свои радости и своя смерть. Недаром же и зовутся «новыми»!

Киллер не испытывал к ним никаких чувств — ни уважения, ни презрения, поскольку именно люди этого уровня и являлись наиболее частыми его клиентами.

Остановив машину неподалеку от нужного коттеджа, он достал сильный бинокль и стал наблюдать сквозь затемненные стекла джипа. Вон, кобелина гремит массивной цепью, время от времени оглашая округу хриплым басовитым лаем. Во дворе наблюдался порядок: дорожки расчищены, аккуратные сугробы, хотя людей и не видно. Может, семья большая, или сам хозяин вместо зарядки машет по утрам лопатой.

Если так, то это — идеальный вариант. Приехал, приспустил боковое стекло, сделал дело и уехал.

Но ведь Лидия недаром затеяла якобы ничего не значащую болтовню насчет местных бандитов. Значит, хотела бы, чтобы акция выглядела результатом очередной разборки. Вообще-то для этого было бы удобнее прищучить клиента где-нибудь на выезде. Катается же он в город? Или целые дни сидит здесь сиднем? Вот этот вопрос важный. А бесконечно наблюдать и ждать — нет времени, на все про все дано три дня, за которые и надо управиться. И самому светиться нет никакой необходимости.

Подумав, он достал мобильник, а номер Лидии запомнил еще с прошлого раза. Набрал, подождал, услышал ее голос. Не представляясь и не здороваясь, спросил:

— А что, на ближайшие день-два не намечено никаких мероприятий? Может, там, презентации какие? Желательна встреча.

— Надо подумать... — неспешно отозвалась Лидия. — Хорошо, постарайтесь быть с нами на связи.

Короткие гудки. Поняла, значит.

Он еще посидел, разглядывая особняк и местность, к нему прилежащую. По-прежнему было безлюдно. В соседних дворах стояли машины — мощные, последних моделей. И он со своим «паджеро» неплохо вписывался в общую картину. Только вот на дороге долго стоять не надо, это как раз и может привлечь ненужное внимание.

И, спрятав бинокль в сумку, он уехал обратно в город.

По дороге прикидывал, что предпринять на крайний случай. В доме, судя по всему, и свое отопление, и своя канализация. Значит, мастер со стороны, скорее всего, не требуется. В поселках подобного типа имеется, как правило, своя как бы малая администрация, при которой содержатся и сторожа, и сантехники, и прочий необходимый в хозяйстве люд. А в Сибири ведь как? Среди коренного населения различаются две категории: непьющие кулачки, мастера своего дела, и, наоборот, пьянь беспробудная. Тот, кто держится своего места, не пьет и дорожит мнением о себе. Пьяниц же выгоняют, потом жалеют, временно принимают обратно и снова гонят после очередного срыва. В поселках типа той же «Коммунарки» наверняка пьянь не уживается. И значит, проникать в дом под видом сантехника или электрика не получится. Разве что — случай. Но это уж совсем крайний вариант, который тем и опасен, что можно элементарно засветиться. Последнее же никак не входило в планы киллера.

Так ни к чему пока и не придя, он вернулся в гостиницу и отправился в ресторан, чтобы устроить себе несколько поздний завтрак.

Мобильник напомнил о себе в тот момент, когда Максим густо намазывал горчицей обжаренный ломтик бекона. Отложив вилку, достал из кармана трубку, узнал очень приятный в данную минуту грудной голос Лидии.

— Привет. С чем связан интерес? — спросила она, не расшифровывая собеседника.

— Исключительно с дополнительными условиями задачи, — так же непонятно для постороннего ответил он.

— Ах вон что? — как бы удивилась Лидия. — Охотно подскажу. Наш ГУМ, что рядом с «Хилтоном». Второй этаж, отдел детской обуви. Желаю удачи. Перерыв там, кажется, с двух до трех, так что вполне можете успеть...

Ну молодец! Ну конспираторша! Штирлиц в юбке! Очень, кстати, короткой и удобной, поскольку сбоку — волнующий разрез. Кажется, именно эта мода в женской одежде в ту пору, когда Максим начал пристально ею интересоваться, называлась «мужчинам некогда». Остроумно: раз! — пуговка долой, два! — мадам уже готова!

Он быстро расправился с завтраком и спустя двадцать минут поднимался на второй этаж местного ГУМа, поглядывая на указатели. Отдел детской обуви оказался в глубине огромного зала, рядом со служебным входом и лестницей.

Оттуда и появилась за несколько минут до закрытия секции на обеденный перерыв эффектная женщина, закутанная с ног до головы в меха. Прошла мимо Максима в отдел женской обуви, который был в противоположном конце зала. Там обернулась наконец и только теперь «узнала».

— О! Здрасте! Кого я вижу? Вас тоже интересует женская обувь? Ну давайте я вам что-нибудь посоветую.

Она непринужденно оперлась на руку Максима и, продолжая улыбаться и жестикулировать, заговорила негромко и по-деловому:

— Минаев живет в соседнем со Смирновым доме. Седьмой этаж, сто двенадцатая.

— А мне он не нужен, — лучезарно улыбаясь, заметил Максим.

— Сегодня или завтра к нему приедет бывший, — нетерпеливо перебила его Лидия. — Скорее всего, вечером.

— Можно верить?

— Можно... Ой, я, кажется, заболталась, вон уже звонок! Ну пока! — И она, независимо поглядывая по сторонам, быстро отправилась к выходу. Звонок оповещал о перерыве.

Максим неторопливо последовал за ней.

Было о чем подумать.

Придется снова смотаться в поселок, но чуть позже, когда начнет темнеть... А интересно, откуда им все это известно? Кто к кому приедет? По какой причине? Ведь, кажется, эти директора не особенно ладили друг с другом в прошлом. Что-то Лидия такое рассказывала, но — мельком. Он и внимания особо не обратил. А теперь, значит, встречаются?.. Хотя, если память не изменяет, именно прежний директор и посадил в свое кресло этого молодого. Который, кстати, тоже ведь на губернаторский пост метит! Вон его портреты-то! Да... а Смирнова портреты уже сняли. Кончился претендент. О-ох, пауки...

Темнеть начало уже практически через час. А когда киллер подъехал непосредственно к дому в «Коммунарке», то увидел, что на площадке перед крыльцом особняка стоит, посвечивая подфарниками, здоровенный джип «мицубиси» — мощный темно-красный «японец». Неужто хозяин и впрямь собрался ехать? Вот удача-то!

На всякий случай он проехал вдоль улицы до самого конца, там развернулся и покатил обратно. Выбравшись на главную улицу поселка, оставил машину и пешком отправился было обратно.

Но увидел, что железные решетчатые ворота усадьбы бывшего директора разъехались в стороны и из двора вырулил «мицубиси». Автоматика? Ну нет, не может быть у него такой космической автоматики, решил киллер. И в самом деле, в этот момент из машины выбрался грузный мужик в куртке, вернулся к воротам, сам закрыл их и направился к машине.

Далековато, лица не разглядеть, а ошибки быть не должно. И киллер бегом вернулся к своему «паджеро» — старшему брату директорского джипа и, сдав назад, словно случайно перегородил корпусом выезд из улочки и тут же начал газовать и ловко пробуксовывать — взад-вперед, будто застрял, будто резина «лысая».

Наконец подъехал «мицубиси». Здесь, под фонарем, было достаточно светло. Киллер опустил боковое стекло, высунулся и трагически развел руками. Водитель «мицубиси» тоже опустил свое стекло, высунул голову и стал рукой показывать, что все понимает, что не надо форсировать, тут лучше действовать потихоньку. Опытные водители разговаривают жестами, и все им понятно. Киллер смотрел и кивал. Теперь он был спокоен — в машине ехал именно Кобзев.

Сделав рукой «привет», киллер сдал назад, вывернул руль и выкатился наконец на дорогу. Жаль, что не оказалось в этот момент под рукой инструмента. Ситуация сложилась — лучше не придумаешь. Но, прикинув, он все же решил, что сделал правильно, что не поторопился: место все-таки населенное. Словно нарочно, из соседнего двора вышел какой-то мужик и затеял разговор с Кобзевым. Потом на дороге появилась группа молодежи — с криками, хохотом, валянием в сугробах. «А мне это надо? — спросил себя киллер. — Эти свидетели? — И ответил: — Нет, нам они лишние...»

Он ехал, не выпуская «мицубиси» из поля зрения. Не торопился. Не гнал и Кобзев, соблюдал все правила дорожного движения. Это было совсем неплохо, позволяло киллеру отставать, пропускать впереди себя другие машины, словом, всячески маскироваться. Застряв на очередном светофоре, он быстро выскочил из машины и, достав из багажника свою сумку, кинул ее на соседнее сиденье. А во время следующих остановок вынул оттуда пистолет, навинтил на ствол длинный глушитель, дослал патрон, поставил пистолет на предохранитель и сунул во внутренний карман теплой своей куртки.

Информация Лидии оказалась правдивой. Кобзев ехал туда, где не так уж и давно киллер «работал». Он помнил эти башни-дома с консьержками в подъездах, узкие проезжие дорожки, заваленные сугробами тротуары и многочисленные машины впритык к ним. Уж, во всяком случае, свой джип он во двор загонять не станет. Проще оставить на улице и — ножками, ножками.

А вот бывший «генерал», тот, видать, ножками не любил. Он решительно покатил во двор, под арку, свернул направо, протискиваясь между припаркованными у сугробов автомобилями, проехал вглубь и, мигнув ярко-алыми габаритками, остановился. У подъезда, к которому он пошел, как назло, торчало несколько закутанных в платки и толстые шубы бабок. Светился и огонек сигареты. Ничего, нам не к спеху, подумал киллер и независимой походочкой прошел мимо. А когда возвращался обратно, народу уже не было.

Машина у деда наверняка на сигнализации. И стоит по-уродски, перегородив проезжую часть. Вообще-то говоря, такой танк в этой заснеженной узости и не припаркуешь толком. Это могло означать одно:

Кобзев заехал на очень короткое время и сейчас должен вернуться. Кажется, он вылезал из машины, держа в руке большую черную папку. Может быть, для того и приехал, чтобы передать ее?

Пока он так размышлял, нарочито медленно приближаясь к «мицубиси», хлопнула дверь подъезда и из нее быстрыми шагами вышел, словно выкатился, Кобзев. Под сильной лампой на козырьке подъезда киллер теперь уже безо всякого труда и сомнения узнал его. Ошибки тут быть не могло.

Кобзев обошел джип спереди, «вякнул» сигнализацией, включил фары. Киллер на миг ослеп от яркого света, ударившего по глазам. Заслонившись локтем, он, теперь уже быстрее, приблизился к машине. Открыл дверь и поставил ногу на высокую ступеньку. Ростом он, конечно, был невелик.

Залезая в салон, Кобзев задом словно отгородился от подошедшего почти вплотную киллера. Наконец уселся и хотел уже захлопнуть за собой дверцу.

В салоне было светло. Киллер левой рукой придержал дверцу, Кобзев повернулся к нему.

Ну, понятное дело, дверь открыта, человеку пройти мимо неудобно, тесно же, снег...

— Извините, — негромко сказал киллер и, достав из-за пазухи оружие, спокойно и деловито всадил в водителя две пули.

Два негромких хлопка. Человек откинулся на спинку. На колени ему лег пистолет с глушителем.

Киллер легонько захлопнул дверцу — дорогая же машина, с ней надо аккуратно. Свет в салоне погас.

Протиснувшись между машиной и сугробом, киллер пошел по расчищенной проезжей дорожке к арке. А за углом, на улице, его ожидал собственный джип, который тоже сделал свое дело и был больше не нужен. Но вернуть его в контору проката придется завтра. И сделает это веселый швейцар из гостиницы. Надо будет ему отдать документы на машину и добавить сотню-другую. Сочтет за честь. А то еще пару деньков и сам покатается — машина-то арендована на три дня, с запасом...

...И опять пришел вечер, и Максим, освежившись под ледяным душем, придумывал, чем бы заняться.

Негромко работал телевизор, в отпущенное время торопливо освещая местные события. Он слушал вполуха, но ничего интересного для него не передавали. Ну что ж, значит, сработано чисто. Стоит себе машина, в ней отдыхает водитель. Пока не нашлось любопытного, чтобы поинтересовался, в чем дело. Или еще не приехал другой водила, которому бы помешал перегородивший дорогу танк.

Послонявшись по номеру, Максим решил проверить вкус швейцара, посмотреть, кого он может порекомендовать из тех дам, которые смогли бы скрасить приезжему вечерок. Почему-то показалось, что теперь, когда в его чисто любовные отношения с Лидкой втиснулись деловые и не самые приятные, что-то такое нарушилось. Исчезла легкость, с которой они с упоением терзали друг друга. А может, исчезла тайна, а явь оказалась слишком некрасивой, как ты ее ни называй, чем ни приукрашивай. Словом, даже если бы она вот прямо сейчас позвонила ему и предложила немедленно кинуться в объятия друг друга, он, пожалуй, стал бы подыскивать причину для отказа. Не грубого, невежливого, обижающего желающую тебя женщину, а скорее ленивого — мол, настроение... усталость. Может, завтра? Ах не получится? Ну так до следующего раза... Когда случится новый заказ... Нет, и это тоже нехорошо. Но тогда почему же она не звонит? Или у них уже собрался большой хурал, на котором обсуждают, что делать дальше и каким образом реагировать на новое наглое и явно заказное убийство?

И он решил не торопиться, не форсировать события. Пойти вниз, в ресторан, перекинуться со швейцаром, намекнуть насчет машины.

Но тут же подумал, что с машиной как раз торопиться, возможно, и не следует. Она не засвечена. А мало ли какой случай вдруг выпадет? И почему обязательно устраивать сексодромчик в своем номере? Разве неизвестно, что все помещения подобного рода, как правило, оборудованы спецтехникой? Вот и разговоры их с Лидией ни разу не вышли за пределы самой невинной информации, тут он постоянно и четко контролировал себя.

Тогда почему бы не абонировать на ночку какую-нибудь полногруденькую и жопастенькую девочку, у которой имеется свой будуарчик? Пришел, ушел. Дело сделал — пока, дорогая. А понравится, так можно, в качестве подарка, и к себе притащить. Тут попрыгать. И девочке до своей работы близко...

Сказано — сделано. Мобильник в карман, десяток «зелененьких» — в другой. Хотя цены здесь наверняка умеренные.

В холле работал большой и плоский телевизор. Около него собралось с десяток местных служащих. Швейцар от двери тоже вытягивал голову, прислушиваясь.

Говорила дикторша — некрасивая и даже не обаятельная девица. Не мой тип, подумал Максим. А о чем шла речь, понял без предварительных объяснений.

Ну да, недавно найден убитым в собственном автомобиле известный в городе человек... И так далее. Местные его знали и с затаенным вниманием слушали о заказном убийстве. А что же может быть еще? Репортажа с места события не передавали, видно, торопились сперва сообщить саму новость.

В общем, скудная информация. Никто ничего толком даже предположить не может. За что человека убили? Кто убил? Кому это выгодно? Сплошные вопросы без ответов...

— Что ж это делается, отец? — обратился Максим к швейцару. — И у вас такой же беспредел, как у нас, в столице?

— А черт иху знает, чего им не хватает! — морщась, заметил швейцар. — Ведь не бедные же! Сказывают, такие себе хоромы отгрохали, а все не живется! И чего мало? Тьфу!

— Это точно, — покивал Максим. — Ну ладно, отец, живое, как говорится, живым. Если не ошибаюсь, ты мне вскользь пообещал кое-кого показать, а? Не забыл еще? Или никто на работу не вышел?

— Верно говоришь, каждому свое... — философски хмыкнул швейцар. — Кому, значит, это, а кому... Ежели намерение серьезное, отчего не поспособствовать?

— И на сколько потянет твое участие в исполнении моего намерения? Вот для начала, годится? — И сунул ему в ладонь сложенную сотенную купюру.

— Ну у них свой счет, — серьезно предупредил швейцар. — А показать — отчего ж не показать хорошему человеку... — И, оглядев холл, сделал указательным пальцем знак молодому человеку, на миг оторвавшемуся от телевизионного экрана.

Наверняка местный сутенер, подумал Максим. Тот неохотно поднялся из кресла и подошел.

— Чего тебе, Мироныч?

Вон, оказывается, как кличут швейцара, а то — отец! Жирно больно...

— Товарищ... э-э, знакомый мне господин интересуется. Кто нынче-то?

— Брюнетка? Блондинка? Рыжая? Девочка? Женщина? Фактура? — быстро и заученно проговорил тот, словно скороговорку.

Максим улыбнулся такому набору.

— Пойдем, покажи, а там решим. Спасибо, Мироныч, еще увидимся, — сказал он швейцару. — У меня к тебе разговор будет. Завтра не подойдешь? С утречка?

— Так а я на посту как раз до смены. До девяти утра.

— Отлично. — Он переключился на сутенера. — Ну, пошли, поглядим, ху из ху.

— Че говорите? — подобострастно наклонил голову тот, но глаза смотрели настороженно.

— Посмотрим, говорю, что за товар у тебя, — небрежно процедил Максим, маленько «опуская» сутенера до уровня обычного холуя.

«Товар» оказался не так чтоб уж очень, но выбрать можно было. Максим уже приглядывался к пухленькой, под Мерилин Монро, крашеной блондиночке с крупным бюстом, который не помещался в низком лифчике, и с полными ляжками, открытыми по самое, что называется, не могу. Раскованная девица. Молоденькая. Симпомпончик этакий.

Заметив интерес, сутенер подвинулся ближе и зашептал:

— Зовут Маргошей. Двести баксов. Программа — по полной.

— Это что значит?

— Исполняет все. Не пожалеете. Позвать?

Действительно, а почему нет? Другое плохо: деньги придется отдавать вот этой крысе с сильным запахом «орбита» изо рта. А не самой Маргоше. Впрочем, ей ведь тоже достанется. Да можно будет и надбавить — за старание. Все, значит, исполняет? Солистка ансамбля?

Он не успел додумать до конца свое решение, как снова, и опять невпопад, заурчал мобильник, будь он неладен. А впрочем...

— Подожди там, — сказал он сутенеру и жестом показал, чтобы тот отошел. — Слушаю. — Он уже знал, кто звонит.

— Ты где сейчас? — Конечно, это Лидия.

— Да вот, — ерничая, засмеялся он, — гляжу подходящий товар, как тут у вас выражаются. Выбираю спутницу.

— Серьезно? — не поверила Лидия. — Это бывает. Иногда от сладкого на селедку тянет. Знакомо. И как?

— Пока прикидываю, поскольку иных предложений нет.

— Ты когда едешь-то?

— Могу сегодня в ночь, могу завтра с утра, а что?

— Может, заедешь?

— Действительно, а почему бы нет? А то все как-то у нас с тобой на ходу, на бегу, второпях, так ведь и вкус можно в конце концов потерять, верно?

— Ну знаешь! Видала я нахалов, знавала наглецов! Но чтоб таких?! На бегу, говоришь? Давай посмотрим, что потом запоешь!

— А вот это мне нравится. И чтоб по полной программе.

— Это ты где ж такое вычитал?

— Зачем вычитал, просто услышал сегодня. Здесь, у вас. Ну что ж, раз приняли решение, отступать не будем. Подруливай к гостинице. Я выхожу.

— Уже подрулила. И только что видела тебя в холле. Иди одевайся и выходи.

— Так, может, я заодно уж и номер сдам, и машину пристрою?

— Как хочешь, я подожду. Только шлюхам свидания не назначай.

— Есть, королева!

Сутенер был огорчен: сорвался выгодный клиент. А вот швейцар, тот наоборот. Когда Максим передал ему ключи и документы от машины с указаниями и гонораром, Мироныч расцвел и стал уверять, что выполнит бсспрекословно и в лучшем виде. И, прощаясь, приглашал заезжать, навещать, не забывать...

Лидия ожидала в известном уже ему джипе.

— Я гляжу, у вас тут предпочитают эти танки, — заметил Максим, садясь с ней рядом, чмокая ее в щечку и одновременно кидая свою сумку на заднее сиденье.

— Сибирь у нас, — спокойно ответила она. — А тебе они что, не нравятся?

— Да я и сам нынче поколесил на джипе. Завтра его сдаст швейцар Мироныч, хороший мужик. Общительный.

— А тебе не мешает?

— Что, общительность? Так это же самый верный источник информации. Чем меньше у человека пост, тем больший объем информации. Объективный закон.

— Ты не интересуешься результатами?

— А зачем? Разве что-нибудь не так?

— Напротив, — глядя на приборную доску, как бы между прочим, даже и не ему, а самой себе ответила Лидия, — все именно так. Даже больше.

— Не понимаю.

— Последние данные опроса населения. Какие-то бабки сообщили, что заметили какого-то подозрительного типа, что ошивался возле машины убитого. Предполагается — грабитель.

— Но он бы не оставил на трупе оружие, — возразил Максим, — я же телевизор слушал.

— В общем, да... Ну, поехали?

— Поедем, — мягко сказал Максим, — чего-то здорово оттянуться охота!

А еще он подумал, но так, мельком, что как раз оттянуться-то по-настоящему он и смог бы именно с той крашеной Маргошей. Хотя, если и Лиду всерьез раскочегарить, тоже может выйти неплохо...

Больше они на служебные темы не разговаривали, словно убийство бывшего директора стало для них табу. Зато отрывались, вот уж действительно, по самой полной программе. Лидия постаралась. Будто чувствовала, что расставались надолго, и ей хотелось выложиться до дна. Ничего не стесняясь и не боясь. Он это почувствовал и обращался с нею так, будто рядом с ним была не подруга детства, и любимая, и желанная, и потерянная, и вновь приобретенная, а именно вот та толстозадая и покорная кукла, приспособленная для любых сексуальных извращений. А может, так и надо было? Вышвырнуть, выдавить из себя всю злость, которая накапливалась исподволь, постоянно, и заставляла его держать себя всегда на взводе, разве что еще и на предохранителе. Не исключено, что и она понимала это его состояние, поэтому и помогала, и терпела, и заводилась по новой, чтоб совсем обессилел и стал больше похож на того юного и неловкого, который когда-то открыл ей ее же собственные достоинства.

И когда наконец оба оказались в полнейшей прострации, а из всех желаний осталось лишь одно — закрыть глаза и кинуться в беспамятство сна, у Лидии вдруг сработала какая-то внутренняя пружинка, она опомнилась и заговорила о деле.

Для Максима это было несколько неожиданно, он знал, что со всеми *своими* делами покончил, а потому отреагировал не сразу. Да и о чем можно рассуждать после таких бурных, завершающих его пребывание в

Белоярске аккордов? Оказалось, он неправ. На него и дальше имели виды.

Совершенно не стесняясь своей наготы — да ведь и находилась она не где-нибудь в гостинице, а у себя дома, и партнер к тому же наверняка привык уже к ее виду, — Лидия сбегала в прихожую к своей сумочке, которую бросила прямо при входе, поскольку страсть их ослепила еще в лифте, и вернулась — вся такая деловая и с зажженной сигаретой во рту.

Усталый мужчина с непонятным недоверием наблюдал за этими метаморфозами. Только что ведь валялась ничком, прямо дух вон, и тут же — нате вам — бизнес-вумен какая-то!

— На вот, посмотри. — Она протянула Максиму фотографию.

Круглолицый мужчина лет тридцати с чем-нибудь, но лицо дрябловатое и заметные мешочки под глазами — либо пьет много, либо колется: взгляд немного диковатый. А так мужик в порядке.

— Ну и кто это? — без всякого интереса спросил Максим.

— Твой новый клиент, — спокойно ответила Лидия, глубоко затягиваясь и сбрасывая пепел в собственную ладонь, подставленную лодочкой. Такого еще Максим за ней не замечал.

Он хотел было подняться, чтобы принести ей пепельницу, кажется, видел на кухне. Но она несильно толкнула его в плечо, лежи, мол, я сама. Встала и, покачивая бедрами, удалилась.

— А почему вы решили, что мне нужна работа? — крикнул он ей вслед.

Она обернулась в дверях:

— Разве не нужна? И оплата, кстати, выше.

— И во что вы его цените?

Он даже не спросил, а как бы небрежно кинул свой вопрос.

— В сотню.

— Да? Тоже «генерал»?

— Нет, обыкновенный журналюга. Но вредный.

— Вернись, сядь и давай поподробнее, — почти приказал он.

Она с удивлением взглянула на Максима, но послушалась, вернулась и села рядом, а на окурок просто плюнула и кинула в хрустальную вазочку, в которой в прошлый раз стояли цветы.

— Тип из этой же компании, — начала она. — Проживает в Москве, адрес на обороте. С какой-то шлюхой, но не женат. Был доверенным лицом Минаева, фамилия тебе известная. Работал и нашим, и вашим. Сперва продал своего шефа, позже — нашего человека. По заказу Минаева готовит убийственный материал против моего хозяина. Документы ему через того же Минаева должен был передать вчерашний твой клиент. Успел ли, нет, неизвестно. Желательно бы, конечно, иметь уверенность, что материалов у этого типа нет. — Она кивнула на фотографию.

— И как вы собираетесь это сделать? — хмыкнул Максим.

— Этот вопрос мог бы также войти в условия договора, — сухо ответила Лидия.

— Ага, понятно, — скептически покачал головой Максим, — мало того, что вы вешаете на меня очередное «мочилово», но еще и собираетесь меня основательно засветить? Не-а, не пойдет.

— В принципе ты, конечно, можешь диктовать и свои условия... Но, ты понимаешь, это не мой каприз. Несколько дней назад сюда специально по этому вопросу прилетал генерал Толубеев, ты его должен знать. Он-то тебя, оказывается, хорошо знает...

Лицо Максима словно окаменело — стало жестким и отчужденным. Знал он, разумеется, Ивана Толубеева, которого и сам, да, впрочем, и некоторые сослуживцы из управления терпеть не могли, но... терпели! — такой вот парадокс. И почти в открытую называли Ванькой-Каином. А это уже — за его характер, способности и прочие «редкие» человеческие качества. Вот, значит, кто стоит сейчас за всей этой «клиентурой»!

— Ну и что? — спросил спокойно, чтобы не выдать своих мыслей.

— Да ничего особенного, — пожала обнаженными плечами Лидия. — Он, как я поняла, не сомневался в тебе.

— Ну спасибо. Только я не понял — насчет дополнительных условий в договоре. Мне что, почерк менять? Ведь мне, как я думаю, никто не принесет ваши материалы на блюдечке, так? Значит, их придется изымать. А что изымать конкретно? И зачем мне лишние знания? Которые, как известно, рождают многие беды...

— Ты не хочешь?

— Я не вижу для себя необходимости, повторяю, менять свой почерк. Обыски, грабежи, изъятия — это, прости, не по моей части. Найдите себе другого исполнителя. Я не буду возражать и уже забыл все, о чем ты говорила. Как думаешь, что будет удобнее — самолет или поезд? Ну, скажем, до ближайшего областного центра?

— Я бы все-таки хотела, чтобы ты еще раз подумал.

— Не надо торговаться, девочка.

— А если гонорар увеличится до ста пятидесяти? Но чтобы наверняка?

— Не понимаю... зачем ты берешь на себя такую роль?.. Ну еще мужики — куда ни шло, но ты! Не надо усугублять наших отношений с тобой.

— А я уже заметила некий холодок...

— М-да... Между прочим, для вас, на всякий случай. Когда я не уверен, обычно догадками не делюсь... Так вот, вчера клиент привез на место какую-то папку. Во всяком случае, выходил из машины с ней, а вот вернулся уже без нее. Имейте в виду. Не знаю, кто, кому и как ее будет передавать, но тут уже ваши игры.

— Я тоже этого не знаю. Но вполне возможно, что Минаев либо сам передаст, либо через свою помощницу, есть у него такая дамочка, Галя Сергейченко, кстати, мог бы обратить на нее внимание при случае. Одним словом, если он получил эту папку с материалами, то обязательно перешлет ее журналисту.

— Материалы очень серьезные?

— Скорее всего, да.

— Ну вот видите? Даже и сами не знаете... Тогда примите мой бесплатный совет. Ни один, даже совершенно примитивный, дурак никогда никому не отдаст оригиналов. Только копии. И не считайте себя самыми умными. Не там охотитесь, господа. Запомните: оригинал — это железная возможность поторговаться, поиметь дивиденды, сохранить собственную голову наконец. А охота за копиями — дело, во-первых, ненадежное, а во-вторых, глупое. Не убедил?

— Надо подумать.

— Подумайте. И еще — опасное. Как только станет известно, на что конкретно объявлена охота, ваши противники примут дополнительные меры предосторожности. И тогда вам этих оригиналов вообще не видать. А для толкового компромата вполне достаточно и копий. Так и доложи своим... хозяевам, как ты их называешь...

— Наверное, ты прав. Но нам все равно нужны хотя бы копии. Надо же знать, каким конкретно оружием они владеют?

— Ну, разве что попутно, если акция не будет представлять сложностей и дополнительных случайных жертв...

— Тогда, — словно обрадовалась Лидия, — давай решим с тобой так. Ты берешь на себя заказ в полном объеме, с соответствующей оплатой. Пятьдесят процентов — сразу, остаток — по исполнении. Если же добыча материалов будет связана с опасностью провала, рисковать не надо. Но и сумма составит только сотню, идет?

— Надеюсь, расписки мои не нужны? — усмехнулся Максим.

— Достаточно твоего слова... Не хочешь еще разок скрепить договор? — успокоенно наконец ухмыльнулась она. — А то уже светает.

— У тебя наверняка сегодня выдастся хлопотный день. Отдохни лучше. Так что мне выбрать? Самолет или поезд?

— Лично мне удобнее поезд. Ближе, и может подойти любой проходящий. А персональное купе в СВ — это я тебе организую.

— Видимо, придется куда-то еще и за гонораром заезжать? — бросил Максим пробный камень. Ну не могла же быть у них такая абсолютная уверенность в его согласии!

— Нет нужды. Деньги со мной.

— Ну вы молодцы!.. — Он лишь покачал головой и откинулся на подушку, чтобы вздремнуть перед отъездом еще часок-другой. Все остальное его больше не волновало...

Глава двенадцатая
ОПЕРЫ

Их никто не встречал. Сошли с трапа московского рейса в пронизывающую до костей стужу белоярского аэродрома, потоптались в ожидании автобуса, рулившего от здания аэропорта, наконец втиснулись вместе с другими пассажирами и пяток минут спустя оказались снова в тепле.

— Студено, — заметил, потирая уши, капитан милиции Борис Григорьевич Ветров.

— Ух ты ж... — по-простому начал второй капитан, Николай Петрович Кравец, а закончил витиеватую непечатную фразу банальным «твою мать!».

Они прилетели по личному заданию генерала Толубеева, который вызвал их накануне к себе, усадил напротив, что указывало на его особую милость к нижним чинам — обычно стояли в кабинете навытяжку! — и заявил, что им поручено провести операцию особой важности. И, разумеется, повышенной секретности. Предисловие в дальнейшем уже никаких объяснений не требовало.

Капитаны маленько скисли, потому что знали: Толубеев простых заданий не дает, несправившихся в упор не видит и, как правило, быстро от них избавляется, а тех, кому задание выполнить удается, одаривает своими милостями, не слишком, правда, богатыми. Хуже другое — сами задания чаще всего бывают неприятные, с душком и опасностью влипнуть за явные нарушения законности. Но пока чаша сия миновала капитанов, и они вот уже продолжительное время ходили в любимчиках у Ваньки-Каина. Все, конечно, относительно, тем более любимчики. Ну, во-первых, все-таки они профи, во-вторых, что немаловажно, им везло, — значит, не спугнули еще своей удачи. А в-третьих, не докучали начальству просьбами, полагая, что оно само знает, когда и кого следует отличить особо.

Кажется, на сей раз им улыбнулась настоящая удача. Сам жадный до омерзения, Ванька-Каин сообщил, что у них появилась возможность не только сделать нужное дело, но и вполне прилично поправить, если в том имеется необходимость, свои личные финансовые проблемы.

Есть ли необходимость! Да куда ж от нее деваться-то, от этой вечной необходимости? Чай, не в ГИБДД работают, где, что называется, сам Бог велел обувать лохов. В оперативной же работе, еще и в условиях соблюдения особой тайны, сильно карман не набьешь. Да ведь и не в одиночку чаще всего приходится действовать, а в бригаде, где за тобой глаз да глаз.

И вот прилетели они в Белоярск. Указание было такое: прилететь, поселиться в гостинице, которую местные называют своим «Хилтоном», а на самом деле это обыкновенный бывший «Интурист», номер уже заказан; походить по городу, маленько освоиться и ждать, когда позвонят и пригласят для беседы. Когда — будет зависеть от местных условий. Может, день пройдет, а может, и неделя. Им скажут. Деньги для проживания получат в конверте от администратора гостиницы при оформлении въезда. Условия контракта уже в принципе обговорены с местным руководством. Каждый за проделанную работу получит по десять тысяч баксов. На беседе они узнают, с кем можно контачить, а с кем категорически нет. Ну а суть задания сложности не представляет — обычная и привычная им работа. Повышенный же гонорар определяется исключительно самой секретностью задания. Все.

Немного, в сущности, но не так уж и мало, чтобы не понять, что задание, мягко выражаясь, щепетильное. Наверняка что-нибудь из кого-нибудь выбить. И при этом в методах дознания и, соответственно, внушения, не стесняться. Все это будет потом списано, как обычно это делается, за ненадобностью исходного материала. Вот так примитивно иной раз решаются чьи-то судьбы. Ну, раз надо, значит, будет выполнено.

А пока оперативники отыскали автобус, идущий в город, выяснили, как потом добраться до центра, до главной гостиницы. Им посоветовали сесть в автолайн — немного дороже, зато прямо до места. И вскоре они стояли перед высоким зданием, не представлявшим, с их точки зрения, ни малейшей исторической ценности. Разве что внутри?

А вот внутри — да! Впечатляло. А еще больше впечатлили их выданные администраторшей — приятной во всех отношениях дамой средних лет — конверты, на которых были отпечатаны их фамилии. Получив ключи от номера, отправились к себе, не забыв окинуть ищущими глазами просторный холл, и остались весьма довольны даже мимолетным осмотром: кадры имелись, и очень даже неплохие — по провинциальным, естественно, понятиям. А по московским — так обычные шлюхи для разового употребления. Кстати, уже сегодня можно было бы пригласить парочку — для общего знакомства с городской обстановкой. Кому, как не гостиничным бабочкам, и быть-то в курсе всех здешних дел и проблем, включая криминальные?..

В конвертах хрустели зеленые купюры, обменный валютный пункт оперы уже видели внизу, в холле; номер был двухкомнатный со всеми удобствами, значит, никто никому мешать не будет.

Общая работа накладывает свой отпечаток на людей, и оперы были даже чем-то похожи друг на друга, только один, Ветров, был сухощавый, немного выше среднего роста, с худыми, аскетическими щеками и волевым квадратным подбородком, а второй, Кравец, был приземистый, плотный и казался квадратным. А вот лицо у него было пухлое и добродушное. Что, однако, никак не отражалось на качестве его работы, особенно когда надо было быстро и умело добыть из свидетеля, не говоря уже о преступнике, надежные доказательства его «неправоты».

«Девушки», имевшие честь быть приглашенными вечером в номер, чтобы помочь приезжим отпраздновать, так сказать, новоселье, оказались простыми по своим манерам и достаточно сговорчивыми. Последнему поспособствовало то обстоятельство, что в момент знакомства с приезжими в их беседу, на свою беду, вмешался некий субчик крысиного вида и с механически жующей челюстью.

Подрулив поближе к откровенничающим постояльцам и выяснив для себя их потребности, изложенные вслух «его девицам», он довольно бесцеремонно заявил, что вообще-то следовало переговоры вести лично с ним, поскольку...

Последнее он договорить не успел, потому что постояльцы, неожиданно взяв его под белы ручки, почти нежно, но очень настойчиво вывели за двери, затем на широкий пандус, по которому под гостиничный козырек въезжали машины, и там продемонстрировали крысенышу свое о нем мнение. Коротышка неожиданно нанес сутенеру сильнейший удар под дых, который согнул того пополам, едва не заставив подавиться жвачкой, а второй — длинный — дал ему такого пинка под зад, что оказавшийся в одном костюме на пронизывающем холоде молодой человек вмиг забыл о стуже и полетел по пандусу аж до самого бордюра, отделявшего широченный тротуар от бесконечной площади. И там прилег отдохнуть.

Фортуна в лице двоих оперов не позволила сутенеру проститься с жизнью. Его подняли за шиворот, крепко встряхнули и заявили, что в ближайшие две недели его не желают видеть в холле гостиницы. Все понятно?..

Он все понял! Он готов был пасть на колени, но его все еще держали на весу. И когда наконец отпустили, он-таки рухнул в снег, потом сперва на карачках, а дальше в полусогнутом положении кинулся к стоянке, где у него была припаркована потрепанная «мазда» с правым рулем. Что поделаешь, в провинции у сутенеров заработки не сильно велики. Тоже ведь постоянно отстегивать приходится...

Малый подвиг приезжих, совершенный никак не во имя какой-то мифической там справедливости, имел свой неожиданный резонанс. После жалоб пострадавшего сутенера разнеслась молва, что в «Хилтоне» остановились «крутые» из Москвы и к ним надо внимательно присмотреться, прежде чем предпринимать ответные акции.

А напуганные девицы в тот же вечер узнали, что их «работодатель» неожиданно заболел и недели две наверняка будет заниматься исключительно домашней работой. Так что можно не беспокоиться за гонорар, пахать честно и, главное, от души.

Узнав о выходке двоих оперативников, присланных на подмогу белоярским Шерлокам Холмсам, которой они ознаменовали свое прибытие в город и о которой поведала населению гостиничная обслуга — провинция, все у всех на виду, на слуху, а местный телеграф помощнее космической связи! — Гусаковский хохотал от души. Это ж надо! Вышвырнули сутенера, как котенка, даже рожу путем не начистили, всего лишь запретили приближаться к гостинице — и тот послушался! А местные пинкертоны, мать их, уверяют, что с проституцией ничего поделать не могут. Мол, «крыша» там такая, что нечего и думать сломать ее или просто сдвинуть хотя бы в сторону. Нет, разбаловался правоохранительный народ!.. Или сам полностью погряз, что вернее. Потому и вон уж какой день ничего путного доложить не могут: ни кто убил бывшего директора «Сибцветмета», ни за что. Нет следов. А показания случайной свидетельницы — выжившей из ума старухи — ни к делу подшить, ни ниточку нащупать.

Ну а про убийство Валерия Смирнова вообще говорить не приходится. «Дохлый висяк», как доложил прокурор и смущенно опустил повинную свою голову. Главный законник, а разводит руками...

На что всерьез рассерженный губернатор в открытую, не стесняясь, заявил прокурору, что дальше такую работу он терпеть не намерен. Как же людям в глаза-то смотреть? Что им говорить? Кто в конце концов в городе хозяин?

Разгон шел не с глазу на глаз, а в присутствии достаточного количества людей, облеченных властью в крае. Так сказать, мини Совет безопасности, в который входили все руководители силовых и правоохранительных структур, начиная от начальника УФСБ и кончая руководителем патрульно-постовой службы.

Итоги предварительного расследования показали, что и милиция, и прокуратура просто-таки топчутся на месте, разводя руками.

И вот тут очень к месту пришлась поистине анекдотическая история о двух московских ментах, которые одним жестом покончили с «официальной проституцией». Ну а неофициальная — бог с ней, где ж ее нынче нет? Вот уж воистину: хочешь жить — умей вертеться! А в этой «профессии» вертеться надо ого-го как!

Но анекдот анекдотом, а принимать решение требовалось немедленно. Хватит тянуть! Хватит обманывать общественное мнение, тем более теперь, когда до губернаторских выборов остается меньше трех месяцев!

Гусаковский закрыл сердитое совещание, обещав лично подумать и принять кардинальное решение.

В кабинете остались трое: он сам, Лидия Михайловна Горбатова и Егор Алексеевич, его помощник по оперативным вопросам.

Вопрос первый: что слышно о чертовой папке?

Егор доложил, что, если свидетельство известного

товарища верно, документы могут в настоящий момент находиться лично у Минаева. Обыск в доме покойного Кобзева, который проводили следователи прокуратуры и местные оперативники, в буквальном смысле ничего не дал. Никаких документов, имеющих отношение к комбинату, не найдено. Да и зачем они отставному директору?

— Большую ошибку допускаешь, — возразил Гусаковский. — Если бы документов вообще не было, к чему тогда весь сыр-бор? Надо знать своих противников. Например, могут ли они подбросить туфту? Станут ли провоцировать встречные действия? Это ведь большой талант надо иметь, чтобы разгадать маневр. И не купиться на блефе, — сказал Гусаковский, заставив помощников задуматься, но сам же и ответил: — Да нет, не те они ребята, чтоб со мной в покер играть. Да и не их это дело — карточные игры. Разве что Журавлев. Но его нынче, особенно после возвращения Минаева, в расчет брать не приходится, слаба фигура оказалась...

— А сам Алексей, — поддержала губернатора Лидия, — человек слишком прямой, слишком углубленный в свое дело, чтобы заниматься интригами. Не его это хобби.

— Возможно, — осторожно согласился губернатор. — Но категоричным я бы не был. И если Юрка Кобзев передал ему компромат на меня — а я примерно догадываюсь теперь, что бы это могло быть: не бомба, конечно, но все равно очень неприятно, — то, значит, у Лешки Минаева созрела идея пойти ва-банк. А тогда и все средства хороши. Я бы на его месте поступил именно таким образом: подождал бы еще немного, а потом вылил бы порядочный ушат помоев прямо на голову обывателю. И именно в тот тактический момент, когда этот гребаный обыватель должен будет решить, куда кидать свой голос, в какую урну.

— Но если это действительно так и вы, Андрей Ильич, не ошибаетесь, то слива компромата следует ожидать не ранее чем через месяц. А может быть, и позже. Иначе ведь сила удара явно ослабнет. Разве не так?

— Хорошо сидеть в тепле и думать, что на улице мороз, который тебя никоим образом не достанет...

— Но мы ж не можем отменить времена года, — сострил Егор.

— Точно, не можем. И не будем.

— Что-то я не понимаю, о чем вы, господа? — нахмурилась Лидия. — Объясните дуре!

— А чего тут неясного? — засмеялся Гусаковский. — Ты не дура и все прекрасно понимаешь. А вот Егор верно заметил, что если нельзя сменить зиму на лето, то можно хотя бы обезопасить себя от источника мороза. Верно, Егор?

— Так точно, товарищ генерал, — улыбнулся тот. — В самый корень.

— Тогда давайте примем такое решение: попробуем все-таки прояснить для себя, о чем думает Алешка, нет ли у него новых ходов?.. Кстати, что там с его журналистом? Уточните. И — начнем, помолясь, как говорится. Сроку — два дня. А то веселые московские ребятки в нашем раю окончательно растеряют свою невинность. Их же наши гостиничные бляди, поди, за героев теперь держат? Отбою нет? А? А еще пригляди, Егор, это уже по твоей части, чтоб на них раньше времени наша братва не наехала. Чтоб разборка не случилась. Ты там потихоньку предупреди, кого надо... И ты по твоей епархии, Лида, выясни, что там получилось с «Рассветом» и как наши.

— Выяснять уже не надо, Андрей Ильич, — неохотно ответила помощница. — Согласно нашему договору, Журавлев «Рассвет» прикрыл, это успел. А вот с документами получилась задержка. И совсем некстати, Лешка-то из тюрьмы вышел. Короче, договор, уже оформленный с нашей фирмой, был немедленно опротестован. Этот буквоед Минаев нашел-таки зацепку. Но и не в ней даже суть, а в том, что потребитель неожиданно для всех от посредничества «Рассвета», как обещал, не отказался. И теперь Игорь со своими акциями на бобах, а нам остается тихо радоваться, что не сгорели на неустойках. Плохо, конечно...

— Да уж чего хорошего! А почему — сказать?

— Было бы интересно...

— А потому, что надо было не спать твоему Журавлеву, а немедленно действовать. Мы зачем Лешку на нары кинули? Просто из прихоти? Нет, мы осуществляли свою долговременную политику! А эти родственнички Журавлевы, вместо того,чтобы торопиться брать дела в свои руки, действовать, предались бла-го-ду-шеству!

Гусаковский произнес это слово по слогам, демонстрируя к нему полное свое презрение. Ненавидел он и это слово, и действия, с ним связанные.

— Просрали, — шепотом и без улыбки добавил Лидии Егор Алексеевич, но она сердито отмахнулась от него. Он еще, видите ли, будет комментировать.

— Егор, — посмотрел на помощника Гусаковский, — ты и это обстоятельство тоже поимей в виду. На будущее.

— Понял!

Сказанное для Егора обозначало, что надо начинать думать о том, как в обозримом будущем поступать с нерадивым помощником и неверным другом директора Минаева. Это, в общем, не проблема. А вот зачем губернатор по-прежнему цацкается с этим депутатом, тут Егор Алексеевич ничего не мог понять. Но он верил, еще с времен прежней службы у генерала, что Андрей Ильич ничего зря не делает. Возможно, он и тут имеет какой-то свой, непонятный другим интерес.

Выполняя поручение губернатора, Егор Алексеевич встретился с москвичами. Начал давать вводные. И по существу задаваемых ими вопросов быстро понял, что имеет дело действительно с профессионалами.

Ну там материалы оперативно-следственной бригады — не проблема, отвезти на место преступления, показать то, другое, обеспечить транспортом — это все семечки. А вот, скажем, на простой, с точки зрения Егора, задачке — найти исполнителя и вышибить из него необходимые показания на заказчика — возникли вопросы, на которые сразу-то путем и не ответишь. И для этого пришлось, хоть и не поручал ему этого Андрей Ильич, вводить приезжих во все тонкости местных взаимоотношений властей и производителей, правоохранителей и криминалитета и всего прочего, прояснять москвичам суть ситуации, а также причины и диспозицию противостояния главных противоборствующих сил. Ну да, чтобы действовать с развязанными руками, они должны свободно плавать в исходных данных.

Надо сказать, что разговор шел достаточно откровенный. Оперы видели, что ситуация, мягко говоря, щекотливая. Егор же, в свою очередь, готов был собственную голову поставить, что московских оперативников никто не собирается использовать втемную. Но голова головой, а работать-то им! Вот они и поставили разумный вопрос, на который следовало найти не менее четкий ответ: зачем Минаеву потребовалось убрать предшественника?

Из этого же все и должно исходить! Кто такой этот покойник? Что он собирался предпринять или, напротив, уже сделал такое, чего не мог бы ему простить Минаев? Может быть, знал о махинациях последнего? Может, задолжал крупную сумму и не собирался возвращать? Ну должна же быть веская причина!

Как ни тряс мозгами Егор Алексеевич, ничего вразумительного ответить не мог. В самом деле, хоть губернаторский хурал собирай! Простая ж вещь, а с ходу не объяснишь. И ведь не для собственного интереса, не для успокоения совести там или чего другого хотят знать ответ оперы — это же будет первый вопрос, который задаст прокурор.

— Ну хорошо, пусть прокурор тут у вас свой, но есть еще судья! Что, и судья — своя в доску баба? Ну вы, ребята, даете! Все, оказывается, в одном кармане, а вы поводы-причины ищете! У вас же тут как при царе Иване Васильевиче, никакой даже видимостью закона не пахнет, а вы мучаетесь! Ишь какие совестливые!

Но хоть главный вопрос так пока и остался без ясного ответа, другими словами, мог какое-то время, говоря словами величайшего Вождя и Учителя всех времен и народов, «отлежаться», позволяя начинать боевые действия до окончательного решения правовой стороны проблемы, оставались и другие неясности, на которые оперативники непременно желали также иметь «руководящие» ответы.

Обычно в подобных ситуациях не бывает сомнений в том, где следует искать исполнителя. Криминальная среда, противоборствующие преступные группировки, свои собственные интересы и приоритсты — вот из чего они, как правило, исходили. И этот их взгляд практически всегда соответствовал реальным условиям той или иной задачи. Но Егор сразу предупредил, что во избежание ненужных осложнений местную преступную среду трогать пока не стоит. Не их рук это дело, да и в настоящий момент в крае удается немалыми, честно говоря, усилиями сохранять некое равновесие. Сферы поделены, братва вынуждена довольствоваться имеющимся, не пытается залезать в чужие зоны влияния, и потому любой конфликт здесь может вызвать самую нежелательную реакцию. Значит, исполнителя следует искать где-то на стороне.

Логично, согласились оперы. За время своей адаптации в городе они уже успели понаблюдать за контингентом гостиницы. Это как бы позволяло им выяснить уровень потребностей приезжих — с одной стороны, и возможности их удовлетворения — с другой. Так вот, вовсе не пугало, но настораживало обилие «кавказских» товарищей. Их было много. Нет, они не наглели еще, но чувствовалось, что и это — не за горами. Они ведь чем давят? Тараканьей приспосабливаемостью к любым условиям и потрясающей внутренней дисциплиной и жестокостью. Перед ними даже русские, вернее, славянские группировки отморозков иной раз пасуют. И, судя по обилию кавказцев, по их бесцеремонному поведению, они собирались обосноваться в этом сибирском краю всерьез и надолго. Они еще не хамят, не прут на рожон, и потому местная братва их как бы не замечает, не принимает всерьез. Но до грядущих войн, кажется, уже недалеко. Весь оперативный опыт подсказывал это москвичам, не понаслышке знакомым с такой проблемой.

Если поставить перед собой конкретную задачу в этом направлении, то для решения ее следовало, во-первых, немедленно выбрать подходящий объект, а во-вторых, с ходу начать его оперативную разработку.

Договорившись о главном, более рассудительный Ветров, которому без труда удавалось придавать себе вид вдумчивого и дотошного следователя, отправился в администраторскую гостиницы для того, чтобы ознакомиться с карточками проживающих, а ловкий и быстрый в движениях Кравец, любитель пошленьких анекдотов и пухлых девочек, уехал вместе с Егором Алексеевичем знакомиться с оперативной обстановкой.

Уже к вечеру, соединив результаты проделанной работы, оперативники могли сделать первые выводы. И основной был таков: никакой необходимости убивать бывшего директора именно в это вечернее время и в данном месте — напротив окон своей квартиры — у Минаева не было. Только полный идиот в это поверит. Но, может быть, в этом и есть смысл? Задумано и блестяще выполнено чудовищное по своей алогичности преступление? Кто поверит?! А вот именно исходя из этого и действовал заказчик! Что, в свою очередь, свидетельствует о его незаурядном криминальном таланте.

К месту пришлись и показания пожилой соседки, курившей у подъезда вместе со своими такими же старыми подругами в тот вечер, когда был убит Кобзев. Она «своими глазами» видела, и остальные подтверждали ее слова, хотя сами просто не обратили внимания на то, что, пока большая темная машина убитого простояла у их подъезда, мимо них прошел озабоченный дядечка с папкой под мышкой, а в это время мимо машины туда и обратно, будто ему делать было нечего, продефилировал, — откуда слово-то знают такое? или по телику нахватались? — высокий такой мужчина в черной полнящей куртке, какие нынче от китайцев привозят. Дутики их еще называют. Туда, значит, и потом вскорости обратно. Не из ихнего дома человек. И шапочка еще темная — по брови. Такие носят те, которые фруктами на рынке торгуют. Круглая и в обтяжку. А лица видно не было, темно же. А он с той стороны машины ходил. Будто высматривал чего.

Высокий — явный выходец с Кавказа, синтетическая темная куртка — зачем ему было бродить возле машины Кобзева? В принципе задачка не из сложных. Теперь можно и повнимательнее присмотреться к жителям горных аулов, обосновавшимся в дорогих, устланных пушистыми коврами люксах «Хилтона». И особенно следовало обратить внимание на тех, кто прибыли накануне заказного убийства, или около этого. Наконец, еще одно условие. Если Минаев решился на преступление, имея при этом свои, тоже неизвестные до конца цели, то он, конечно, не стал бы выбирать себе исполнителя из местных «спецов». Никто не может быть уверен, что он по какой-нибудь нелепой случайности не засветится. Тем более — местный! Значит, нужен киллер со стороны. В последнее время Минаев выезжал только в Москву, где, кстати, был задержан и некоторое время даже провел в Бутырском следственном изоляторе. Принимая это во внимание, можно сделать предварительный вывод, что уже в камере, поделившись, к примеру, с кем-то из сидельцев своей нуждой, он мог получить и дельный совет, и соответствующую наводку. Приезжий исполнитель чувствует себя на новом месте, как ни странно, иногда комфортнее местных деятелей. Ему некого бояться, во-первых. И легко уйти — во-вторых. Сделал свое дело и — адью! Расчет произведен на нейтральной территории, необязательно с заказчиком, можно и с посредником. И концы в воду!

Получается, что исполнитель мог быть приезжим. Он также сумел легко адаптироваться в новой среде. Как показывает практика, минимально уязвимы в этом отношении именно кавказцы. Куда ни приедут, ни прилетят, сразу вокруг земляки, арак, лаваш, мясо с зеленью, русские дэвочки и все такое прочее! Отчего ж именно такому и не принять заказ? Тем более если он, в общем-то, и не знает конкретного заказчика! Но ведь если не знает, можно и подсказать. Заставить, как говорится, «вспомнить».

И последнее условие. Новичок, даже и с Кавказа, вряд ли сразу возьмется за «мокрое» дело. И хотя среди приезжих с южных гор в сибирскую непривычную для них холодрыгу вряд ли найдется фигурант, ни разу в прошлом не имевший конфликтов с законной властью, выбирать нужно из тех, кому в наше время несложно «сменить масть», как выражаются уголовники. Здесь годятся статьи Уголовного кодекса, касающиеся рэкета, разбоя, бандитизма, похищения заложников. А все эти криминальные явления имеют самое непосредственное отношение как раз к жителям тех мест, которые расположены либо в районах боевых действий, либо вблизи мест проведения затянувшейся контртеррористической операции.

Если вдуматься, исходных не так уж и мало. И, обсудив ситуацию таким образом, оперативники перешли к результатам обследования контингента «Хилтона».

Сперва выделили тех, которые прибыли в Белоярск после возвращения Минаева из Москвы. Среди них отметили чеченцев, ингушей и дагестанцев. Таковых осталось пятеро. Спустившись к администраторше, которая, по известному старому блатному выражению, «давила косяка» на вежливого, умеющего быть приятным собеседником, Ветрова и называла его уже по имени — Борей, Ветров попросил ее пригласить к себе для уточнения некоторых паспортных данных пятерых, отмеченных в списке. Она же, зная, что сотрудники милиции из Москвы прибыли сюда не с девочками прохлаждаться и проститутки у них разве что исключительно в маскировочных целях, охотно пошла им навстречу. Она бы вообще-то и дальше бы пошла, если бы Боречка не стал возражать. Но он пока только приглядывался к наивным стараниям сорокалетней, весьма представительной дамы, хотя и не исключал, нет, совсем даже не исключал... Приедались уже шлюхи с их непременными презервативами. Чистого жанра хотелось, как выражался порой более подкованный в литературном отношении Колька Кравец. А приближавшаяся к роковой черте своей зрелости Анастасия Никоновна явно уж ни в каких искусственных способах самозащиты не нуждалась. И это было ее несомненным достоинством в глазах Бори Ветрова, большого любителя крупных форм и незатухающих страстей неутоленных провинциальных дам.

Короче, оказалось достаточно одного обещающего взгляда капитана, чтобы важная административная работница немедленно развила кипучую деятельность.

Время было вечернее, дежурство у Анастасии, судя по обстановке в ее администраторском кабинетике, не перевалило еще и за половину. А кипящий электрочайник и какие-то кульки на столе в углу, вместе с глухо урчащим холодильником, указывали на то, что питаться эта женщина предпочитала не в буфете, а здесь. И скорее всего — чем-нибудь домашним. При мыслях об этом у давно привыкшего к столовкам и забегаловкам Бориса сладко заныло в желудке. И это обстоятельство не прошло мимо пристального внимания легко и непринужденно двигающейся в довольно тесном пространстве администраторши.

— Может быть, потом?.. — начала она, но закончить не успела, поскольку ее вопрос перебил стук в дверь и вопрос, заданный гортанным голосом:

— Суда можна?

— Заходите, — строго ответил за Анастасию Ветров, а ее одарил ну прямо-таки пламенным взглядом, исполненным полнейшей признательности. — Позже, да?

Она едва не вспыхнула. Даже отвернулась, чтобы укрыть свою радостную растерянность.

— Садитесь, — сказала не поворачиваясь.

— Давайте, это чистая формальность, — подтвердил Ветров и протянул руку. — У вас паспорт с собой? Будьте любезны.

— А что — паспорт? — насторожился горбоносый и скуластый постоялец «Хилтона». — Зачэм? — Но в карман, однако, полез.

— Сверяем некоторые данные, — сухо ответил Ветров. — Давайте, не тяните, тут вашего брата вон сколько! Если мы с каждым будем долгие разговоры разговаривать, что же получится?

Паспорт был еще советского образца, в красной обложке с гербом СССР. Раскрыл. Бецоев Султан Абдурахманович, место рождения — Агачаул Махачкалинского района Дагестанской АССР. Тридцать лет от роду. Полистал дальше — невоеннообязанный. Почему?

Спросил у Бецоева.

— А-а! — Тот сморщился, показывая, что говорить ему очень неприятно. — Молодой был, ашибка дэлал! Турма сидел.

— Статья какая?

— А-а! Сто шестьдесят пэрвая...

— Часть? — строго спросил Ветров, чувствуя исподволь, что с кандидатом для разработки, кажется, повезло с ходу: разбой!

— Втарая... — неохотно ответил Бецоев.

— Сколько впаяли?

— Тры... Ныдавно освободили.

— Так, с тобой все понятно, — протянул Ветров. — Паспорт я пока оставлю у себя, а ты — свободен. Будешь нужен, приглашу.

— Слушай, началнык! — возмутился Бецоев. — Ты что дэлаешь?! Куда я бэз докумэнта? Меня каждый мэнт за жопа брать будэт!

— А ты скажи, что паспорт твой в гостинице, пусть ко мне обращается. Капитан Ветров, запомнил? Ну иди. Скажи, чтоб зашел следующий...

Что-то яростно и огорченно бубня себе под нос на родном языке, Бецоев неохотно удалился. Его место занял новый жилец. Но в отличие от высокого и молодого Бецоева был это пожилой и полный человек с большой лысиной, блестящей от пота, хотя здесь было совсем не жарко. Этот — не подходил. Проглядев его паспорт исключительно для порядка и задав лишь один вопрос: цель приезда, Ветров отпустил его. Цель самая обычная: сопровождал вагон апельсинов. Не кавказских, нет, а из Турции. Которые продаются с наклеенными на них бумажками, утверждающими, будто сии фрукты произрастают в далеком Марокко.

Остальные трое тоже не подошли, но по совершенно иным параметрам. Один прилетел вместе с супругой и детьми, значит, рисковать не станет. Другой оказался инвалидом, хотя подходил и ростом, и возрастом, и происхождением — чеченец из Урус-Мартана. Но — передвигался с палочкой. Ветров полюбопытствовал по поводу инвалидности. Имелась справка: парень служил в милиции, был ранен при задержании боевиков, долго лечился, теперь вынужден заниматься коммерцией. Этот просто не подходил, даже из чисто этических соображений. Наконец третий, явившийся в «нужных» дутике и шапочке, не подходил ростом — маленький и плюгавый какой-то.

Отпустив последнего, Ветров вернулся к паспорту Бецоева. Надо будет обсудить этот вариант с Колькой. Заметил красноречивый взгляд хозяйки кабинетика — чего-то явно ждала. И очень возбуждена дамочка. А что, может, вот прямо тут и немедленно? Как это? Мы хотим сегодня, мы хотим сейчас? В антисанитарных условиях? Так ведь Кольки нет, он на выезде, можно и в номер подняться... Но объясняться почему-то вдруг пропала охота.

Ни слова не говоря, капитан сунул паспорт в карман пиджака, сам пиджак скинул на спинку стула, поднялся, решительным жестом повернул ключ в замке и, сделав один только шаг, уперся грудью в высокий бюст в буквальном смысле затрепетавшей от неожиданности женщины. Она даже испуганным движением вскинула, как бы защищаясь, свои белые руки. Но так же отрешенно уронила их на его плечи, и он вздрогнул от весьма ощутимых уколов ее ногтей. И когда тяжкий вздох родился где-то в глубине ее груди, одновременно с ним с опаской ухнул и узкий диванчик, принимая на себя весьма значительный вес.

Диванчик оказался достойным произведением забытого мастера — не без труда, но тем не менее выдержал быстрый, взрывной натиск, не развалился, ножек не подвернул, а что скрип — так мебель все же старая. Зато и надежная...

— Ах, какой же вы... — задыхаясь от необычайного волнения, шептала Анастасия Никоновна и при этом судорожно водворяла на место нижнее белье, одергивала форменное платье — короткую, туго обтягивающую пышные ее бедра голубую юбку и той же масти не менее тесный жилет, ограничивающий свободу белоснежной шелковой блузки с кружевными рукавами. — Такой вы... стремительный... невозможный! — выпалила она наконец нужное слово...

И Ветров самодовольно ухмыльнулся, застегиваясь: знай, мол, наших. Это тебе, девушка, вроде фуршета. Дойдем и до полного обеда. И до торжественного ужина. Тогда мало не покажется. В голове рождались уже иные, малопристойные планы и фантазии, но Борис, видя непреходящее изумление в глазах обнаружившей неподдельную страсть дамы, решил, что раз уж так получилось, то отказывать себе в удовольствии перейти на домашнюю кухню было бы попросту глупо. И он походя начал как бы ничего не значащий разговор:

— А что, Настенька, вам часто приходится дежурить?

— Сутки через двое, а что?

— И спать вот здесь? — не поверил он.

— Нет, всегда в резерве имеется номер. Но предпочтительнее, конечно, внизу, то есть здесь. Я ж не одна. Есть дежурная, швейцар.

— Ну а поспать-то вы можете во время дежурства?

— Если все спокойно. А почему вы спрашиваете?

— А вы не догадываетесь? — хитро усмехнулся он.

— Ой, ну какой же вы! — кокетливо отмахнулась она. — Неужели так понравилось?

— Горю желанием продолжить наше тесное знакомство. Если вы не против.

— Ох, прямо и не знаю... Загляните вечерком, попозже. — И женщина потянулась к нему губами.

Он подумал, что она очень вовремя исправляет его ошибку: он-то ведь так и не удосужился хотя бы ласково чмокнуть ее в щечку... Оторвавшись друг от друга, они восхищенными взорами показали, что ближайшее будущее станет для них таким восхитительным, что просто туши свет...

Глава тринадцатая

ОПЕРАТИВНАЯ РАБОТА

Султана Абдурахмановича Бецоева, тридцати одного года от роду, жителя дагестанского аула, ранее судимого, взяли в тот момент, когда он возвращался в гостиницу. Остановили прямо на ступеньках. Он не понимал причины задержания, стал размахивать руками и кричать, но его никто не слушал, а трое рослых омоновцев в бронежилетах, масках-шапочках и с короткоствольными автоматами в руках швырнули его лицом на обледенелый бетон, раздвинули ноги и так врубили носком кованого ботинка, что Султана аж винтом закрутило. После чего его без всяких объяснений швырнули в кузов милицейского УАЗа и захлопнули дверцу. Руки его были скованы за спиной наручниками.

Пока шла операция по задержанию опасного преступника, подозреваемого в убийстве, в номере, где проживал Бецоев, в присутствии гостиничных понятых — горничной и одного из случайных жильцов не «кавказской» национальности — шел обыск. Были изъяты наркотики — вполне приличная упаковка, тянущая этак на пару сотен тысяч баксов, если в упаковке той действительно окажутся наркотические средства, на что покажет экспертиза, а кроме того, из-под дивана выудили пару закатившихся туда по неизвестной причине боевых патронов калибра 7,62, которыми снаряжаются обоймы для пистолетов ТТ. Такой пистолет был найден, между прочим, рядом с трупом убитого бывшего директора Кобзева, в его машине. Убийца стрелял из пистолета с глушителем и, как и положено профессиональному киллеру, оставил оружие рядом с трупом. Это говорило также и о его определенном уважении к стараниям работников следственных органов. Нате, мол, берите, не ломайте себе голову. Пистолет, как показала экспертиза, нигде не засвечен, номер на оружии тщательно спилен. Думайте, оперки!

Найденных и зафиксированных автографами понятых улик было вполне достаточно для задержания подозреваемого в недавно совершенном преступлении. Громком преступлении! И местная пресса, и телевидение много вещали по этому поводу.

А еще одно вещественное доказательство, найденное в стенном шкафу и не сразу оцененное присутствующими при обыске, который проводил московский оперативный работник Николай Кравец — его напарник в это время осуществлял задержание подозреваемого, — должно было впоследствии сыграть во всей предпринятой акции решающую роль.

Кравец достал из шкафа черную синтетическую куртку, которую именно сегодня почему-то не надел Бецоев, хотя на дворе было очень холодно. Дубленку надел и черную вязаную шапочку по самые брови натянул. Но это пока ни о чем не говорило. Кравец знал, что искал. А потом они наденут на Бецоева куртку и шапочку, сфотографируют его в нескольких ракурсах и предъявят для возможного опознания свидетельнице, проживающей в доме, где живет и Минаев и где видели подозреваемого в убийстве эта самая бабка и ее товарки.

Можно было с определенной долей уверенности утверждать заранее, что «свидетельницы» таки опознают того «прохожего». Если на них еще маленько подействовать, указать на «кавказскую национальность», на то, что гость с юга и приехал-то как раз накануне. А где «может быть», там рядом и твердое «да». Словом, влип ты, голубь сизокрылый, а потому давай лучше колись, не тяни драгоценное для тебя и других время...

Программа допроса была уже отработана.

Игра в доброго и злого следователей только кажется банальной для тех, кто читал про то в книжках, а не сидел на привинченном к полу стуле со скованными за спиной руками. И вот, после нескольких неожиданных и весьма болезненных ударов по самым чувствительным точкам человеческого тела, а также недвусмысленных угроз, грубияна и садиста сменяет вежливый и внимательный человек, который *все* понимает и сочувствует, однако ведь существуют вещественные доказательства, которые... и так далее... И все, вместе взятое, учитывая недавнюю судимость, тянет ого-го куда! Так зачем же запираться? Можно же и помочь следствию!

Как? Это другой вопрос. Вот об этом можно будет поговорить и поподробнее. А пока пойди отдохни и еще раз обдумай свое положение...

Несколько жестких нажимов, чередующихся с настойчивыми, вежливыми и сочувствующими советами, и человек дозрел. А дальше начинай потихоньку вить из него веревки.

Бецоев и не догадывался, какую судьбу напророчили ему оперы. Ночь он провел в одиночной камере белоярского следственного изолятора, кипя от ярости и требуя, чтобы ему объяснили... Что именно, он, пожалуй, и сам не знал. И кто ему будет что-то объяснять, если вокруг него была глухая, почти мертвая тишина, только из крана вот капало — живые звуки. И на крики его, на стук в дверь никто не отзывался. Как в зиндане — кричи, не кричи, никому твои крики не нужны, сам устанешь, замолчишь...

Он начал перебирать в памяти последние события — может быть, в них надо искать разгадку? Но в чем конкретно? Лысый Салман сказал ему: ты, Султан, поедешь в Белоярск, возьми хороший номер в гостинице, посмотри, кто там есть из наших, походи по торговым точкам, когда я приеду — поговорим. Вот и все! Что делал? А ничего не делал. Исполнял, что Салман велел. Ходил, смотрел. Много своих узнал. За что взяли?

Еще в гостинице этот нехороший капитан ему сразу не понравился. Про статью стал расспрашивать, а сам на жирную бабу поглядывал. Тихо говорил, а глаза — вредные, плохой человек. А баба — хорошая, белая баба, большая, присматривался к ней Султан, понравилась ему, вкусная, так бы и съел... потом. А капитан — злой человек, когда били на ступеньках, смотрел, ничего не говорил.

За что?!

От такой страшной тишины даже сон не идет...

Утром его, сгорбленного и небритого, повели с наручниками на запястьях по длинным и гулким коридорам с железными лестницами, огражденными сетками — знакомые уже дела. Привели и посадили на табуретку возле стола. Кабинет для допросов, понял он. И первая мысль, которая пришла в голову, когда оглядел стены: будут бить. И сильно. А что нужно? Хоть бы сказал кто!

Вошел невысокий мужик с улыбающимися глазами, оглядел Султана. Повернулся к контролеру, который привел задержанного, сказал:

— Свободен. — И, заметив, как тот сделал движение, чтобы снять наручники, добавил: — Оставь. На всякий случай.

Конвоир вышел, закрыв за собой дверь. Улыбающийся мужик сел за стол — по другую сторону, пристально посмотрел на Султана и стал серьезным.

— Будем колоться?

— В чем? — резонно спросил Султан. — Слушай...

— Молчать, — тихо, но грозно оборвал мужик.

А ведь вспомнил Султан! Видел он этого вот в гостинице. Вместе с тем, длинным, видел. Про них еще кто-то говорил, будто они гостиничного сутенера так наладили, что тот вовсе перестал там появляться.

А девочкам сплошная польза — никто их не контролирует, никто бабки с них не тянет.

— Слушай, начальник, — не выдержал долгой паузы Султан, — объясни, за что? Все скажу, что хочешь! Только объясни... пожалуйста, — добавил он уже совершенно безнадежным тоном.

— Хочешь, я про тебя все расскажу? — спросил «начальник».

— Мамой клянусь!

— Зовут меня капитан Кравец, запомни. А теперь слушай. — Он обошел стол, сел на край, покачивая ногой. Ухмыльнулся. — Внимательно слушай, пригодится... Ты в Москве встретился вот с этим мужиком, гляди! — Кравец достал из кармана фотографию и показал Султану из своей руки. — Зовут его Минаевым, Алексеем Евдокимовичем, это я тебе говорю, а себя он велел называть Лехой, запомнил? Где вы встретились? А на Ленинском проспекте, в ресторане «Гавана», на втором этаже. Есть там такие удобные закутки — на двоих человек. Вы пили водку и ели жареных кур. Табака вам сделали. Понял? — Не дождавшись ответа, продолжил: — Пойдем дальше. И вот там Минаев — этот вот мужик, — он снова ткнул в лицо Султану фотографию, — договорился с тобой, что ты прилетишь сюда, в Белоярск, и выполнишь его заказ. И за это он обещал тебе заплатить пятьдесят тысяч долларов. Но в качестве аванса вручил только половину.

— Ты что говоришь, начальник? — ужаснулся Султан.

— Не гони дуру, — жестом остановил его Кравец, — я еще не все сказал... Вот ты и прилетел сюда... какого числа? — Он достал листок из кармана, развернул, прочитал: — Точно, двадцать седьмого прилетел. Отрицать не будешь?

— Это правильно говоришь, — подтвердил Султан.

— Я всегда говорю правильно. Двадцать седьмого прилетел, это в субботу, а в воскресенье прямо возле подъезда дома Минаева, мы потом выедем с тобой на это место, короче, ты выполнил его заказ. Из тэтэшника с глушителем. Двумя выстрелами — в грудь и в голову. А пистолет бросил в салон. И дверцу закрыл.

— Нэт! — закричал Султан. — Я никогда никого не убивал!

И вдруг словно подавился — утробно ойкнул и рухнул с табуретки на пол. И, лежа, как рыба беспомощно разевал и закрывал рот.

Кравец рывком за шиворот легко вернул его на место, потом взял пятерней за волосы, рванул голову назад, посмотрел холодным взглядом, сплюнул в сторону и сказал наконец:

— Убью, на хер, а признание из тебя вырву, ты понял, мразь черножопая? — и отшвырнул голову от себя. Султан еле усидел.

Теперь Кравец вернулся на свой стул, сел и продолжил:

— А вот оставшиеся двадцать пять тысяч тебе Минаев Леха за выполненную работу не отдал. И ты остался, чтобы вытрясти из него душу. Но он — осторожный мерзавец, и достать его ты пока так и не смог, а то давно уже был бы в Москве. Все усек?

Султан молчал.

— Не слышу! — крикнул Кравец. — А, не желаешь отвечать? Тогда я тебе помогу. Слоника видел когда-нибудь? Хочешь увидеть? — Он выдвинул ящик стола и достал оттуда сумку с противогазом: маску и болтающийся шланг. — Вот смотри. Надеваем тебе маску, а потом пережимаем шланг — вот так!

Кравец подошел к Султану с противогазом в руках, постоял, покачиваясь, и вдруг сильным ударом скинул его с табуретки. Султан рухнул навзничь, а Кравец мгновенно уселся ему на грудь и рывком надел на голову противогазную маску. Посмотрел в стекла очков и медленно пережал шланг. Через короткое время Султан забился, закрутился под ним, силясь освободиться. И лишь когда его усилия стали как бы затихать, Кравец отпустил шланг. Подождал, не слезая с груди лежащего на полу Султана, и снова согнул шланг пополам. Агония повторилась...

Наконец Кравец сорвал с головы Султана маску,

встал и отошел к столу. Сунул маску в сумку и спрятал в ящик.

Вернувшись, без особого труда за шиворот поднял Султана и прижал к табуретке.

Султан тяжело и прерывисто дышал, глаза его ничего не видели, в голове стоял сплошной черный туман.

А Кравец между тем говорил:

— Ты сам будешь умолять меня, чтоб я разрешил тебе поставить свою подпись под признанием. Учти, пока еще чистосердечным. Тогда тебе срок отстегнут поменьше, не на всю катушку. А если ты еще не созрел, то у меня в запасе есть много других способов заставить тебя дозреть! — Он заулыбался. — Как спелая слива будешь: нажму, а из тебя косточка — прыг! И вся мякоть наружу. Смотри, не доводи меня до крайности.

И тут резко отворилась дверь. Султан вздрогнул, в ужасе обернулся и увидел входящего с папкой в руках длинного капитана Ветрова. Оглядев Султана, он сделал удивленное лицо. Потом мрачно уставился на Кравца.

— Вам не кажется, капитан, что вы несколько превысили свои полномочия? — спросил он резко и отрывисто, словно швыряя слова.

— Виноват, — склонил голову Кравец.

— Тогда свободны!

Кравец вздохнул, словно у него отняли забаву, мстительно посмотрел на Султана и вышел за дверь. А Ветров все сопел, устраиваясь и роясь в своей папке. Наконец заговорил:

— Ну давайте, Султан Абдурахманович, поговорим спокойно и без нервов. Я вижу, с капитаном Кравцом вы не нашли общего языка? Жаль, это сняло бы для вас многие сложности.

Он говорил долго и монотонно, отчего внимание Султана как-то рассеялось, а приглушенное сознание все грозило отключиться, чтобы дать себе отдых — всю же ночь не спал, а после сразу жестокие пытки. Заметив это состояние задержанного, Ветров достал из папки лист протокола, исписанный четким почерком, и положил его на стол перед Бецоевым.

— Советую почитать, а потом еще поговорим.

Султан уставился на этот лист, с трудом различая буквы. Потом они начали выстраиваться в слова, а те в короткие предложения. Достаточно было нескольких фраз, чтобы понять, что все написанное только что произносил вслух капитан Кравец, заставляя Султана взять на себя чью-то «мокруху». Но тот орал и бил, а этот смотрит сочувственным взглядом, покачивает головой, как бы жалея его, Султана.

— Ваш ответ, Султан Абдурахманович? — мягко спросил Ветров. — Будете подписывать?

— Нэт! — яростно мотнул головой Султан и уронил ее на грудь.

— Ваше право, — спокойно ответил Ветров. — Подумайте, не торопитесь... Ну тогда я пойду? — словно попросил он разрешения. — Да? А вы думайте. Пусть листок полежит пока здесь.

Ветров вышел, а вместо него тут же появился Кравец.

— Что, падла? — прищурился он. — Жаловался на меня, да? А я вот тебе покажу сейчас жалобу!

И Бецоев снова пушинкой слетел с табуретки и грохнулся на пол...

Потом его поднимали, а он опять летел куда-то в угол, голова раскалывалась от жуткой боли, дышать было совершенно невозможно, казалось, что все ребра переломаны, его обливали водой... В самом страшном сне не смог бы он вообразить себе то, что обрушилось на его бедную голову...

Потом, кажется, с ним снова мягко беседовал Ветров, а после опять жестоко бил Кравец. Он терял сознание, казалось, что мучения длятся вечно. Но вдруг они прекратились, и Султан обнаружил, что лежит в своей одиночке на полу и руки его свободны от наручников. Он с трудом сел, словно на молитве провел ладонями по лицу и — странное дело! — не ощутил никакой боли. А вот тело словно побывало под гусеницами трактора — ни одного, казалось, живого места. Вспомнил: по лицу не били, на лице все видно, а что внутри — кто станет смотреть?..

В этот вечер капитаны расстались у входа в гостиницу. Кравец все еще находился под впечатлением не принесшего ощутимых результатов допроса. Ветров же, не принимавший участия в прессовке, был спокоен: он знал, что все еще впереди. Дозреет клиент. Никуда не денется. Если только, не дай бог, кто-нибудь не помешает. Но сейчас он видел, что Николаю нужна разрядка. Он и сказал:

— Давай, Колюня, я тебе сегодня мешать не буду, оторвись маленько, скинь стресс. А я, пожалуй, так и быть, навещу одну большую девушку. Сейчас звякну ей из администраторской и поеду.

Кравец не заставил себя упрашивать. Здесь же, в холле, подозвал парочку уже знакомых ему бойких девиц и повел их в номер. А Ветров, дозвонившись и выяснив адрес, вышел к площади и остановил первого же частника. Назвал ему адрес и через пять минут был на месте.

Анастасия Никоновна встретила его в абсолютной боевой готовности. Но оказалась не живодеркой, а вполне добросовестной хозяйкой, то есть отправила в душ, дала непомерной ширины халат, накормила вкусным ужином, после чего крепко, почти по-матерински, прижала к своей горячей груди и уже не отпускала до самого утра. Да он и не пытался вырваться. Зачем? Она так старалась, что и он невольно заражался ее страстью, а уютная обстановка квартиры придавала их бурным любовным игрищам загадочную пикантность. Нет, здесь совсем неплохо, думал Ветров, вспоминая, что, когда покидал вместе с Кравцом следственный изолятор, меньше всего думал об этой трепетной подруге, жаждущей бурных и бесконечных ласк. А подумал он о ней исключительно для того, чтобы отвлечь мысли от упертого дагестанца. Все-таки очень утомительно вышибать из упрямца нужные тебе показания!

Да ладно бы — вышибать, а то ведь наоборот, надо играть совсем другую роль. Кольке полегче в этом смысле, хотя и у него тоже, конечно, кулаки не железные...

Он в самом деле устал — и от необходимости сдерживать злость и жажду врезать промеж глаз, а теперь еще и от беспрерывных стараний одуревшей от внезапного подарка Анастасии. А вот показать бы ей, чем приходится заниматься, хоть на минутку, предъявить того Бецоева, которого уволакивали в камеру, поди, в обморок бы грохнулась, чувствительная ты моя...

Она попробовала было посетовать, что он почему-то становится холоден к ней, к ее ласкам. Пришлось сознаться, что весь день провел в тюрьме, а это место — не самое лучшее для зарядки перед любовным свиданием. Ужаснулась, но поняла. Маленько отстала, разрешая вздремнуть. Но Ветров уже понял, что и это ненадолго, слишком уж разохотилась барышня. Однако он оказался неправ: стоило ему уснуть, как хозяйка тут же прекратила свои притязания, и он благополучно встретил утро в широкой и непривычно мягкой для него постели.

А с утра немедленно возвратились вчерашние проблемы...

Бецоев по-прежнему не поддавался ни на уговоры, ни на угрозы, ни на усиливающееся давление.

Кравец, который, по его словам, оторвался сегодня на всю катушку, а девки выпотрошили его до такой степени, что он сам себе теперь напоминал пушинку — такой легкий! — испытывал новый прилив сил. И продемонстрировал Султану Бецоеву более полный арсенал имеющихся у него в запасе средств воздействия.

— Как, ты не знаешь, что такое «ласточка»? Чудак, сейчас увидишь...

И Султану выворачивали руки за спину, после чего подтягивали за скованные наручниками запястья к трубе водяного отопления, проходящей у потолка. Потом швыряли на пол и обливали лицо водой...

Надевали целлофановый пакет на голову и завязывали на горле. Пока сознание не оставляло...

И снова били, били, били...

А потом «ласковый» мент сочувственно интересовался, не хочет ли арестованный подписать свои чистосердечные признания?

И — по новой...

Мутным своим сознанием Султан понимал уже, что от него не отстанут, и если теперь не добьются своего, то сделают что-то страшное... хотя, что может быть страшнее, он и не представлял себе. Разве что убьют. Придумают что-нибудь, повезут на машине, вышвырнут на обочине и пристрелят. Скажут — при попытке к бегству... Но и смерть в иные моменты казалась ему избавлением от мучений, которым уже бессчетное количество времени, казалось — всю прошедшую жизнь, подвергали его мучители. И кто из них был хуже, Султан не соображал — оба звери. Только один — дикий, а другой — подлый...

Ни на второй, ни на третий день «допросов», так ничего и не добившись от Бецоева, Ветров предложил Кравцу пожалеть костяшки собственных пальцев и кинуть черножопого в камеру к уголовникам. Пусть они его там примут по-своему и «опустят». Для гордого кавказского мужчины испытать насилие такого рода? А ведь он уже сидел однажды, значит, знаком с тюремными законами: «опущенный», «петух» — это уже не человек. Это — мразь. Полностью ломается психология, с тобой обращаются как с половой тряпкой, об тебя все ноги вытирают, а ты не смеешь даже и глаз поднять! Чем не испытание?

Старший контролер, который по указанию своего начальства выполнял отдельные поручения московских оперативников, сказал, что есть у него нужные отморозки. За пару бутылок водки и пяток доз отхарят кого угодно.

— Ну, за водярой да марафетом дело не станет, — заметил Кравец. — А ты скажи этим «мокрушникам», что «петушок» нам еще живым понадобится. Так что пусть фалуют в охотку, но не до смертоубийства.

И тем же вечером, после многочасового допроса, во время которого Султан несколько раз отключался напрочь, его повели в камеру, но не в ту, одиночную, к которой он уже и привыкать начал, а на другой этаж. И в полубессознательном состоянии втолкнули в чужую камеру, где он и рухнул на холодный пол.

Говоря о «мокрушниках», капитан Кравец имел в виду убийц, осужденных по статье сто пятой Уголовного кодекса. По нынешним временам «вышка» им уже не грозит, но пожизненное — вполне. И зная, что к стенке их гуманная власть не поставит, а больше полученного тоже не добавит, контингент подобного рода, случается, используют для выбивания из подследственных необходимых показаний. «Прессуют» человека по-черному, после чего он готов оговорить мать родную.

Кравец с Ветровым пользовались подобным способом «установления истины» нечасто и, как правило, в безысходных ситуациях. Когда понимали, что сломать клиента не удается. Иной от методичных побоев и пыток сдается и почитает за единственный выход сотрудничество со следствием, соглашаясь на все, подписывая любой бред, подсказанный мучителем. Другой же от постоянной и безумной боли словно уходит в себя, перестает ощущать окружающее, и тут уже дело может быть дохлым. Такого ничем не сломаешь.

Бецоев чувствовал боль, это видели оба капитана, значит, из него еще можно было выбить признания. Ну что ж, пусть будет «пресс-хата»...

И они, поверив на слово старшему контролеру, передали ему пару бутылок оговоренной водки и несколько чеков с «герой», из имеющихся у них для оперативных нужд.

Бывает так: вот строишь, строишь что-то, стены сложил, начал стропила укладывать, то, се, а потом вдруг один неверно поставленный кирпич вздрогнул, заерзал, выпучился — и все твое строение завалилось к едреной матери! Как и не было тут ничего, только груда хлама, бывшего еще недавно прочным строительным материалом...

Не угадали оперы. Или старший контролер подвел.

В камере, куда кинули Султана, и был-то всего один «мокрушник». А четверо других к сто пятой статье никакого отношения не имели. Сидели в этой камере двое воров в законе, местный авторитет и известный в Белоярске рэкетир, державший в страхе половину городских бензоколонок. Ну и «убивец», мотавший по своему ремеслу уже второй срок. Так что пожизненная мера ему была уже заранее обеспечена. Сидели они тут в ожидании нескорого еще суда, кто два года сидел, кто три, и только один рэкетир, которого звали Мурадом и который раньше умело уходил от правосудия, начинал мотать свой первый срок.

Мурад был чеченцем, и ему очень хотели привязать политику. А он не хотел, не соглашался. И жили они в своей «хате» мирно друг с другом, распрей не заводили, политику не обсуждали, националистическими настроениями тоже не пахло. Ну чечен и чечен, не человек, что ли? В немалой степени мирной обстановке способствовало и то обстоятельство, что оба «законника», шедшие по четвертому и пятому разу, пользовались уважением среди остальных сидельцев, а также и во всем изоляторе.

Почему именно эту камеру назвал старший контролер, непонятно. Вряд ли он хотел насолить москвичам. А впрочем?.. Возможно, наблюдая третий день подряд, как после допросов с пристрастием всякий раз его контролеры выволакивают и кидают в одиночку потерявшего сознание человека, он, этот старший контролер, прикомандированный, так сказать, к московским садюгам, пожалел или просто проникся уважением к их жертве. Тоже ведь человек! Не жертва, нет, а он — старший контролер. Чего ж так измываться-то над мужиком? Убивец, вишь ты! А вот сперва докажи! Слабо?..

— Мурадик, — сказал старший в камере, когда дверь за брошенным на пол, лязгнув, захлопнулась, — бают, землячок твой, поди глянь.

Здоровенный, как борец-тяжеловес, Мурад слез со шконки и, подойдя к лежащему ничком Султану, склонился над ним. Потрогал пальцами жилку на шее, легко приподнял длинное тело и положил с краю на нижнюю шконку.

— Дышит? — спросил старший. — Ну, дай ему глотнуть.

Он протянул Мураду бутылку водки, и тот, приподняв голову Султана, вставил ему в рот горлышко и немного влил.

Минут через пять Султан пришел в себя и стал пугливо озираться. Камера молчала. Наблюдала.

Султан застонал и сел. Прошептал:

— Мир... дому...

Послышалось движение, кто-то откашлялся, хмыкнул. Знает закон новенький-то.

— Чалился? — спросил старший.

Султан кивнул и, закрыв глаза, откинулся к стене.

— Пусть маленько отдохнет, — сказал снова старший. — Потом шамовки дайте и побазарим...

И все с ним согласились.

Позже Султану дали еще разок глотнуть водки, остальное сидельцы употребили в охотку сами, а «геру» оставили для старшого, тому по необходимости надо было, застарелые позвоночные боли уматывали его, вот и приходилось колоться помаленьку.

После того как Султан поел, в первый раз, кажется, за все тюремные дни, хлеба ему дали с салом, но голоду мусульманская душа его противостоять не смогла, и он съел все до крошки, которые аккуратно сгреб со стола в ладонь и бережно кинул в рот, и это тоже понравилось окружающим — очень важно ведь, как человек относится к пище! — приступили к своему допросу.

Вот и настало время исповеди. Мурад подсел к земляку поближе и объяснил, чего от него ждут.

И Султан стал рассказывать. О себе, своей судимости, переезде в Москву, где уже обосновался земляк Салман, о причинах наконец, побудивших его прилететь в Сибирь — жить надо, коммерцией заниматься надо! — ну и, самое главное, о провокации, которую устроили менты. Вот тут от него потребовали более пространного и подробного рассказа. А что ему оставалось? Он, как помнил, пересказал, чего от него требовали двое ментов, сменяя друг друга и выбивая из него душу за его несогласие.

Он долго рассказывал. И слушали внимательно. Потом стали задавать вопросы. За что, например, ментам понадобилось его «опустить»?

— Так ведь другими способами они ничего из парня не вышибли! — заметил вместо Султана темпераментный Мурад.

— А ты помолчи, — посоветовал старший, — пусть сам скажет.

Он, казалось, все еще не очень верил Султану. Смущало и известие о лысом Салмане, о котором тоже достаточно всякого слышал он, находясь на воле. Очень, мол, хитрый и коварный лезгин, давно пытается распространить свое влияние на Сибирь-матушку, да только славянская братва сдерживает его, не пускает... Ничего хорошего в появлении в Белоярске этого Султана старший не видел. Но это — совсем другое дело и к воровскому закону прямого отношения не имеет. Однако, чего же все-таки добиваются эти менты? Вон и водяры прислали, и марафету... Значит, очень им это нужно.

Рассказал Султан, что в протоколе обыска в его номере указано, будто он хранил у себя наркоту, а под диваном, куда он и не заглядывал даже, нашли два патрона. Вот и все улики. Да еще тот факт, что прилетел в Белоярск накануне того дня, когда кто-то убил кого-то. И вот теперь им нужен убийца, а какие-то бабки вроде бы опознали по фотографии, что это он, Султан, ошивался у машины покойника. Да, его уже вывозили в тот двор, но он там никогда не был. И ни про каких бабок не знает вообще. Туфта это все ментовская.

Но ведь раз они так стараются, значит, им очень нужен убийца, и они не отступятся, пока не зароют Султана окончательно.

А это уже было не по справедливости. Непорядочные оказались менты. Известно же: поймай, докажи, а не можешь — не мотай душу! Гнилые, выходит, эти московские менты, как их — Кравец и Ветров? Ладно, и до них очередь дойдет...

Пока же камера решила, что выполнять указания подлых ментов здесь не будут. Однако, чтобы не навлечь на голову Султана худших напастей, посоветовали ему изобразить, будто он теперь самый что ни на есть доподлинный «петух» — опущенный хором и всеми презираемый. Все равно долго эта хреновина тянуться не будет. А вот на волю надо отправить «маляву», в которой разъяснить воровскому сообществу, что в городе появились плохие менты, и это надо принять во внимание, когда господа честные воры примут по ним свое верное решение. И это будет справедливо.

И еще один мудрый совет получил в этот день Султан Бецоев. Посовещавшись, «законники» посоветовали ему подписать признательные показания. Все равно в суде они никакого веса иметь не будут. И что бы тебе сейчас ни вешали на шею менты, ты всегда можешь отказаться от своих показаний, мотивируя отказ тем, что они были выбиты у тебя под пытками. Москвичи приехали, отчитались и уедут. А сейчас, чтобы прекратить дальнейшие мучения и издевательства, самое время «сознаться», пойти на сотрудничество со следствием. Оказалось, что то, против чего бунтовала душа Султана, ради чего он терпел ужасные издевательства над собой, — все это ровным счетом не стоит и клочка мятой газеты в параше. Скажи «да», и от тебя отстанут. Тем более что после «пресс-хаты» только законченный идиот будет продолжать сопротивляться.

В первый раз за последние дни Султан спал спокойно. И даже побои не сильно мучили. Разве что когда приходилось поворачиваться на другой бок...

— Ну если и это не подействует, — с юмором заметил Ветров, раскладывая на столе в комнате для допросов бумаги, — тогда тебе, Колька, придется самому его натягивать. Ты, я гляжу, вчера уже троих к себе повел? И как, справился?

Николай снисходительно усмехнулся:

— Я с этим сучарой вчера ну просто выдохся. Вымотал он меня, падла. Думал, приду, свалюсь и даже для стакана сил не хватит. А внизу вижу — Нинка. А с ней еще две новенькие шмары. «Идем, говорят, мы тебе сейчас настоящий тайский массаж покажем. Усталость как рукой снимет». Ну, взял их. Думал — треп обычный. Если сил хватит, оттяну их по очереди. А они и в самом деле умелицы, я такого не видал, честное слово, очень тебе рекомендую. А в нашем деле — ну самое оно! Так оттягивает! И спишь себе потом, как теленок. И телки кругом — хошь так, хошь этак! — Он довольно засмеялся. — А вот как подумаю, что опять весь день талдычить придется, блин, просто пасть бы порвал!

— Ладно, не горячись раньше времени. Его нынче уже отхарили. Я уверен, что его гордая кавказская натура повторения не захочет. Тут ведь не то главное, что его как бабу поимели, а то, что слава «петуха» впереди него по всем этапам побежит. И всякий, кому не лень, будет в дальнейшем без рассуждений ставить его раком. Вот в чем его ужас! А мы ему это объясним поподробнее, если он еще не знает. «Маляву», как они говорят, впереди него пустим. А можем и не пустить, замять печальную для него историю. Как он сам пожелает!

— Пожелает он то, что я ему втолкую, — поглаживая свой кулак, многозначительно заметил Кравец. — Ладно, звони, пусть ведут...

Они увидели Бецоева именно таким, каким и предполагали увидеть — несчастного, смятого морально, еле передвигающего ноги, с черными подглазьями и безвольно висящими сзади скованными руками.

Он прошаркал к ненавистному табурету, с заметным ужасом опустился на него. И тут конвоир впервые за время допросов, по указанию Ветрова, сидящего за столом, снял наручники и вышел за дверь. Кравец расхаживал вдоль стены, разминая пальцы. Время от времени похлопывал кулаком в ладонь, словно примеряясь.

— У вас вид нехороший, — заботливо сказал Ветров. — Как вы себя чувствуете, Султан Абдурахманович? Может, врача позвать?

Султан не поднимал головы.

— Он плохо слышит, — сказал Кравец, продолжая ударять кулаком по ладони. — Со слухом проблемы.

— Не надо, — поморщился недовольно Ветров, — все он прекрасно слышит. И понимает. Пришло время, — вздохнул он, — надо принимать окончательное решение, Бецоев. Либо вы идете нам навстречу, либо происшествие в камере, где вы были участником, — так? — становится достоянием всей этой тюрьмы. И может много ухудшить ваше положение в будущем.

Все развивалось именно так, как рассуждали в камере. Теперь, понимал Султан, надо сдаться. Испугаться и сдаться. Но как? Вчера Мурад подсказал: ничто, говорит, так не действует успокаивающе на следака, как искренние слезы заключенного. Ничему не верит, а им верит. Но, как назло, не умел плакать Султан, ибо знал, что не мужское это дело. Стыдно! Тогда он поднес дрожащие ладони к лицу, обильно смочил подушечки слюной и размазал по глазам. Они стали красными и мокрыми, вполне достаточно.

— Нэ нада... — с сильным акцентом, всхлипывающим голосом, с трудом произнес Султан. Хоть и очень противно ему это было.

— Ах, ему «нэ нада»! — тут же передразнил Кравец, подходя ближе. — А что ему «нада»? Может, он осознал свою неправоту? Может, он понял, что запираться бесполезно? Так вот же протокол дознания! Пусть читает и подписывает. Вот тогда и будет это — «нэ нада»! Я прав, товарищ капитан?

— К сожалению, правы... — с печалью в голосе ответил Ветров. — Вы готовы, Султан Абдурахманович? И не надо рыдать, вы ж все равно остались мужчиной, верно? — Он двусмысленно ухмыльнулся. — А с кем не бывает? Мало ли! И вовсе нет нужды объяснять всякому постороннему, что тебя заставили ночевать возле параши. Я так рассуждаю?

Султан кивнул, стараясь не глядеть в глаза мучителей.

— Ну и прекрасно, значит, мы с вами наконец смогли договориться. Вы в принципе давно усвоили, о чем идет речь, не возражаете?.. — Ветров победоносно взглянул на Кравца — мол, а я что тебе говорил? — и продолжил: — Не считаете больше нужным возражать против предоставленных вам следствием улик и глубоко раскаиваетесь в содеянном. Верно?

Султан снова кивнул.

— Ну а раз верно, вот вам текст вашего признания, можете его переписать на чистый бланк и потом поставить свою подпись и число. А после этого мы отправим вас отдыхать, и никто больше не будет вас беспокоить без острой необходимости.

Ветрову почему-то очень захотелось вдруг взглянуть в глаза сломленного Султана. Но тот прятал их, тер ладонями, шмыгал носом и вообще вел себя как слезливая баба. Что ж, каждый ломается по-своему... Ветров почувствовал наконец облегчение. Дело фактически сделано. Теперь вырванный из Бецоева документ вместе с уликами пойдет в следственный отдел, где уже местные профи займутся своей частью проблемы. Будут они арестовывать Минаева, на которого получен компромат, или ограничатся подпиской о невыезде — это их заботы. Можно будет позвонить Егору Алексеевичу и доложить, что заказ выполнен. Пусть везет окончательный расчет и обеспечивает билетами на обратный рейс. Финита ля комедиа, как выражается начитанный Колька...

Да, и вот еще... Очень заинтересовал Ветрова этот тайский массаж, который так взбодрил Николая. Надо бы попробовать до отъезда, в Москве этой хреновиной наверняка некогда будет заниматься, а здесь, да еще в последний вечер, — почему бы и нет?

И пока Бецоев плохо слушающейся рукой, однако очень старательно, переписывал свои «показания» на чистый бланк, Ветров сделал Кравцу знак и предложил пока выйти в коридор покурить. А Султан никуда не сбежит, ему уже все равно остались мелочи, детали.

Вышли, остановились возле урны в углу, закурили. Ветров был спокоен, а вот Кравца что-то вроде как еще беспокоило. Неясность какая-то. Но Борис сказал, чтоб тот не брал в голову, дело сделано, можно отваливать. Сейчас они вернутся в гостиницу, позвонят Егору, а когда тот приедет, передадут ему все добытые материалы, рассчитаются, и — пока, славный город Белоярск! Другое дело, что очень впечатлял Бориса рассказ Кольки про старания Нинки и ее подружек. Действительно, а почему бы не попробовать?

От недавних воспоминаний Кравец просиял. Но резонно спросил: а как же щедрая администраторша? Ведь такие дамочки на земле, что называется, не валяются!

— Знаешь, Колян, — слегка поморщился Ветров, — она меня, кажется, уже достала. Уж на что я... и то сил больше нет никаких. Это какая-то гидростанция — готова крутиться и днем и ночью, и, главное, совсем не устает!

— А ты, выходит, скис? — сладострастно ухмыльнулся Николай.

— Скиснешь тут... Я ее вчера в номере, там, наверху, уж и так, и этак, а ей все мало. А силища, Колька! Я ж говорю, на десяток таких, как мы, хватит и еще останется. Если тут же случай подвернется!

— А нынче она где будет?

— Сегодня — у себя дома. Там у нее лежбище, доложу тебе...

— Ну так чего? — неожиданно согласился Николай. — Давай, ты сегодня зови Нинку с массажистками, а я навещу твою красотку. Она, надеюсь, не станет возражать?

— А мы так сделаем. Я ее предупрежу, что, возможно, мы вдвоем приедем. Прощальный, так сказать, ужин. Ну, ты заглянешь пораньше, скажешь, что меня где-нибудь у губернатора задержали и я скоро подрулю. Ну а сам уж не теряйся. Ей очень нравится, когда действуют решительно. Без лишних разговоров завалил, вжарил и — поехали!

— Прокола не получится? — с сомнением все-таки спросил Николай.

— Коля, дружище! Да я ее тут как-то прямо в прихожей, на коврике, на карачки поставил, ну, похмурилась маленько, а потом сама на мне так отыгралась, что я думал — задушит. Не боись, капитан!..

Так они и поступили — согласно своему плану.

Из гостиницы дозвонились до Егора Алексеевича. Тот выслушал и обещал подъехать в конце дня. Губернатор сегодня выступает на телевидении, поэтому надо все вокруг него обеспечить. А к девяти можно будет встретиться, посмотреть и оценить качество работы, а заодно заказать билеты на завтра и принять по рюмке.

Николай тем временем спустился в холл, отыскал Нинку и велел ей быть в готовности со своими массажистками примерно к одиннадцати вечера. Час с чем-нибудь обязательно должен был уйти на Егора.

Борис же, договорившись с помощником губернатора, отправился вниз, чтобы выяснить, где нынче Анастасия Никоновна. Оказалось, что она уже смылась домой. Ветров прикинул расписание и убедился, что все правильно, ее дежурство закончилось утром, когда он, совершенно одуревший от ее ласк, стоял под контрастным душем в спецномере на последнем этаже отеля.

Вернувшись к себе, позвонил Анастасии домой. Печальным голосом «доложил обстановку». Та прямо-таки охнула: как, командировка закончилась?! А она что же, была уверена, что они здесь навсегда? Нет, дорогая, труба кличет, призывает к другим не менее важным делам. Но! Чтобы оставить ей о себе непреходящую память, они с Николаем решили посвятить последний, прощальный вечер исключительно ей — красавице и гордости белоярского отеля «Хилтон». Итак, вечер откроется около одиннадцати! Форма одежды — парадная.

Вот так, с шуточками и прибауточками, Ветров решил и эту проблему. А в способностях Кравца он и не сомневался. Так оно будет и лучше, а то вдруг Анастасии Никоновне придет охота поплакаться ему в жилетку!..

Они сошли в ресторан и хорошо пообедали. Потом отдохнули, даже вздремнули, сбрасывая с себя напряжение последних дней. Заказали в номер легкий ужин и пару бутылок неплохого даже по местным понятиям коньяка. И дождались Егора Алексеевича.

Внимательно прочитав показания Султана Бецоева, помощник губернатора удовлетворенно хмыкнул и заметил, что сегодня уже, к великому сожалению, операцию не завершить. Дело в том, что Минаев сейчас не в Белоярске, он полетел на Север края, где выступает перед горняками в качестве кандидата на губернаторский пост, а также как гендиректор комбината, потребляющего их руду. Но это не страшно, главное — есть уже такой компромат, что здесь ему не отвертеться, как в Москве. Неважно, что будет потом. Даже если в конечном счете обвинение развалится, тут основной выигрыш во времени. Ничего, не подавится народонаселение, слопает и безальтернативные выборы и проголосует как надо. А что будет потом, никого пока не интересует. Потом — значит потом.

Раздавили под это дело бутылочку, за ней вторую. Егор Алексеевич вручил по конверту каждому и пообещал, что завтра с утра у диспетчера в аэропорту их будут ждать два билета на ближайший проходящий рейс. А в порт отвезет их водитель Егора. Он поднимется к ним в номер.

Потом они спустились в бар, где приняли по последней, как говорится, на дорожку и со счастливым отъездом. После чего Егор ушел, а следом за ним, уточнив адрес Анастасии, отвалил и Николай. В легком подпитии он как-то не обратил внимания на то, что в холле гостиницы было сегодня что-то многовато народу «кавказской национальности». Видно, очередной десант из центра. Ну тараканы, что еще сказать?..

«Левак» на площади запросил неожиданно много — полторы сотни, хотя Борис говорил, что здесь езды пять минут — полтинник, ну сотня. Подумал, махнул рукой и сел.

Пока ехал, все улыбался, придумывая, как он войдет, как станет раздеваться, как прильнет вроде нечаянно к грандиозной хозяйке, начнет пудрить ей мозги и... Дальше пока фантазия не двигалась, хотя было абсолютно ясно, что именно произойдет. И как, и где...

Водитель подкатил к самому подъезду, взял деньги и тут же уехал. А его место занял другой автомобиль, из которого вывалилась веселая компания. Двое мужиков и женщина, не очень вежливо задев его, не извинившись даже, вошли в подъезд, куда надо было и ему. А пока он соображал, дверь захлопнулась. Пришлось самому набирать код. Потом ждать лифта, уехавшего наверх. Потом самому ехать на нужный этаж...

И когда лифт наконец остановился, Николай приосанился, вышел на площадку и... рухнул, словно подкошенный. Тяжелый удар по голове, слабо прикрытой вязаной шапочкой, мгновенно лишил его сознания.

Глава четырнадцатая

АДВОКАТ

Давно уже не ощущал Юрий Петрович Гордеев такой восхитительной свободы. В «присутствие» он ходил, исключительно чтобы отсиживать положенное время и принимать случайных посетителей, зарабатывая копейки на элементарных консультациях. О завтрашнем дне пока можно было всерьез не думать.

Правда, был момент, взял он грех на душу. Те три тысячи долларов, который столь щедро, а в общем-то, и не по делу отвалил Минаев за то, что Юрий поговорит и, возможно даже, проконтролирует в чем-то Женьку Елисеева, он не стал тратить на обеды в зимних садах ресторана «Прага». Он их отвез в «Глорию», компенсировав таким образом время, затраченное ребятами на его собственные адвокатские дела. Сумма вполне пристойная, Денис не возражал. Курочка ведь по зернышку клюет, да сыта бывает.

А что касается Женьки, то Гордеев, честно говоря, просто забыл о нем. Да и времени прошло всего ничего, неделя-другая...

И вот Женька сам напомнил о себе. Позвонил с утра пораньше и сообщил прямо с ходу:

— Слышишь, там велено передать, что сегодня двенадцатичасовым прилетает Галка. Не знаю, чем ты ее так достал, но она просила, чтоб ты обязательно встретил. Со мной вместе, разумеется.

— Понял. А где твое «здравствуй»? Или вас не учили?

— Учили, не беспокойся, — сердито ответил Елисеев. — Но я еще не забыл, что твоими заботами шеф меня кинул, как последнего фраера.

— Евгений, я тебе уже устал повторять, что к вашим с Минаевым делам я не имею больше ни малейшего отношения. Плевать мне на вас, ребята. Я деньги зарабатываю. Когда платят, говорю «спасибо». Когда пытаются обвести вокруг пальца, посылаю подальше. Либо бью морду. Пора бы понять. А вот Галку встречу с удовольствием. Она мне просто нравится как женщина. Достаточно тебе?

— Так, может, ты-ы...

— Ну договаривай! Не стесняйся! Да, может, я... Ты же не знаешь ничего, свечку тебе держать не дозволили, верно? Так что не бери лишнего в голову. А чтоб ты мне и дальше голову не морочил, я поеду на своей машине, а ты на своей. Ну а там решим, с кем захочет покататься Галя. Привет. Да, кстати, ты еще не начал работать над статьей? Смотри, Минаев обидится и вообще исключит тебя из круга знакомых.

— Тебе-то какое дело? — окрысился Евгений.

— Абсолютно никакого. Просто он перед отлетом просил приглядывать за тобой. По возможности. А я забыл. Ты вот позвонил, я и вспомнил. Похоже, ты теряешь доверие, Женечка.

— Сказал бы я тебе, да... Ладно, при встрече.

— Давай, только не забывай, что у тебя другая весовая категория.

Трубка отключилась, а Юрий стал размышлять, что это: простое желание Галочки увидеться на бегу или у них там опять что-то случилось? И вот вспомнил ее, растаял, подумал, что было бы очень даже неплохо провести с ней ближайший уик-энд. Но взял себя в руки и стал одеваться на работу. До двенадцати времени было более чем достаточно.

Она выглядела еще краше, чем в прошлый раз — все было вроде то же самое: и короткая, отороченная пушистым песцом дубленка, и кокетливо сдвинутая песцовая же шапочка, и восхитительные ножки на каблучках, и личико румяное, но — то и не то, видать, воспоминания добавили обаяния.

— Ой, мальчики! — радостно воскликнула она, увидев встречавших, улыбающегося Гордеева и хмурого Елисеева. — Если б вы только знали, как я счастлива вас видеть! Как я соскучилась!

Но даже и эта совсем не показная радость не смогла растопить лед чем-то оскорбленной души юриста-журналиста.

Через плечо у Галочки болталась небольшая дорожная сумка, а под мышкой она держала черную папку с какой-то странной красного цвета заплаткой. При ближайшем рассмотрении оказалось, что эта заплатка из контрастного материала есть как бы шутка дизайнера. Любопытная папка, Гордеев таких прежде не видел. Заметив интерес, Галя сообщила, что такие недавно появились в продаже у них в Белоярске. И если надо...

Нет, Гордееву не нужно было, тем более что материалы, содержащиеся в папке, как он скоро понял, предназначались совсем не ему, а Елисееву. Это были те обещанные Минаевым документы, которые и должны стать той бомбой, что разорвется в Белоярске в самый ответственный момент предвыборной гонки. Ну что ж, каждому, как говорится, свое. Пусть журналист пашет, хватит ему бездельничать, пора отрабатывать свой хлеб. Именно об этом и говорил Гале перед отлетом Алексей Евдокимович. И конкретно за этим и просил он приглядывать Гордеева. Так что никаких нарушений устного договора, оказывается, еще не произошло, зря Юрий моментами маленько казнил себя. Однако мало ли что? Каяться он ни перед кем, даже Галочкой, не собирался.

А Галя тем временем сообщила и еще одну новость. Оказывается, она только за тем и прилетела, чтобы передать документы. И его попросила приехать в аэропорт только в связи с явственным ощущением, что вокруг этой самой папки начинают твориться какие-то непонятные вещи. Но этого в двух словах не расскажешь — надо бы где-то присесть и обстоятельно поговорить. После чего она будет считать свою миссию выполненной.

Юрий Петрович предложил ей пройти в кафе. И сам не завтракал, и Галочка, поди, в самолете ничего, кроме водички, не попила? Она уже как-то призналась ему, что терпеть не может эти авиационные кормежки, поскольку единственное, что там может быть съедобным, — это упаковка джема размером с чайную ложку.

Евгений против кафе тоже не возражал. Лицо его по-прежнему было мрачным, но теперь на нем появилась еще и печать задумчивости. Видно, решал для себя какой-то жизненно важный вопрос...

Еще ожидая появления Галочки, Гордеев невольно обратил внимание на высокую женщину, закутанную в меха, которая, вероятно, первой покинула прилетевший самолет и быстрыми шагами прошла по «кишке» раздвижного коридора, присосавшегося к открытому люку воздушного лайнера. Женька, тот, занятый своими явно невеселыми мыслями, не обратил на нее никакого внимания, а вот Гордеев подобно молодому жеребцу, услышавшему клич военной трубы, мгновенно воспрянул, приосанился, кинул пытливый взгляд, на всех без исключения языках означавший вполне конкретную и не нуждающуюся в переводах мысль: «Ах, мадам, да попадись вы в мои руки...» Наверняка взгляд был слишком красноречивым, потому что эта эффектная женщина даже вздрогнула слегка, но шага не сбавила, лишь «мазнула» внимательными глазами по лицу Гордеева и подняла руку, приветствуя кого-то в глубине зала, где собрались встречающие. А уж вот это совершенно не интересовало Юрия Петровича — мало ли кто может встречать такую женщину! Муж, любовник, просто поклонник или заранее оповещенный водитель... Каждому — свое, это хорошо известно.

Увидев наконец вышедшую в коридор Галочку, Гордеев, естественно, немедленно забыл о той женщине. Но теперь, устроившись за столиком возле окна, за которым расстилалась огромная площадь, уставленная автомобилями, Юрий Петрович неожиданно снова увидел ту эффектную даму. И заинтересовался. Она разговаривала за окном с высоким и вовсе не старым мужчиной в черной синтетической куртке и спецназовской шапочке. Почему именно спецназовской? А потому, вероятно, что брюки этого мужика были заправлены в высокие шнурованные ботинки, которые носят «силовики» — кажется, они называются «берцы». Чем еще привлек внимание этот мужик? А еще одной любопытной деталью одежды: отвороты его полурасстегнутой куртки были белыми. Черная куртка с белой подкладкой? В принципе, конечно, симпатично...

Пока подошедший официант принимал заказ, Гордеев продолжал искоса, чтобы не ставить себя в неудобное положение перед Галочкой, — кому приятно, когда любящий тебя человек вдруг начинает пялиться на незнакомую женщину? — наблюдать за незнакомкой в богатых мехах. И — прокололся-таки.

— Куда вы все смотрите, Юра? — спросила Галя.

И его вдруг осенило.

— Скажите, Галочка, вам случайно не знакома вон та женщина? Это у нее, кстати, какой мех?

— Где? — нахмурилась Галя, и на лбу у нее возникла суровая вертикальная черточка.

— Вон, за окном, с мужиком в черном разговаривает. Она, между прочим, прилетела вашим же рейсом и вышла первой.

— Ах ты!.. — Галочка подобралась, будто ощетинившаяся кошка. — Ну, с-с-сволочь... — произнесла свистящим шепотом. — И ты тут?

— Кто она? — с новым интересом спросил Гордеев, поглядывая на безучастного Женьку.

— Эта б... — бранное слово было произнесено совсем уже шепотом, точнее, одним движением губ, почти беззвучно, — она работает у нашего губернатора. Между прочим, бывшая ваша, москвичка, с Центрального телевидения. То ли выгнали, то ли наш Гусак к себе сманил, не знаю, но только теперь она главное доверенное лицо губернатора, его подстилка, как, впрочем, и всех его гостей, особо доверенных, разумеется. Кроме того, командует краевым телевидением и держит в своих руках, по сути, все наши средства массовой информации. Сука, каких мало... И чего ей тут надо, очень интересно!.. А мех? Соболь это, Юрочка... — Последнее было сказано с неприкрытой завистью.

— Чрезвычайно масштабная оценка, — усмехнулся Гордеев, — ну а имя-то у нее имеется?

— Вам это надо? — подозрительно уставилась на Юрия Петровича Галочка. — Ладно, чтоб наперед знали, с кем не стоит знакомиться... Горбатова. Лидия Михайловна. Ежели любопытно, сами поинтересуйтесь в Останкино, там ее наверняка еще помнят... Ну все, что это мы нашли себе объект для размышлений?

— Но ведь она зачем-то здесь появилась? — резонно заметил Юрий Петрович. — И вместе с вами. А вы, — он мельком взглянул на безучастного Женьку, — бомбу привезли... Хорошо, не берите в голову. Лучше расскажите, о чем хотели, и вообще, что у вас там, в городе, делается? Как Минаев? Что с его губернаторством?

— Рассказать непросто, — почему-то насупилась Галочка.

— Но вы все же попытайтесь, — не очень настойчиво попросил Гордеев. — Вот и Евгению, думаю, будет полезно услышать, так сказать, из первых рук. А то он совсем уже затосковал. Жень, очнись! Отомри! Вон наш заказ несут. Жаль, нельзя по рюмочке, а то я бы с удовольствием взял коньячку. Хотя... вам-то, моя дорогая, вполне можно, вы же не за рулем, как мы с Женькой.

И он щелкнул пальцами, обращая на себя внимание официанта. Заказал сто граммов коньяку для дамы. От большей дозы Галочка просто категорически отказалась. Она собиралась сегодня же улетать обратно, а Юрий Петрович лелеял надежду уговорить остаться ее на денек. Коньячок же, как известно, делает мысли легкими и вольными, рюмочка-другая, глядишь, и дама начинает отлично понимать твои резоны. Старый способ, давно и прочно испытанный. Все его знают и все так же охотно ему поддаются...

Простая русская ресторанная пища — холодная осетринка, жирные черные маслины, два вида икорки и глазунья с поджаренным беконом — заставили Галочку раскраснеться, рюмочки добавили блеску выразительным ее глазам, вся она как-то наконец приободрилась, отринув груз висящих на чудных ее плечах забот, и вот уже она, кажется, была готова принять разумное предложение адвоката. Но теперь он сам не торопился, не хотелось ставить девушку в неудобное положение перед этим снулым раздолбаем, иначе не мог назвать Елисеева Юрий Петрович. Он лишь повторил свой вопрос: так что там, за горизонтом, нынче происходит?..

А происходили непонятные, странные и даже страшные вещи...

Коротко в рассказе Галочки эти события выглядели так.

Собственно, разворачиваться все началось после возвращения Минаева в Белоярск. По слухам, которые, правда, уточнить довольно трудно, следом в Белоярск прилетал из Министерства внутренних дел генерал Толубеев, которого все знают как старого приятеля губернатора. Он вообще частенько наведывается в Белоярск, и встречает его обычно Лидия. Которая все еще, вон, с мужиком беседует.

Мужик этот зачем-то стащил с головы шапочку, и стали видны его светлые, ежиком, волосы...

Что обычно делает Толубеев? Прилетает, улетает, в перерывах парится в баньке, ездит с Гусаком на охоту, устраивает вздрючки местным правоохранителям. Вот и в этот раз прилетел, говорят, день всего побыл и убрался в Москву. Не в форме был, — значит, не желал привлекать к своей особе внимания.

Потом, вскоре, как стало известно, в центральной гостинице поселились двое министерских работников. Почему это известно? А потому что весь город обсуждал, как эти двое наладили самого крупного местного сутенера, занимающегося гостиничной проституцией. Вроде как под свою «крышу» шлюх забрали. И ничего, никто из «крутых» даже и не шелохнулся. Значит, непростые ребятки прибыли.

— Да, кстати, их прибытию, — вспомнила Галочка, — предшествовало еще одно, поистине страшное событие!

Возле дома Минаева в своей машине был обнаружен убитый бывший директор «Сибцветмета» Юрий Кобзев. И было это в тот самый вечер, когда он согласился наконец встретиться с Алексеем и привез ему материалы. Те самые, копии которых она доставила сегодня в Москву.

Почему копии? Алексей подумал так: уж если из-за этих материалов могли убить человека, значит, их взрывная сила кого-то чрезвычайно беспокоит. Поэтому и сняли насколько копий, а оригиналы находятся в настоящее время в надежном месте. И будут представлены в том случае, если суд потребует. Или правительственные инстанции.

Словом, убили человека... А потом и эти мужики из МВД появились, и вскоре, нескольких дней не прошло, стало известно, что они вычислили и задержали убийцу. Им оказался не то чечен, не то дагестанец. Это не суть важно. Главное же в том, что москвичи сумели доказать вину убийцы. И случилось это буквально позавчера. И в тот ж вечер, уже почти ночью, одного из этих сотрудников нашли на лестничной площадке в доме, где проживает администраторша гостиницы, распутная такая бабенка, мертвым. И не просто мертвым, а с перерезанным горлом. Как это показывают по телевизору в репортажах из Чечни.

Ну, об администраторше нечего и говорить, можно понять состояние женщины, которая, вероятно, ожидала в гости своего очередного любовника, а среди ночи услыхала на лестнице дикие крики соседки, вылетела на площадку и увидела его у своей двери плавающим в луже кровищи...

И вот как все получается в жизни! Когда опергруппа примчалась в гостиницу за его напарником, увидели его в окружении троих проституток, да в таком виде, что... Как говорится, и смех и грех! Пока разбирались, что к чему, напарник что-то там рассказал местным, да тут же и отбыл в столицу от таких кошмаров. А у местных следователей возникла только одна версия происшедшего: это убийство является местью этнической криминальной группировки, которая таким ужасным образом решила отомстить сотруднику Министерства внутренних дел за то, что тот арестовал исполнителя убийства Юрия Кобзева.

Естественно, эти слухи и факты разнеслись повсюду. Минаев, находящийся на Севере края, немедленно позвонил и велел Галочке срочно заняться переданными материалами, как они и договаривались. Просто Алексей все тянул чего-то, может, считал, что опубликование документов о том, как грабили, как банкротили «Сибцветмет», как разворовали миллиарды валюты, и кто в этом виноват, начиная от краевых властей и кончая Центробанком и правительством, словом, весь компромат на чиновников-взяточников и хапуг, будет несколько преждевременным. У нас ведь волна поднимается быстро, но так же быстро и спадает, сходит на нет; всегда находятся ярые защитники, умеющие объяснить все без исключения, а любые преступления оправдать государственной необходимостью. Похоже, этого и боялся Минаев — выстрелить вхолостую, когда внимание к губернаторским выборам в крае еще рассеянно. Ибо избиратели успеют не раз пересмотреть свои симпатии и отдать голоса не тому, кто искренне желает им добра, а тому, кто владеет средствами информации и способами ловкого одурачивания нормальных, не зацикленных на грязной политике людей.

Минаев должен уже сегодня вернуться в Белоярск, и поэтому Галочка торопилась уже сегодня же проинформировать его о том, что материалы доставлены...

Гордеев же подумал, что Минаев, который прилетит домой чуть ли не с Северного полюса, уж точно будет меньше всего нуждаться в информации о том, что документы, точнее, их копии переданы журналисту. Который, кстати говоря, почему-то совсем не рад предоставленной ему чести.

Передала, ну и что, разве нельзя то же самое сообщить по телефону? Или у Минаева действительно никого больше нет в городе и на родном предприятии, с кем он смог бы подержать совет? Свет, что ли, клином на девушке сошелся?

Покончив с ланчем, как назвал их трапезу в кафешке Юрий Петрович, он спросил у Елисеева, отчего тот по-прежнему мрачен? Вот лично он бы, Гордеев, немедленно ринулся домой и засел у компьютера! Или, может быть, Женька уже передумал дальше помогать Минаеву? И вообще, если он считает, что директор хочет от него попросту отделаться, тогда зачем же тот именно ему прислал с нарочной важные документы? Где логика?

Женька пожимал плечами и отделывался непонятными местоимениями.

— Ладно, друг ситный, — не выдержал наконец Гордеев, — я вижу, с тобой кашу не сваришь. Не хочешь, оставляй папку, а я найду другого журналиста, который за приличные бабки сварганит любой убойный материалец. В самом деле, на хрена тебе марать свою неподкупную совесть, а?

Упоминание о совести прямо-таки взбеленило

Елисеева. Он вскочил и, брызгая слюной, закричал на все кафе, что, если бы не он, Гордеев, который поступил с ним как последняя сука и падла, все у него с Минаевым было бы в порядке.

— Ну да, — подтвердил Юрий Петрович, — ты бы продолжал стучать на него, закладывал, где мог, а он бы платил тебе за это баксы...

Еще миг — и Женька кинулся бы на него с кулаками. Но Юрий Петрович поднялся тоже, взял его за руку, сжал так, что Женька даже присел, и негромко сказал, что если он сейчас же не скроется из глаз, то будет бит — больно и долго. И закончил совсем мирно:

— Не забывай, старик, у нас разные весовые категории! А будешь дальше рыпаться — раздавлю как таракана. Вот и Галочке смотреть на твою истерику неприятно. Верно, Галочка?

Та растерянно кивнула.

— Хочешь дальше работать, иди и паши. Не хочешь, вали на все четыре, но папочку оставь. Во втором случае мы немедленно пошлем тебя по адресу, а вот в первом, я подозреваю, можем даже не информировать твоего шефа о том, какая ты гнида. Исправляйся сам, доступными тебе способами. Я правильно говорю, Галочка?

Она снова кивнула, уже с интересом наблюдая за бледнеющим на глазах Женькой.

Юрий Петрович отпустил руку Елисеева и сел. Евгений постоял, словно в раздумье, потом поднял совершенно больные глаза и хрипло, облизывая губы, сказал:

— Ладно, договорились, ничего не было. Извините, ребята. Я правда, пожалуй, поеду... Я не буду вас провожать, Галина Федоровна, да?

— Не беспокойся, Женя, — мирно сказал Юрий Петрович, — я о ней позабочусь. А вечерком позвоню тебе. Иди отдохни и начинай работу. Будет нужна моя помощь — не стесняйся.

Тот кивнул и пошел к вешалке, одеваться.

...— Что с ним? — был первый вопрос Галочки.

— Видно, опять подсел, — вздохнул Юрий Петрович. — Оттого и истерика. Может, ломка начинается... Бледность заметила? Это — реакция. Сам себе роет мужик...

— Его ж ведь лечили...

— А, — отмахнулся Гордеев, — кто сам не желает, того уже не вылечить. А этот не хочет. Ну и черт с ним! Послушай, душа моя, а зачем тебе срочно лететь? Давай позвоним, сообщишь, что нужно, поживешь у меня денек-другой, тебе ведь тоже отдохнуть надо, вон личико осунулось... Нет-нет, красивая! — воскликнул он, видя, что она нахохлилась, будто воробей во время стужи. — Но усталость видна. И я по тебе соскучился уже, а?

— Сперва давай расплатимся.

— Принято, — ответил Юрий Петрович и махнул рукой официанту.

А когда собрались подниматься, Гордеев невольно взглянул в окно, где все еще стояли и разговаривали Лидия с высоким блондином. Странные, подумал, люди, почему бы вот так же не зайти в тепло, в кафе, выпить по чашечке чаю там... А не стоять на ходу, скрываясь за выступом стены от ледяного ветра.

Женька, не заглянув в окно, прошел мимо. Возможно, он даже и не думал о том, что это окно принадлежит кафе. А вот Юрий Петрович не мог не заметить, что Лидия и ее собеседник вдруг, будто запнувшись в разговоре, разом повернулись, глядя вслед Евгению. Потом женщина что-то сказала, а мужчина, чмокнув ее в щеку, натянул свою шапочку и быстро пошел за Евгением следом. В том, что это было именно так, Гордеев не сомневался.

Перейдя к соседнему окну, из которого был более широкий обзор, Юрий Петрович увидел, что Женька уже садится в свои «Жигули», а блондин в черной куртке, стоя неподалеку, явно наблюдает за ним. И когда Женька отъехал, блондин кинулся через площадь, где у него, видимо, была своя машина.

— Все, Галка, — решительно заявил Гордеев. —

Мне очень не нравится эта парочка — кавалер этой Лидии следит за Елисеевым. И это мне представляется опасным. Тем более что Женька в таком состоянии. Ну? Все-таки хочешь лететь? Послушай меня, останься!

— Все, уже послушала. — Она ладошкой прикрыла ему рот. — Я еду с тобой. Только надо обязательно позвонить.

— На тебе мой мобильник, набирай что хочешь и звони кому хочешь, только идем побыстрее... Правда...

— Что, еще проблемы? — встревожилась она.

— Нет, как раз наоборот. Куда Женьке соревноваться с моим «фордом»! Так что догоним! Дорога неблизкая, еще и пораньше приехать успеем. Ох, не нравится мне этот блондин...

Однако пока шли к машине, пока Юрий Петрович выруливал, пока выбрался на шоссе и стал наконец набирать скорость, прошло достаточное время, за которое Елисеев успел уехать далеко. Странно, но как ни старался Юрий Петрович, впереди его машины так и не видел. Может, Женька успел отремонтировать движок, ведь все жаловался? Отремонтировал и так раскочегарил, что и не догонишь? Ну, в конце концов, это не важно. Важно убедиться, что Елисеев благополучно доберется до дома. А заодно и предупредить его, чтоб был особо осторожным. Пугать, конечно, не стоит, но предупредить следует.

В общем, пока они ехали, начало нарастать какое-то непонятное напряжение. Впрочем, так всегда случается, когда возникают неожиданные проблемы, а ты совершенно не знаешь, как их разрешить.

Галя, не выпуская мобильника из рук, пыталась прорваться к себе на комбинат, но там почему-то были заняты все номера телефонов. Прямо обвал.

— Ты не суетись, — успокаивал ее Гордеев, — рабочий день у вас еще не кончился. В крайнем случае, позвонишь директору домой.

Но Галя, волнуясь, не переставала набирать поочередно разные номера, отовсюду слыша короткие гудки...

Похоже, с машиной Женьки случилось нечто сверхъестественное: они так и не смогли ее нагнать. Но, заруливая во двор Женькиного дома на Ленинском проспекте, Юрий Петрович увидел наконец знакомый «жигуленок», как-то по-идиотски припаркованный у подъезда: нос машины въехал в высокий сугроб. Нет, Елисеев точно был сегодня не в себе...

Оставив Галю в машине, Юрий Петрович выбрался на тесную проезжую часть, обогнул коричневую «мазду», которая тоже стояла так, что ни пройти ни проехать, и пошел к подъезду. По дороге заглянул в «Жигули» — так, исключительно для страховки. В машине, естественно, никого не было. Гордеев стал вспоминать номер дверного кода, будь он проклят! Нет у него памяти на эти чертовы цифры! Возвращаться к машине, где в бардачке лежала записная книжка?

И он уже хотел отойти от двери, но внутри хлопнула дверь, затем звякнула и наружная, Юрий Петрович невольно отступил в сторону — назад и вбок, дверь отворилась, и из подъезда вышел давешний блондин в черной куртке с белыми отворотами и шапочке. Юрий Петрович узнал его сразу. Но поразило его не спокойствие мужчины, не скользнувший по Гордееву равнодушный взгляд, а черная папка с ярко-красной «заплатой» в руке у этого блондина.

Все дальнейшее произошло как бы само собой.

Едва блондин, отвернувшись, сделал широкий шаг через ступеньку, Юрий Петрович кошкой кинулся на него сзади, обрушив на голову оба кулака. Блондин поскользнулся и, падая, успел развернуться на спину, защищая лицо папкой. И в этом была ошибка профессионала: он не должен был этого делать. Он машинально лишил себя возможности видеть действия противника. Всего лишь какой-то миг, но его хватило Гордееву, чтобы совершить новый прыжок и обеими ногами врезать в грудь лежащего на земле человека. Удар оказался очень сильным. Блондина согнуло, и он перевалился на бок. Юрий Петрович тут же «довернул» его, уткнув носом в заснеженный асфальт, а руки, не без труда, загнул за спину.

— Галя! — заорал он. — Веревку!

Она выскочила из машины, потом кинулась обратно, наконец достала из «бардачка» — хватило ума! — свернутый кожаный ремень. Хороший ремень, брючный. Юрий Петрович как-то купил себе, но, предпочитая подтяжки, так пока и оставил в машине. Забыл.

Этим ремнем он туго скрутил запястья блондина, отдуваясь перевернул его на спину. Из носа мужика шла кровь — крепко все-таки приложил. А вот глаза его просто пылали ненавистью. Почему? И вдруг он понял.

— Галя, — сказал он, стараясь быть спокойным, — возьми еще раз в машине записную книжку, открой на «е» и посмотри дверной код. А потом поднимись к Женьке. Если у него все в порядке, тогда я — полный м... Или — нет. И телефон мой дай.

Она так и выскочила к нему с трубкой в руках.

— Только быстрее, я жду!

Галя убежала, а он поднял с земли папку, раскрыл молнию и прочитал на страничке, лежащей сверху: «Белоярская краевая администрация»...

Больше и не требовалось. Глядя на лежащего, Юрий зашел сбоку, чтоб тот не рискнул действовать ногами, опустился над ним, нажал коленом на горло и, когда мужик задергался, залез рукой к нему за пазуху, пошарил там, потом под мышкой и нащупал твердый предмет. Что у нас носят под мышкой, да еще в кожаной кобуре? Надо объяснять? Гордееву не надо было...

Крики он услышал, хотя двери в доме были еще закрыты. Они доносились сверху, через открытую на лестничной площадке форточку. Истошно вопила женщина. Но это была не Галя, нет, уж ее-то горе он бы узнал сразу.

И, глядя на лежащего, он стал набирать номер Вячеслава Ивановича Грязнова. Нажимал кнопки и молил Бога, чтобы начальник МУРа оказался на месте.

Бог помог...

Выслушав сбивчивый рассказ Гордеева, тот после короткой паузы спросил:

— Сам, что ли, задержал? И цел остался? Узнаю, Сашкина школа. Ну, не отходи. И не звони больше никуда, я все необходимое сам сделаю. Распоряжусь. А этот-то цел хоть?

— Сейчас узнаю.

— Ну, если говоришь — крики, наверняка дело худо. «Скорая» тоже придет...

Дежурная оперативно-следственная бригада с Петровки, 38, не заставила себя долго ждать. Вячеслав Иванович приехал сам на своем полицейском «форде» с сиреной и мигалками. Из прибывшего следом мерседесовского микроавтобуса выскочили люди в камуфляже. Двое быстренько подняли блондина и под руки поволокли к машине. Судмедэксперт с криминалистом и следователем отправились в дом, двери которого были уже давно распахнуты настежь и приперты кусками старого асфальта, чтоб не закрывались сами по себе. Галочка, совершенно убитая, сидела в машине Гордеева. Проходя мимо, Грязнов нагнулся, увидел ее, сделал удивленное лицо и послал ей воздушный поцелуй. А подходя к Юрию, не удержался от укола:

— Я гляжу, ты не теряешься, господин адвокат? Хвалю и завидую. Пойдем? — Он кивнул на вход.

Юрий Петрович мрачно согласился.

Женька лежал на лестничной площадке лицом вниз. Из спины его, между лопаток, торчала рукоятка ножа.

Пожилой судебный медик поднял голову к Грязнову и доложил:

— Страшенной силы, между прочим, удар-то. Судя по положению рукояти, удар был нанесен сверху вниз. У этого, — он кивнул на труп, — примерно сто семьдесят, значит, у того рост не менее ста восьмидесяти пяти. Смерть наступила от проникновения...

Грязнов махнул ему рукой и вошел в квартиру. Юрий шагнул за ним. Из кухни движением воздуха принесло какой-то сладковатый, раздражающий запашок. Вячеслав Иванович хищно вытянул нос, пошевелил ноздрями.

— Э-э, дружок-приятель... — протянул он. — А тут, чую, варево...

В комнате на тахте лежала полуодетая молодая женщина. Она была без сознания. Грязнов приподнял ее веко, посмотрел в приоткрывшийся глаз и сказал Юрию:

— Тут вот кому срочная помощь-то необходима. Кликни судебного, пусть зайдет. А ты спускайся, ты ж у нас теперь не только свидетель, но и участник события. Иди к Игорьку, следователю. Расскажи, что и как, договорись, куда надо будет подъехать.

— Вячеслав Иваныч, а ведь у него и оружие под мышкой. Я щупал.

— Это небось нашли уже. Интересно, зачем же он ножом-то воспользовался, имея при себе ствол? Пожалел бросать ствол, что ли? И как ты его вычислил?

— Долго рассказывать, — вздохнул Юрий. — Мы его еще в порту увидели. А потом будто что-то в темя стукнуло, и сам не знаю как. Но самое главное — папка, которую сегодня привезла из Белоярска Галина Федоровна.

Гордеев и сам не понял, почему вдруг назвал Галочку официально. Может, хотел таким образом отгородить от насмешливых взглядов Грязнова и Турецкого свои с ней интимные отношения? Ну в самом деле, не хвастаться же, что красивая дама из провинции предпочла именно тебя другим поклонникам?

— Галина Федоровна, говоришь... — пробормотал Грязнов. — Видать, в той папочке и есть разгадка. Сам-то хоть смотрел?

— Знаю примерно содержание. В самых общих словах. Галина Федоровна говорит — атомная бомба. Кое для кого.

— Ну вот этот «кое-кто» и постарался спрятать концы. Таким образом...

Зазвонил его мобильник.

— Слушаю... Чего говоришь? Ладно, сейчас спустимся. — Он отключил телефон и сказал Юрию: —

Странное что-то затевается. Киллер-то, оказывается, совсем не прост. Машет ксивой, требует телефон и уверяет, что ты сорвал ему операцию государственной важности. Не хухры? Вот так-то. Ну, идем... Иосиф Ильич, — с укором сказал пожилому судмедэксперту, — там ведь живые ждут! С этим-то ясное дело. Труповозку вызвал?

— Да, уже едут, — кивнул судебный медик. — А там что, обморок?

— Боюсь, не только. Но — разберись. Сейчас опера пришлю в помощь...

— Вот документ задержанного. — Следователь протянул Грязнову удостоверение сотрудника Министерства внутренних дел, выданное подполковнику милиции Суслину Максиму Леонидовичу. Должность — замначальника отдела Управления оперативно-технических мероприятий.

— Ничего себе, — кивнул Грязнов и шагнул в микроавтобус, где находился задержанный, руки которого были уже в наручниках.

Один из оперативников протянул Юрию Петровичу его ремень, хмыкнул:

— Намучился, поди, пока из порток вынимал?

— Примерно... — подмигнул ему Гордеев.

— У вас что, — спросил небрежно Грязнов, — в управлении теперь отдел киллеров завели?

— Я требую, чтобы вы связались с моим руководством, — хрипло заявил Суслин. — До тех пор ничего говорить не буду.

— С министром, что ль? — уточнил Грязнов, ухмыляясь.

— Вы сами знаете с кем.

— Не знаю, — отрицательно покачал головой Грязнов. — Да и знать не желаю, честно говоря... Как же промашку-то допустили, господин подполковник милиции? Неужто из-за каких-то бумажек человека не жаль?

— Я так понимаю, — сказал Юрий Петрович, глядя в глаза Суслину, — что задание это он получил от помощницы губернатора Белоярска господина Гусаковского, которую зовут Лидия Михайловна Горбатова. Она сегодня специально с этой целью прилетела в Домодедово, где и встретилась с этим типом. После чего он поехал следом за Елисеевым, а я понадеялся на свою машину и опоздал, не спас Женьку...

Как ни держал себя в руках подполковник, все же невольно выдал он себя. Юрий Петрович, говоря о Горбатовой, испытующе смотрел ему в глаза и успел уловить момент, когда в них мелькнула растерянность, тут же сменившаяся хлынувшей волной презрения. Чрезмерного презрения, которым тот старался как бы загасить свою невольную ошибку, прокол.

— Разберемся, — сказал Грязнов. — Вот поедем ко мне, сядем спокойно и во всем разберемся.

— Попробуйте, — насмешливо буркнул Суслин. Похоже, к нему уже возвращалось его спокойствие.

Грязнов слегка наклонился к нему и негромко, но достаточно внятно произнес:

— Послушайте, Суслин, я вас не понимаю. Вы же не новичок в нашей системе. На что надеетесь? Думаете, ваше руководство, узнав, где и при каких обстоятельствах вас взяли, кинется с пеной у рта немедленно защищать вас? Вытаскивать? Да ничего подобного. Оно предоставит эту возможность вам самому. При условии, что вы не упомянете о своем начальстве, сделаете вид, что не знаете о его причастности ни сном ни духом. Иначе, куда бы я вас ни запрятал, да хоть и в то же Лефортово, вам и часа не прожить. Вам же все давно известно и про свое управление, и про свои кадры. Поэтому торопитесь делать правильные выводы.

Грязнов захлопнул дверцу микроавтобуса и, взяв Юрия под руку, вальяжной походкой направился к его, гордеевскому, «форду», где с совершенно растерянным видом сидела Галя. Похоже было, что теперь она просто боялась уже выходить из машины.

— Ну, здравствуйте еще раз, Галочка, — склонился он к опущенному стеклу. — Опять, значит, к нам? А тут вон чего деется-то! Я что хотел спросить? Юрий утверждает, что этот убивец действовал по указанию некоей мадам Горбатовой, а как вы считаете? Вам ведь ближе все эти проблемы?

Галя закивала.

— Тогда, — сказал Грязнов, — нам всем придется проехать ко мне. Запишем ваши показания, возбудим уголовное дело по данному факту. Чтоб все — чин чинарем... комар носа не подточил! Ох, какой хай они поднимут! Но и мы, — он отвернулся к Юрию и добавил, отгородив рот ладонью, — не пальцем деланные...

Галя наконец дозвонилась до Белоярска.

Они в этот момент поворачивали с Садовой в Каретный Ряд. Она жестом попросила Юрия немного притормозить, остановиться, потому что было плохо слышно из-за шума мотора. Гордеев послушно прижался к обочине.

Галя говорила долго, вернее, пыталась вставить хотя бы слово, но у нее это не получалось, поскольку ее абонент тараторил без передышки. Гордеев даже слышал этот бурный поток речи, но не мог разобрать ни слова.

А вот Галя почему-то все больше бледнела и уже не пыталась что-то говорить, а только тихонько и растерянно ойкала. Наконец поток из Белоярска иссяк.

— Что же делать? — совсем убитым голосом спросила Галя. Выслушала ответ и закивала — мелко и быстро. — Я поняла... я все поняла... поняла... — И наконец отключила трубку.

Посмотрела на Юрия, как бы не узнавая его, прошептала:

— Господи, какой ужас...

— Что, еще кого-нибудь? — спросил Юрий.

— Кошмар! — неожиданно воскликнула она. — Ты можешь себе представить, что затеяли эти мерзавцы?!

Гордеев внимательно смотрел на нее.

Оказывается, Гале удалось дозвониться до своей приятельницы, которая работает в секретариате на том же комбинате. И та ей поведала ну просто жуткую историю.

Сегодня утром, уже после того, как Галя уехала в аэропорт, в дирекцию явились представители милиции, прокуратуры, предъявили постановление на производство обыска в головном офисе фирмы «Сибцветмет». Перевернули все в буквальном смысле вверх дном, после чего опечатали все компьютеры, вытащили из них жесткие диски и забрали дискеты. В конце же концов предъявили только что возвратившемуся с Севера Минаеву постановление на его задержание в связи с выдвинутым против него обвинением в подготовке убийства Юрия Александровича Кобзева. То есть ну более абсурдного они просто ничего не могли придумать! И тем не менее надели на Алексея Евдокимовича наручники и увезли с собой. А также все рабочие документы, все материалы, программы, договора и прочее, поставив огромное производство перед фактом его полной остановки.

Но Алексей Евдокимович, надо отдать ему должное, словно уже ожидал чего-то подобного. Он распорядился немедленно передать Сергейченко, то есть ей, Галочке, его просьбу сообщить об этом факте адвокату Гордееву и предложить ему снова взять на себя защиту. А в этой связи максимально форсировать появление в центральной печати той статьи, которую Минаев заказал сделать Елисееву. Знал бы он, что получилось в конечном счете из этого его заказа...

Одним словом, Юрию Петровичу снова предоставлялось право выбора: брать на свои плечи новое дело Минаева или отказаться от него, мотивируя, что для этого, мол, надо бросать все неотложные свои московские заботы и проблемы, куда-то мчаться, практически на край света, да еще неизвестно, что из этой весьма темной истории получится — вон уже сколько кровищи-то напустили! Иначе говоря, никакого желания немедленно бросаться в бой, чтобы защитить честь сибирского директора, у Гордеева не было. Он и хотел было уже таким образом сформулировать свой отказ. Мол, одно дело, когда это касалось московских событий, а совсем иное — где-то у черта на куличках...

Но растерянно-испуганные глаза Галочки, ее немая мольба, обращенная к нему — такому сильному, такому надежному и замечательному мужчине, который только что, на ее глазах, в одиночку, сумел схватить и обезвредить опасного убийцу, к человеку, обладающему просто потрясающими связями, окруженному могущественными друзьями, — все это, мгновенно прочитанное им в ее умоляющем взгляде, сделало свое «черное» дело. Ну как после всего этого отказать? Кем же после подобного отказа придется себя считать?

«Господи, — лишь и успел трезво подумать Гордеев, чувствуя, что голова его уже сама по себе утвердительно кивает, соглашаясь, — что они делают с нами, эти женщины!..»

— Что, ты сказала, Минаеву инкриминируют? — И увидев недоумение в ее глазах, разъяснил: — Ну, в чем обвиняют?

— Будто он организовал убийство Кобзева, бывшего директора. Того, который, кстати, сам, лично приезжал, чтобы передать Алексею компромат на нашего губернатора, его окружение и московских покровителей.

— Те бумаги, что в папке? — уточнил Гордеев.

— Именно! Ну скажи, какой смысл убивать человека, который не испугался за свою жизнь?..

— А надо было бояться? — перебил Гордеев.

— Может, и надо! — запальчиво возразила Галя. — Однако он не испугался и привез! И успел передать. А его убили...

— Но откуда стало известно, что именно Минаев, скажем так, заказал Кобзева? Ведь проблема как раз в этой плоскости?

— Они якобы задержали убийцу Кобзева, и тот во всем сознался. Кого он убил, где, когда и по чьему указанию. Даже сумму назвал.

— Ну-у... это уже другое дело, — рассудительно заметил Юрий. — Значит, ваши ребятки там здорово постарались... Слушай-ка, подруга, а ты, помнится, мне что-то рассказывала о том, что москвичи кого-то у вас раскрутили? И, похоже, за это одного из них зарезали как барана? Или я что-то путаю?

— Все правильно и ничего ты не путаешь! Ну, Юрочка, что же нам делать? Надо же немедленно спасать Алексея! Здесь же рядом все-таки был ты! И твои друзья... А там? Я просто не знаю, как еще тебя убедить!

Кажется, она была готова всерьез заплакать. Да, конечно, только этого ему и не хватало для окончательного согласия...

— Давай мы с тобой попробуем поступить разумно, — сказал он наконец. — Ты понимаешь, что я не могу с бухты-барахты кинуться из Москвы, где у меня и работа, и определенные обязательства. К тому же необходимо официальное приглашение к защите. Женька был доверенным лицом Минаева и мог от его имени заключить договор, который и являлся моим основным документом, иначе никто меня и близко не подпустил бы ни к самому Минаеву, ни к материалам по его делу.

— Считай, что это я, его помощница, по его личной просьбе и вполне официально прошу тебя принять на себя защиту Алексея Евдокимовича. Аванс нужен? Будет. Все будет, только ты дай свое согласие! Ну, Юрочка же!..

Точно, сейчас заревет белугой, голосок уже дрожит...

— Только не реви! Что с вами поделаешь, надо — значит, надо. — Гордеев вздохнул, уже представляя, какой тяжеленный груз он снова взваливает на себя. — Тогда нам, наверное, следует поступить таким образом. Ты дашь свои показания, потом нам придется проехать в мою контору, где мы заключим соглашение. И ты полетишь в Белоярск. Ну, может, не с ходу, может, завтра утром, — быстро поправился он, сообразив, что было бы верхом дурости вот так, запросто, отпускать убитую горем девушку. Нет, ее придется долго и ласково успокаивать. Как это делается, Гордеев отлично знал. Да и потом: ну если уж сам лезешь черт-те куда, так надо же хоть что-нибудь от собственного риска и поиметь!..

Она просияла, услышав его долгожданное «да». А

остальное было уже делом техники. Со всем остальным она была заранее согласна, будто и волноваться дальше было больше незачем.

— Ты полетишь к себе, разведаешь там — что и как. А я прилечу чуть позже, возможно, через день. Надо ознакомиться с материалами Кобзева. Почти не сомневаюсь, что идею заказанной Минаевым статьи также придется тщательно проработать. Об этом я постараюсь перекинуться с Сан Борисычем, он у нас не только генерал юстиции, но еще и неплохой журналист, в газетах печатается. Значит, и статейку придется организовывать... надо заранее подумать, кто сделает, где будут печатать. Это же все наша тяжелая артиллерия. Тем более что мы пока не знаем, чем конкретно располагает обвинение. Видишь, сколько проблем?

— Я понима-аю, — протянула Галочка, зябко поеживаясь, хотя в салоне машины было тепло, даже душновато.

— Ну а раз понимаешь, тогда поехали давать показания. Тут уже рядом, вон в том большом желтом доме, видишь? Здесь ты еще не бывала? Вот и посмотришь, где работает Вячеслав Иванович. А потом сразу займемся и нашими делами. Ох, чует мое сердце...

— Что? — насторожилась Галочка.

— Так, ничего, — поморщился Гордеев. Не мог же он сказать ей, что в глубине души готов казнить себя за собственную мягкотелость, уступчивость... которые всякий раз обрушивают на его грешную голову всё новые опасности...

Глава пятнадцатая

АДВОКАТ

(Продолжение)

Улетала Галина Федоровна Сергейченко твердо уверенная в том, что беда, случившаяся с Алексеем Евдокимовичем, будет, как в той песне, разведена руками.

Как ни хотелось Юрию Петровичу побыстрее отключиться от новых нахлынувших дел, чтобы заняться сугубо личными и весьма, надо сказать, приятными, проклятый профессиональный долг подсказывал: уедет Галя, и возникнут новые вопросы, на решение которых будет уходить масса нужного для других дел времени. Значит, надо успеть воспользоваться ее присутствием в Москве.

Завершив необходимые действия на Петровке, 38, Гордеев, прихватив Галочку, на которую Вячеслав Иванович явно не без коварных мыслей и поглядывал, и даже успел предложить ей совершить, если она не торопится уезжать, небольшую экскурсию по знаменитому зданию, где есть и музеи, и закрытые лаборатории, и многое другое, недоступное глазу обыкновенного человека. И при этом он так хитро поглядывал на Юрия, что тот начал потихоньку «заводиться». Галочка вежливо отказалась, мотивируя это действительной необходимостью возвращаться в Белоярск, а Грязнов лишь подмигнул Гордееву и, смеясь, заявил:

— Ну, твое счастье, Юрка! А то, видит Бог, увел бы!..

Так все и закончилось — шуткой. А Гордеев подхватил девушку и был таков. Теперь путь его лежал в уже знакомую Гале «Глорию».

Денис был на месте, занят с каким-то посетителем. Пока ожидали, успели выпить по чашечке хорошего кофе, сваренного в автомате, недавно приобретенном для нужд сотрудников агентства.

Кроме Дениса и дежурного, здесь в настоящий момент никого не было, народ где-то бегал, зарабатывая деньги.

Денис проводил наконец посетителя, полного и какого-то неприятного даже внешне пожилого мужика, пожал ему на выходе руку, а когда тот ушел, сбегал в туалет и вымыл руки.

— Кто? — взглядом спросил Юрий Петрович.

Денис, морщась, отмахнулся, как от чего-то очень ему противного.

— Какие дела? Что нужно — совет, помощь? — сразу перешел к главному Денис.

— Возможно, и то и другое, — ответил Гордеев. — Ситуация на сегодняшний день сложилась следующая...

И он подробно, приглашая и Галю помогать ему, уточнять детали, если что не так, рассказал Денису о происшествиях последних дней — в Белоярске и, разумеется, в Москве.

Сказал и о том, что вынужден снова впрячься в этот тяжеленный воз, который наверняка привезет еще немало мерзости. Но... на карту снова поставлена честь человека. Не говоря уж о жизни. Так он и желчь свою излил, и Галю с ее ощущением, что он должен непременно совершить свою высокую и обязательно благородную миссию, тоже не обидел.

На сей раз проблемы, как понимал Юрий Петрович, касались двоих новых фигурантов, появившихся в белоярском деле. Это профи из МВД Суслин и бывшая сотрудница Центрального телевидения, обосновавшаяся в Белоярске, Горбатова. Вот про них Гордееву требовалось знать как можно больше, если не все. Но последнее — это, конечно, из области благих пожеланий, фантазии. Кто они, откуда, что может связывать и все остальное. Потому что слишком уж тесным оказывается круг лиц, устроивших большую драчку вокруг сибирского предприятия. А для того чтобы составить своеобразный график, что ли, схему действующих и противодействующих сил, надо бы все о них знать. Поскольку ненужное в принципе убийство Елисеева — можно ведь было просто дать покрепче по башке да и забрать папку — оказалось кому-то необходимым. Кому? И только ли в Белоярске? Ведь именно оттуда прилетела к убийце на встречу мадам Горбатова, помощница самого губернатора. Или это все было определено также и в Москве? Вон сколько набирается вопросов. Не ответишь на них — не будешь знать, против кого конкретно придется затевать борьбу.

— Я знаю, что твой Макс... — намекнул Юрий Денису на его замечательного компьютерщика, для которого не было особой трудности проникнуть в некоторые секретные досье.

— Да я уже понял, — ответил Денис. — Придется, видимо... Давайте так, друзья мои, я со своей стороны пока ничего не обещаю конкретного, но усилия мы предпримем. Что накопаем, немедленно сообщу. А тебе, Юрочка, я бы все-таки посоветовал, не шибко откладывая, снова поговорить с дядь Саней. Ты ведь знаешь, что равных ему по части строительства версий пока нет.

Вот на такой оптимистической ноте они и завершили свое краткое совещание. Тем более что в агентство буквально ворвался с папкой в руках давешний неприятный посетитель.

— Я нашел, Денис Андреич! — с ходу закричал он, цепляя на вешалку пальто и размахивая папкой.

— Чего это он? — тихо спросил Юрий. И Денис так же негромко, но чтоб Галочка все же слышала, пробубнил:

— Нашел себе шлюху, а теперь хочет твердо знать, кому она продает его коммерческие тайны. Небось новый компромат на нее привез. Ох и гнида, ребята... Ну, пока.

Галочка все же всплакнула, когда уходила от Юрия по длинной «кишке» на посадку в самолет. И были в этих ее слезах оттенки разных чувств, которые мог различить Гордеев. Тут был и определенный страх по поводу происходящего, и горечь от расставания, даже краткого, поскольку Галочка, похоже, начала обвыкаться в жилище Юрия Петровича, наконец, возможно, и благодарность за теплоту и ласку, активно продемонстрированные им по отношению к ней... Да мало ли почему вдруг хочется всплакнуть красивой девушке, которой уже за тридцать, когда, подобно решительно всему на свете, проходит и эта счастливая ночь? Просто такое вот на данный момент состояние души. И Гордеев понимал ее, обещая не задерживаться и сообщить, когда прилетит в Белоярск. День-другой роли сейчас не играли, а вот материалы для обеспечения собственных тылов следовало иметь прочные.

Итак, она улетела, а Гордеев, согласно договоренности с Александром Борисовичем Турецким, отправился к нему на Большую Дмитровку.

Выслушав Юрия, Турецкий заметил, что, по его мнению, адвокат пока действовал верно. И посоветовал обратить особое внимание на семейство Журавлевых. Не нравились ему эти «птицы». А еще Юрию, вероятно, следовало бы внимательнее приглядеться, чем в последние дни занимался журналист Елисеев. Если его следы ведут к известному уже депутату Госдумы, тогда, зная кое-что о характере Евгения, можно предположить, что тот пытался, к примеру, пошантажировать Журавлева-старшего, на чем и прокололся. Лучшей причины убийства, пожалуй, и не придумать. Причем шантаж мог касаться не только самого депутата, но и его подельников в Белоярске. Опять же — не возить ведь оттуда специально киллера!

Одним словом, недолгий разговор с Турецким добавил пищи для размышлений адвоката Гордеева. И потому в конце дня Юрий Петрович отправился на Ленинский проспект, в квартиру, где проживал Женька Елисеев.

Памятуя о вареве, запах которого доносился из кухни, Гордеев, прежде чем подняться к квартире, позвонил снизу по мобильному телефону. После длительных гудков трубку наконец сняли. Грубый женский голос, не спрашивая ничего, сразу заявил:

— Больше сюда не звоните, гады! Не пущу и не открою! А станете рваться, в ментовку позвоню! Идите на... — И длинная матерная тирада указала совершенно конкретный адрес, куда «гадам» следовало убираться.

Но Юрий поспешил воспользоваться краткой паузой, пока женщина набирала в грудь воздух, чтобы послать своих врагов уже окончательно.

— Люся, послушайте, это говорит с вами Юрий Гордеев. Женька ведь наверняка рассказывал про меня! Не бросайте трубку! Я здесь, внизу. Это же я задержал Женькиного убийцу! Мне необходимо кое-что уточнить у вас, Люся! Вы слышите?

— Ладно... — услышал он. — Но учти, Женька мне рассказывал, как ты его обосрал! Я все знаю!

— Да ничего я не делал! — воскликнул Гордеев. — Он наверняка был под кайфом, вот и ляпнул. Да ведь теперь и вспоминать — дело прошлое. Ему не поможешь. А вот убийцу надо засадить так, чтоб мало не показалось! Ведь открестится, мерзавец!

— Иди, ладно уж... — устало уже сказала Люська.

И Юрий Петрович понял, что она опять под кайфом. Как была и вчера, и, возможно, позавчера, и... Вот в какой компании проживал Евгений. Тут лечись не лечись — один хрен!..

Страшен вид опустившейся женщины-наркоманки. Она еще не бомжует, наверняка ни разу не выходила на улицу за милостыней, но эта перспектива была недалека. Сейчас Люська хоть что-то соображала, могла слушать, внятно отвечать, хотя ее так и распирало желание накинуться на Юрия Петровича, которого почему-то сочла главным виновником всех собственных бед.

Она поначалу так прямо и заявила, и ему стоило немалого труда разубедить ее и вернуть к тем событиям, которые могли происходить накануне Женькиной гибели.

И что ж он узнал? Последнюю неделю Евгений был в непривычно воинственном настроении. Он уверял Людмилу, что дела его должны поправиться буквально со дня на день. Появятся большие деньги, на которые можно будет уехать куда-нибудь подальше от Москвы и хорошенько отдохнуть. Все забыть, подышать свежим санаторным воздухом, отойти от забот, поправить здоровье. Он очень рассчитывал на эти деньги. Какие? Он их должен был получить от какого-то большого чиновника, который обещал. Но тот все почему-то обещал, а больших денег так и не было, и Женька злился, кидался на Людмилу, называл дармоедкой и... Ну понятно, как выражается мужик, когда он не в себе, а перспективы валятся. В последние дни он почти не выходил из дома и все чего-то ждал. А когда звонили, первым кидался к телефону. Но быстро бросал трубку и громко ругался. Пару раз подняла ее Людмила и услышала такой мат, такие угрозы, что с перепугу уронила трубку на пол. А когда подняла и поднесла к уху, услыхала странную фразу: «Ты, бля, трубку-то не кидай и запомни, что я тебя уделаю таким образом, что ты сам себя не узнаешь, падла поганая. Это я тебе говорю...» И дальше последовала очередная порция площадного мата. И самое противное, что эти угрозы повторялись по нескольку раз на дню. Люська боялась вообще брать трубку. Да и Женя ее больше не поднимал. А тут пробились наконец, уж слишком настойчивым был звонивший. Вот Людмила на свой страх и риск подняла. Оказалось, из Белоярска. Собственно, это и был последний звонок, после чего Женьку... достали-таки.

В общем, скорее всего, прав был Турецкий, когда указывал на «большого чиновника». Все, чем мог, по сути, торговать Женька, — это документы из черной папки, за которой шла охота. У него их еще не было в руках, но ведь Минаев же обещал передать. А Минаев всегда свое слово держал. Вот Елисеев и мог попробовать взять Журавлева-старшего за горло под эти будущие документы. Да успел, видно, только поторговаться.

А дальше картинка прояснялась. Горбатова, наверняка следившая за передвижением папки, в Москве передала свою роль киллеру. Тот и завершил бы дело, кабы не адвокат Гордеев. Все становилось на свои места.

Осталась самая малость: кто и на какие средства будет хоронить Елисеева? Давать деньги Людмиле нельзя. Хорошо еще, что они с Женькой, кажется, были расписаны, — вроде покойный говорил как-то мельком. Тогда ей хоть квартира достанется, а то ведь вышвырнут на улицу без всяких разговоров. Впрочем, и здесь в одиночестве она долго не протянет. Вот так и кончается жизнь...

И Юрий Петрович решил, что если по справедливости — высшей! — то, вероятно, похоронной миссией, точнее, финансовым ее обеспечением придется заниматься ему самому. Или обращаться за помощью к Вячеславу Ивановичу, то бишь к государству. Можно, конечно, оставить сотню-другую баксов Денису и попросить, чтобы его сотрудники приняли посильное участие. Посмотрели, чтоб чин по чину...

Вот подумал о Денисе и вспомнил, что хотел ведь попросить его снова о помощи — для себя. Лететь в Белоярск, где людей убивают посреди бела дня, без какой-нибудь внушительной поддержки не хотелось. Галка там охрану не приставит, а судя по обстановке вокруг Минаева, его топят внаглую, и это отношение к нему немедленно распространится и на адвоката. Ну, с одной стороны, как говорят, волков бояться... А с другой — как раз в лесу-то ведь и развернутся события. Гордеев рассчитывал на свои силы, однако гораздо лучше, если за его спиной будет надежная защита. Вот Филиппа Агеева хорошо бы взять с собой. Он человек незаметный, зато классный оперативник и сыскарь, а в условиях полнейшей неразберихи может быть максимально полезен.

На том Юрий Петрович и остановился. Уже из дома он позвонил в «Глорию» и договорился с Денисом, что Агеев вылетит немедленно в Белоярск по первому же звонку Гордеева.

Потом, уже по дороге в Домодедово, Юрий Петрович заскочил на Петровку, 38, и взял у Грязнова копии документов из черной папки, чтобы в самолете почитать их, заняться, говоря военным языком, изучением диспозиции...

Нет, большей удачи нельзя было себе и представить! Так подумала Лидия Михайловна Горбатова, когда вышла из темно-синего «мерседеса» с депутатским номером и увидела шагающего с небольшой дорожной сумкой через плечо адвоката Гордеева. Тот шел со стороны автомобильной стоянки, видно, оставил там свою машину. Значит, он летит-таки в Белоярск?

Те два дня, что Лидия провела в журавлевских апартаментах, они с Владимиром Яковлевичем только и делали, что бесконечно обсуждали возможность дальнейших шагов проклятого адвокатишки. Ну, естественно, не только обсуждали, были дела и поинтереснее. Хоть частенько в разговорах депутат и назывался Журавлевым-старшим, был он далеко не стар, в чем Лидия, навещая Москву, всякий раз с удовлетворением убеждалась.

Но на этот раз ее краткое пребывание в гостях у Володи, в его новой шикарной квартире в Митине, из которой он, по его же словам, никогда не выедет, даже если белоярский избиратель категорически откажется от его депутатских услуг, было сильно омрачено известием о провале Максима.

Сам факт этот стал известен после того, как Журавлев послал на Ленинский проспект своего помощника, чтобы тот походил во дворе, послушал обывателей, попробовал выяснить, что произошло, а главным образом, получил информацию, указывающую на причины молчания Суслина. О, помощник такого наслушался! И про убитого, и про пойманного убийцу, и про того, кто его, собственно, поймал! Целый детектив! А ментов-то понаехало! Сплошь генералы!

Очень все это было плохо. И чрезвычайно странной показалась Лидии реакция на происходящее генерала Толубеева. Тот внимательно выслушал дворовые сплетни, пообещал разобраться. А когда Лидия в нетерпении дозвонилась до него снова, он был рассеян и немногословен. Сказал, что произошла, конечно, неприятность, но судьба парня будет зависеть от него самого. То есть? А вот что слышала, то и будет. Генерал отрезал сурово и даже зло. Самому, видать, было очень не по себе. То ли дело уже успело получить нежелательный резонанс, то ли вмешались более серьезные посторонние силы, этого Лидия не знала, как не смог узнать и депутат Журавлев. Он позвонил раз, другой, а когда услышал в ответ непонимание, почему этот вопрос так волнует депутата, быстро отказался от дальнейших намерений прояснять проблему. И перенес свое внимание на весьма существенные прелести и таланты белоярской дамы, которыми она, будучи в любом настроении, владела в совершенстве.

И вот теперь, в аэропорту, Лидия неожиданно увидела главного в настоящий момент своего противника, явно расположенного лететь в тот же Белоярск. Вряд ли его появление здесь могло быть простым совпадением.

Рассчитывая исключительно на собственные неотразимые физические достоинства, Лидия решила действовать смело и напористо. Мужики — по большей части свиньи, и физиология у них практически всегда на первом месте. А проистекала эта уверенность оттого, что в практике Лидии Михайловны пока иных вариантов не наблюдалось. Отсюда и выводы.

И она, полагаясь в данный момент лишь на интуицию, решительно шагнула навстречу адвокату.

Он был несколько, мягко говоря, ошарашен. А она сделала одно из самых невинных лиц, на кои была способна. Чем чаще всего и поражала возможных противников.

— Боже, кого я вижу! — воскликнула она с неподдельной радостью. — Сам господин адвокат! Ну, может быть, мне наконец повезло и я смогу познакомиться с вами, Юрий Петрович?

«До чего ж сильна баба! — мелькнуло у Гордеева. — Тут надо ухо востро...» Но ответил с вежливой улыбочкой:

— Я тоже рад с вами познакомиться. Много о вас слышал...

— Естественно, плохого? — восторженно рассмеялась она, обращая на себя внимание прохожих.

— Ну отчего же! — поощрительно протянул он, как бы подсказывая, что именно плохое, если бы оно было, ему больше всего и понравилось бы в ней. — Зачем же так уж... сразу?

— Не надо, — покровительственно отмахнулась она. — Я слишком хорошо знаю Галку, чтобы догадываться о ее мнении обо мне. Но оно меня, как вы можете догадаться, совершенно не интересует. У каждой из нас свои взгляды, свои притязания и, скажу вам по большущему секрету... — Она сделала таинственное лицо и потянулась к нему губами до опасной близости, нагнав при этом волну очень пряных и возбуждающих духов. — И... свои любовники.

Тут она сделала прямо-таки огромные глаза, словно омуты, в которых Гордеев должен был немедленно утонуть, и, придвинувшись уже до просто невозможной близости, произнесла проникновенным и страстным голосом:

— Впрочем, некоторые наши взгляды, кажется, полностью совпадают.

«Ну уж теперь-то я, наверно, просто обязан ее трахнуть... — с иронией заметил про себя Юрий Петрович, стараясь не поддаваться чарам. — Но это будет исключительно ее победа, а не моя...»

Вероятно, она была довольна произведенным эффектом. Адвокат «плыл», это было ей хорошо заметно.

— Так вы к нам? — лучезарно сияя, спросила она, беря его под руку и показывая шоферу, чтобы нес ее вещи следом.

— Вы имеете в виду Белоярск? — спросил в свою очередь и он.

— А куда же еще? Ведь теперь у нас события развиваются с такой скоростью и непредсказуемостью, что, кажется, все лучшие силы московской адвокатуры готовы променять собственные палестины на наши медвежьи края! Не так?

— Ну, променять — это, пожалуй, слишком, — важно возразил Юрий и улыбнулся. — А вот дела действительно разворачиваются. Опять же и постреливают у вас...

— И головы отрезают, — с деланным омерзением подхватила она. — Ужас! Отвратительно! Слышали, что с Минаевым, или еще не в курсе? Вот кого мне искренне жаль...

— Да? — вот тут уже позволил себе изумиться Юрий Петрович. — Значит, мы с вами союзники? Не будете против, если и я теперь раскрою вам свой секрет?

Она таким проникновенным взглядом посмотрела на него, что у Юрия Петровича должны были отпасть всякие сомнения в ее полной покорности.

— Я мог только мечтать о такой союзнице! — выпалил он и с козлино-победоносным выражением уставился на нее.

— Когда ваш рейс? — неожиданно деловым тоном спросила она.

— Да вот, ближайший. А вы?

— У меня, что называется, открытый лист. Когда захочу. Но сейчас я хочу лететь вместе с вами, Юрий Петрович...

Да, дело оказалось совсем не трудным. Пока адвокат оформлял через диспетчера заранее заказанный на его имя билет, она договорилась с летчиками или с кем-то еще и, когда началась посадка, снова бесцеремонно взяв его под руку, потащила в салон бизнес-класса. А на его возражения, что, мол, его место где-то там, ближе к хвосту, возразила с насмешливой, но вовсе не оскорбительной улыбкой:

— Юрий Петрович, миленький, ну вы же не можете отказать красивой и, поверьте, — она снова дохнула на него запахом пьянящих духов, — очень приятной при более тесном общении женщине в ее маленьком капризе? Зачем же мне четыре-пять часов пребывать одной, когда рядом такой замечательный попутчик? Ну право!..

И Гордеев, чтобы устоять и не растаять окончательно, заставлял себя склоняться к мыслям не возвышенным, а пошлым:

«Нет, в салоне ее, конечно, трахнуть не получится. Но ведь не тащить же в туалет? Или в багажное отделение? Там же очень холодно...» Окончательно идея сформулировалась, когда они уже уселись в салоне и Гордеев смог слегка расслабиться и вытянуть ноги, не боясь помешать соседям. Которых, кстати, не было. Либо удовольствие дорогое, либо всемогущая Лидия

Горбатова и тут сумела организовать для себя необходимые ей условия.

Она небрежно бросила на противоположное кресло свою роскошную шубу. Соболь! — вспомнил Гордеев завистливый взгляд Галочки. Да и как не завидовать? Мысль о Галочке, которая нетерпеливо ждет его в аэропорту, поскольку Денис по просьбе Юрия Петровича наверняка уже позвонил в Белоярск, малость охладила несколько разгоряченный лоб адвоката. Однако ненадолго.

Лидия удобно уселась напротив него, закинув ногу на ногу, и начала рассматривать с пристальным интересом. Вернее, изучать его интерес к ее действительно великолепным ногам. Было на что смотреть, и Лидия это знала и совсем не возражала против его интереса. Она бы и против большего не возражала, но... Клиент был еще не готов. Его мучили какие-то сомнения. Может быть, даже и некоторое чувство вины перед той же Галкой, которая наверняка клюнула на адвоката. Это Лидия заметила еще тогда, в аэропорту, когда издали наблюдала за восторженной встречей Сергейченко с этим адвокатом. А Лидия и сама бы клюнула, даже не будь в том необходимости, вот как сейчас.

Что он знает — вот главный вопрос, который ее заботил. При этом он наверняка же знал то, чего не знают ни она, ни губернатор. То есть каким компроматом владел адвокат? Чем это его знание могло грозить им? Жаль, конечно, Максима, но против судьбы не попрешь, грубо говоря. Старый друг конечно же не продаст ее, но уверенности от этого у нее как-то не прибавлялось. Значит, вот этот молодой человек и скрутил Максима? Силен. Интересно, каким он окажется в постели?..

Ну до этого еще не близко, а вот попытаться его разговорить... Неужто устоит?

О том же самом размышлял и Гордеев. Что из уже известного можно доверительно рассказать Лидии? Из того, что не повредит делу. Но и главных улик не раскроет. И решил, что самым безобидным может оказаться рассказ о задержании Суслина. Она же наверняка не знает деталей. Которые теперь абсолютно не играют ни малейшей роли. А говорить о том, что он видел Лидию вместе с киллером, он не собирался, оставляя это пока своей маленькой тайной. До тех пор, пока Денис там, в Москве, не разберется во всем.

Его неторопливый рассказ и в самом деле очень заинтересовал женщину. Она даже забыла, кажется, что собиралась беспрерывно соблазнять его. Значит, тут был не простой интерес, а что-то более глубокое. Зато почти не затронули ее внимания воспоминания Юрия о студенческой молодости, проведенной вместе с Женькой Елисеевым. Видимо, эта страница была уже перевернута Лидией и ее более не интересовала.

Вот так и текла неторопливая беседа, в которой говорил больше Юрий Петрович, а Лидия лишь по-разному реагировала. Потом подошло время «кормежки», как с иронией заметила Лидия. Потом она выходила, возвращалась, а Гордеев подремывал, понимая, что доставать при ней документы категорически нельзя. И вообще, говорить о них не стоило, хотя Лидия вскользь пару раз задала-таки вопрос о том, что там была за папка, из-за которой и разгорелся вроде бы весь сыр-бор.

Неожиданно, когда уже подлетали к Белоярску, а за иллюминаторами заметно потемнело, Лидия поинтересовалась, где он собирается остановиться. Он пожал плечами. Видимо, где и все — в гостинице. Второй вопрос был любопытнее: не собирается ли он, для того чтобы детальнее разобраться в сложнейшей ситуации, встретиться с губернатором? А почему бы нет? Надо же владеть объективной картиной! А что, по этому поводу имеются реальные предложения?

Лидия подтвердила, что лично организовала бы Юрию Петровичу такую встречу. Кроме того, он всегда может рассчитывать на самую активную ее поддержку и помощь в любых вопросах.

— Ну уж, в любых? — с двусмысленным намеком воскликнул «обрадованный» адвокат.

— Вот именно — в любых, — подчеркнула серьезность своих намерений Лидия Михайловна. И даже не улыбнулась, лишь взглянула многообещающе. Мужчина должен был самостоятельно оценить степень ее готовности пойти ему навстречу. И Гордеев, разумеется, не удержался, он бережно взял ее ладонь, лежащую на колене, повернул к себе лицевой стороной и запечатлел долгий и значительный поцелуй. Который, честно говоря, с удовольствием перенес бы и на ее круглое колено, но... Всему свое время. Уж во всяком случае лозунг, висевший во дни его молодости во всех без исключения поликлиниках: «Избегайте случайных связей!» — теперь эта фигня, кажется, называется слоганом — его совсем не страшил.

Наградой за этот почти диетический поцелуй был ее жарко вспыхнувший взгляд. Он поощрял и обещал. А вспыхнувшее желание если и имеет отношение к шпионажу, то не самое приоритетное: сперва все-таки наступает утоление жажды, а уже потом появляются мысли о том, какую можно извлечь из случившегося пользу. А так как и до того, и до другого было еще далеко, форсировать события не следовало.

Лидия предупредила, чтобы он не ждал ее, а выходил первым. Наверное, ей не хотелось встречаться с Сергейченко. Но объяснила она свою необходимость задержаться тем, что собиралась переговорить с экипажем по каким-то своим проблемам. Вот так они и распрощались — тепло и почти доверительно. Она сказала, что в ближайшее время свяжется с ним и постарается устроить встречу с губернатором, он же обещал не избегать ее советов и помощи. Томный взгляд, скромный поцелуй, снова запечатленный на кончиках ее пальцев, вежливый поклон, и Гордеев покинул самолет.

Автобус доставил его к зданию аэровокзала, а точнее, прямо в объятия Галины Федоровны, которая не постеснялась выказать свою искреннюю радость. Хорош бы он был, если бы Лидия случайно оказалась рядом. А что, ведь предусмотрительная дама. Хоть и хищница. Как это иной раз говорится? «Ох и сволочь! Но какая!» Со значительным таким выражением на лице и искренним восторгом.

А еще через час Юрий Петрович вселился в обычный одноместный номер центральной гостиницы, после чего Галочка вывела его в коридор и предупредила:

— В номере никаких разговоров по делу вести нельзя. Все, о чем ты захочешь поговорить, посоветоваться или с кем-то встретиться, тебе придется делать вне гостиницы. Лучше у меня дома, куда я тебя сейчас и отвезу.

Гордеев не возражал, потому что и сам желал бы сбросить то напряжение, которое испытал в самолете. Он пока не решил окончательно, стоит ли рассказывать Галочке о встрече в Домодедове. Но она женским своим чутьем уже поняла, что ему требуется ее ласка, причем немедленно, и сама не сильно возражала. Тем более что от гостиницы до ее дома было всего каких-то полчаса езды...

Первым пунктом в его утреннем плане значилось посещение следственного отдела прокуратуры, где адвокат намеревался получить разрешение на посещение своего подзащитного в СИЗО.

Автомобиль, выделенный ему комбинатом, был обязан обслуживать Гордеева все дни его пребывания в городе. Попробовали бы не выделить! Галина Федоровна устроила бы такой бенц, что они бы пожалели... Они — это, естественно, переставший уже скрывать свою антипатию к Минаеву Игорь Платонович Журавлев и его приспешники. Обрадованные «физическим отсутствием» генерального директора в его руководящем кресле, они активно вернулись к сорвавшейся было затее провести собрание акционеров, где собирались пересмотреть решительно все — начиная от состава руководства предприятием, основной фирмой, дочерними фирмами типа «Рассвета» и кончая экономической политикой и связями с партнерами. И время теперь работало на них. Однако и чинить препятствия московскому адвокату, вставлять ему палки в колеса, так сказать, тоже не решились, боясь, что трудящиеся массы снова примутся за свои бесчинства, как были названы недавние выступления рабочих и служащих производственного объединения «Сибцветмет» в защиту своего директора.

Старший следователь Белоярской краевой прокуратуры Антон Антонович Сериков — квадратный и благодушный мужчина сорока с небольшим лет — внешне выглядел вполне благожелательным по отношению к приезжему адвокату. Посмотрел соглашение на защиту, документы Юрия Петровича, при этом доброжелательно кивая. Сказал, что не видит причины для отказа в свидании с подзащитным. И тут же выписал разрешение.

Гордеев поинтересовался обвинительным заключением. Вообще материалами следствия. Так же благожелательно Сериков предложил Юрию Петровичу ознакомиться с далеко еще не «толстым» делом Минаева с одним лишь предупреждением: в его присутствии и ничего для себя не переписывая. Гордеев удивился и заметил, что здесь явное нарушение закона, неужели господин старший следователь по особо важным делам этого не видит? На что тот ответил, по-прежнему приветливо улыбаясь, что все недоразумения с точки зрения адвоката тот может легко разъяснить для себя в суде.

— Но... все же вы понимаете, что это нарушение закона?..

— Понимаем, — улыбаясь, кивал Сериков. — Обратитесь к судье. Ее зовут Наталья Павловна Толмачева, как она решит, так и будет.

Вот она — непробиваемая стена благожелательного белоярского правосудия. Не на это ли обстоятельство и намекала Лидия, обещая свою помощь в «любых» вопросах? На всякий случай закинул крючок.

— Поразительно, что ваш губернатор, о котором я слышал немало просто восторженных отзывов, видимо, не в курсе того, какие законы самочинно устанавливаются в подведомственном ему крае. Придется поправить это дело, у меня с ним будет встреча буквально в самое ближайшее время, по этому поводу уже имеется четкая договоренность...

— Юрий Петрович, — любезно, но твердо перебил Гордеева следователь, — давайте не будем вешать друг другу лапшу на уши. Неужели вы считаете, будто что-то в крае делается без ведома губернатора? Мы же с вами не дети, и правила устанавливаем тоже не мы. Закон, говорите? Имея в виду, несомненно, Москву? Да. Но и там, я знаю, он либо не соблюдается, либо соблюдается с оглядкой. Либо без оглядки, если на то последовало жесткое указание. Что вы от меня хотите? Разрешение я вам выписал, материалы показал, что еще? Причина задержания вашего подзащитного сформулирована однозначно. Следствие по делу не закончено. На что вы хотите жаловаться?

— Вы правы, Антон Антонович, — подумав, согласился Гордеев. — Не стану вам больше морочить голову высокими материями. Но с губернатором, с вашего разрешения, я все-таки потолкую.

— Сделайте одолжение, — совсем уже приветливо улыбнулся следователь и привстал, чтобы пожать Гордееву руку.

Пунктом следующей остановки был Белоярский следственный изолятор.

И здесь, словно по волшебству, никаких препятствий адвокат не встретил. Провели в следственный кабинет, вскоре туда же доставили и Минаева. Без наручников, чай, не Москва.

Алексей Евдокимович не выглядел несчастным каторжанином. Ничего подобного, был он собран и сдержанно-серьезен. Поздоровался, сел на табуретку по другую сторону, оперся на стол обеими локтями и положил подбородок на сжатые кулаки. И вид его теперь был суровым и решительным.

— Я уже в курсе дела, — начал он. — Я дал указание оплатить похороны Елисеева, это будет сделано. Документы читали?

— Еще нет, не было возможности, — ответил Юрий, не объясняя причины.

— Поторопитесь, времени у нас чертовски мало:

друзья сняли наконец маски. Вот так случается, Юрий Петрович! — воскликнул он вдруг и покачал головой. — А материалы по моему обвинению, как... удалось?

— По-моему, все это — какая-то нелепица, — пожал плечами Гордеев. — Разумеется, я постараюсь поскорее встретиться и с этим странным убийцей.

— Поговорите... Я уверен, что он ни в чем не виноват, это, скорее всего, провокация местных спецслужб, которые очень рассчитывали на огромные средства, получаемые от реализации продукции нашего комбината и которые, к их огорчению, пролетают у них мимо рта.

— Так, значит, теперь уже спецслужбы? — философски заметил Юрий Петрович.

— А вы не удивляйтесь. Наш Белоярск — точная копия всей страны, только масштабы другие — помельче. А так все то же. Вверху — власть, окруженная спецслужбами, снизу — масса, инертная до поры до времени. В середине — дойная корова, и все к ней тянутся, давая при этом по рукам наиболее нахальным и не заслуживающим молочка. А кто его заслуживает, решают опять же те, кто понастойчивее или кто находятся поближе к титькам, извините... Поэтому, как я рассуждаю, очередная выстроенная против меня, как владельца коровы, провокация может развалиться лишь в том случае, если вам, Юрий Петрович, удастся добиться правды от того выдуманного киллера. Я уверен, что убил Юрия Александровича профессионал высокого класса, а не какой-то там торгаш с Кавказа.

— Как у вас с камерой?

— Нормальные уголовники, — усмехнулся Минаев. — Этот вопрос пусть вас не беспокоит. Но я просто умоляю вас, Юрий Петрович, я вам заплачу любые деньги, если вы сумеете победить главный фактор — время. Спасибо, что снова согласились взяться за эту неприятную работу...

— Ну что вы, напротив...

— Не надо, я ведь понимаю, каково иметь дело с мерзавцами. Я очень на вас рассчитываю...

...Вернувшись в гостиницу и обращаясь в рецепшн за своим ключом, Юрий получил и его, и просунутую в кольцо ключа записку. Поднимаясь на свой этаж, развернул записку. Интересно! Писала Лидия. Интересовалась настроением — не замерз ли, не столкнулся ли с ходу с непреодолимыми трудностями, наконец, каковы планы на ближайший вечер. Если их пока нет, он может позвонить — номер мобильного телефона прилагался, — чтобы обсудить возможные любопытные варианты. Многозначительно. Приятно, что не забывают. Уже без намеков подсказано, что приятный ужин, легко переходящий в завтрак, ему может быть обеспечен...

М-да... Нынче утром он все же решил сознаться. Вполне мог случиться неожиданный вариант нечаянной встречи с Лидией. В присутствии Галочки. И что же, делать вид, что незнакомы? А если мадам еще протянет ему свою руку для поцелуя? Ну как объяснить свое поведение? А вот как! Никогда не следует женщине врать! И это тоже один из важнейших заветов Александра Борисовича Турецкого. Не врать даже в шутку! Иначе посреди ночи можешь назвать жену именем случайной подруги. Фигурально выражаясь...

Он и рассказал, пытаясь придать картинке юмористический характер. Особенно ему удался, как ему же и показалось, момент его соблазнения в самолете. С описанием выставленной для обозрения ноги, со вздохами и обещающими взглядами, с проявленным интересом к минаевскому делу и так далее. Гордеев живописал и одновременно наблюдал за Галиной реакцией. И, закончив, понял, что поступил абсолютно правильно. Галочке было не до ревности. Она одобрила его поведение, сказала, что и в дальнейшем, вероятно, не надо обострять отношений с этой сукой: она умная и подлая. Возможно, не следует избегать встречи и с губернатором, если так будет поставлен вопрос, хотя надеяться особо не на что. Но лучше лояльность, нежели вражда. А закончила Галочка свою мысль неожиданно.

— Ты не думай, — она мягкой кошечкой потянулась к его губам, — что я тебя ревную. Лидка — баба, конечно, уникальная. По-своему. Пожелай она, сможет пропустить через свою постель весь город и ни у кого не встретит отказа. Ее бы таланты, да в мирных целях! Но я все-таки лучше, я знаю... — И довольно засмеялась. — А ведь поняла теперь твое состояние. И ты — молодец.

И Гордеев в данный момент не мог не согласиться с Галочкой. Но вот насчет всего города... Это вряд ли, как заметил бы бессмертный товарищ Сухов из замечательного фильма «Белое солнце пустыни». Но лучших представителей — это вполне.

Размышляя таким образом, Гордеев подошел к двери своего номера и увидел, как из кресла, при виде его, поднялся парень явно кавказского происхождения. Юрий открыл дверь, вошел и тут же услышал стук в незакрытую дверь.

— Заходите, — сказал он, не оборачиваясь. О чем-то ему лицо этого парня напомнило. Но что?

— Здравствуйте, — вежливо сказал парень, не снимая, однако, своей круглой кожаной шапочки. — Можно попросить об одолжении?

— Проси, — разрешил Юрий, но, тут же вспомнив о предупреждении Галочки, добавил: — Только давай выйдем на минутку. — И уже в коридоре закончил мысль: — Говори, чего надо... А мы с тобой случайно не знакомы?

— Знакомы, — кивнул парень. — Слушайте, адвокат, с вами один хороший человек поговорить хочет. Только вы ничего не бойтесь.

— А чего я должен бояться? — ухмыльнулся Гордеев и вспомнил: — Точно, знакомы! В Люберцах, верно?

Парень кивнул.

— Ну вот, — словно обрадовался Юрий. — А я думаю, где ж мог видеть-то? А как ты сказал «не бойся», сразу вспомнил. Так чего твоему человеку надо?

— Он здесь живет. Салманом зовут. Просит, чтобы вы к нему... Или он — к вам, как скажете.

— В номерах здесь никаких разговоров вести нельзя, так и передай Салману. Можно в буфете, в ресторане внизу, еще где-нибудь. А что, долгий будет разговор? У меня времени совсем мало.

— Пусть Салман сам скажет, ладно?

— Валяй. Я сейчас переоденусь и спущусь в холл.

Но когда Юрий Петрович спустя минут пятнадцать сошел в холл, там к нему подошел снова этот же парень и сказал, что Салман ожидает адвоката в ресторане. Он проводил Гордеева, открыл перед ним дверь и показал в глубину зала.

Юрий прошел туда и узнал того лысого, плохо говорящего по-русски мужика, с которым перекинулся в Люберцах буквально парой фраз. В его же джипе.

— Садыс, — сказал Салман, не вставая и не протягивая руки. И это не понравилось Гордееву. Но — сел.

Понимать словно бы нарочно педалируемый акцент Салмана было трудновато, но мысль этого лысого мужика была ясной. Он напомнил ему о прежнем разговоре в джипе. Это когда он спросил у Юрия, что бы тот делал, если бы его наняли защищать тех лохов-кавказцев, а Юрий ответил, что постарался бы найти оправдывающие доказательства. Чем тогда же, собственно, все и закончилось. Так вот, теперь Салман напомнил ему его слова и сказал, что время пришло. Оказывается, один из тех кавказцев, Султан Бецоев, ложно обвинен в убийстве кого-то в этом городе и теперь сидит в изоляторе, испытывая на себе все ужасы местной тюрьмы.

— Вряд ли я сейчас смогу заняться этим делом, — сразу ответил Гордеев, чтобы больше к вопросу не возвращаться.

— Нада заняца, — возразил Салман. И стал долго объяснять, что дело Бецоева напрямую связано с тем, ради которого и прилетел сюда Гордеев. Это именно Султан написал признание в милиции, что его заказчиком был Минаев. Чтобы жизнь свою сохранить, написал. Так ему и соседи в камере посоветовали, а они знают дело, плохого не подскажут. И на удивленный взгляд Гордеева добавил, что рядом с Султаном в камере оказались очень достойные люди, которые находятся в законе и в большом авторитете. И когда им велели «опустить» Султана, они не пошли на поводу у подлой ментовки.

— А-а, — снова вспомнил Юрий рассказ Галочки о непонятном убийстве одного из московских милиционеров. — Вон, значит, за что тут одному деятелю горло перерезали...

— Я тыбе ны говорыл, — предупредил Салман. — Султана защити. Скоко тыбе нада?

— О цене речи пока нет. Я должен подумать. И тогда скажу.

— Давай выпьем, — предложил Салман, делая знак рукой кому-то — вероятно, стоящему наготове официанту.

— Нет, спасибо, — отказался Юрий. — У меня сегодня еще очень много важных дел.

— Ладно, сам скажешь, када захочиш...

Юрий кивнул, поднялся и ушел к себе в номер.

Подсказка Салмана помогла Юрию Петровичу выстроить в своей голове общую картину, связанную с убийством бывшего директора Кобзева, с поиском киллера и, наконец, с арестом заказчика. И во всем этом насквозь просвечивала политика, будь она проклята. Никуда без нее. Требовалось убрать Минаева, значит, все средства хороши. Интересно, как по этому поводу выскажется губернатор? А вообще-то стоит ли с ним встречаться? Может, потянуть пока, не форсировать события? Тем более что благорасположение того же господина губернатора может обернуться определенной зависимостью от его высокого мнения. А так, пока этого мнения не знаешь, оно и лучше. Да и на душе как-то спокойней.

Брать или не брать на себя еще и защиту этого придурка Султана Бецоева, Гордеев решать не стал, — это выявится попозже. Но вот встретиться с ним — это надо обязательно. Только вряд ли доброжелательный Сериков разрешит встречу и беседу с убийцей. А вообще-то, интересно, организовали они ему адвоката? Если тут все шито белыми нитками, они оставят дело до суда, но вот когда еще его заседание состоится, один Бог знает. Время же! Единственный решающий фактор!

Не исключено, что по заранее разработанной тактике обвинение вообще в конце концов развалится. Ведь дознание производили не местные кадры, а специально из Москвы выписанные. Один из которых уже кормит червей. А второго — поди достань... Могли уже и уволить, и перевести, и еще черт знает что сделать.

Ну а развалится дело, — значит, придется им извиняться. А что, разве это трудно в правовом-то государстве, о котором кричат на всех перекрестках? Ну вот и извинятся. А «Сибцветмет» тем временем уже окажется в других руках. И губернатор будет тот, который нужен. И порядок среди распоясавшихся правоохранителей будет наведен быстро и, главное, гласно. Кого-нибудь накажут. Маленько. Потом повысят, премию там дадут, еще чем-нибудь значительным отметят. А Минаев?.. А что Минаев? При чем здесь он? Ты — экономист, вот и валяй, занимайся своей экономикой, нечего тебе в гендиректора лезть. Вон у нас сколько в стране фондов для тебя подходящих, сколько роскошных и независимых, сосущих бюджет синекур! Ну будет еще одна...

Нет, теперь слово должно быть за Денисом. Пора ему звонить!

Глава шестнадцатая

СУДЬЯ

Денис Грязнов был краток. Тем более что разговор шел по мобильнику. Он сказал, что старина Макс оказался на коне. И этого Юрию было вполне достаточно, чтобы понять: дело сдвинулось. А еще Денис сообщил, что завтрашним утренним рейсом в Белоярск вылетает Агеев. Встречать не надо. И вообще, когда потребуется, он сам найдет Юрия. Желательно в гостинице никаких встреч не устраивать. Вот, собственно, и вся информация.

А большей и не требовалось.

Теперь, для полноты картины по делу Минаева, Юрий Петрович захотел встретиться с судьей Толмачевой, которую ему назвал Антон Антонович Сериков. Но сперва о ней следовало собрать хотя бы какие-то сведения, чтобы избрать верную линию поведения. Помогла, как всегда, вездесущая Галочка. По счастью, одна из ее подруг была соседкой Толмачевых в тот период, когда в их семье случилось большое несчастье.

Не желая играть в испорченный телефон, Галя решилась повезти Юрия к этой своей подруге. Но только чтобы все выглядело по-деловому, не надо даже хорошим людям давать повод для сплетни. Белоярск — город хотя и миллионный, а живут как в одной деревне. Всем про все известно.

Подруга, в противоположность деятельной и бойкой Галине, оказалась женщиной тихой и обремененной семьей. И на гостя из Москвы она так же по-простому и посмотрела: дай, как говорится, Бог, чтобы Галке этой сумасшедшей наконец-то повезло. И больше к этому вопросу даже мысленно не возвращалась.

А история у Толмачевых случилась вот какая.

Наталья — женщина яркая, с сильным характером — держала своего муженька, милицейского подполковника, что называется, под собственным каблуком. И когда пост губернатора занял Гусаковский — мужчина тоже видный и с сильным и независимым характером, что-то и где-то у председателя краевого суда Толмачевой и генерала-губернатора, как вначале стали называть Андрея Ильича, как-то пересеклось. Как бы то ни было, а только вот зачастила судья в губернаторские апартаменты. И до того женщина весьма независимая, Наталья Павловна теперь и вовсе стала мыслить в единственно верном направлении, поправляя при случае даже самого губернатора. Который поначалу относился к возвышению Натальи с насмешливым поощрением: мол, давай, не боись, дуй до горы, а я поддержу при случае. Она и «дула». Да так, что вскоре заговорили, что закона в крае не существует, поскольку его подменяет мадам Толмачева.

В семье у нее начались нелады. Пошли разговоры о разводе, который не отразился бы особо ни на чем, поскольку детей у Толмачевых не было. И вот в этот-то как раз период и случилась беда. Муж Натальи был страстным рыболовом и не упускал случая съездить на подледную рыбалку. В тот раз собралась большая компания, разные там оказались люди. Короче, что-то там у них произошло — то ли выпили больше, чем следует, то ли так ссора какая, но бросил вдруг компанию Толмачев, собрал свои вещи да и ушел через реку на станцию. Но не дошел, мало ли что бывает с одиноким путником в тайге? Когда узнали об этом, то есть, по сути, на третий аж день, как-то лениво организовали поиски, да тут же и прекратили, обнаружив какую-то свежую полынью. Посчитали, что в ней и нашел могилу подполковник. И рассказывали об этой нелепой истории с кривыми ухмылками, с издевочками, с косыми взглядами в сторону Натальи Павловны. А она к этому времени расцвела на диво — перестала постоянно хмуриться, заулыбалась, раздобрела телом, одеваться стала броско и дорого. Даже приговоры вроде бы стали помягче. Впрочем, злые языки поговаривали, что кто-то помог Толмачеву — сам бы он нипочем ни в полынью не угодил, ни к зверю на зубы не попал. Толковый был мужик, хотя и по бабьему делу слабоват. То ли немощен, то ли действительно жену не любил. Так что сожалели о его безвременной кончине или пропаже, как ни назови, лишь немногие, хорошо знавшие этого доброго человека.

А Наталья Павловна была в фаворе и после этого. До тех самых пор, пока не появилась из Москвы новая дива — Лидия Горбатова. Ну уж с ней состязаться у Толмачевой не было никакой возможности. И первое ее поражение было отмечено необычайно суровым приговором по какому-то делу, в общем, достаточно пустяковому. Вот так и возвратилось все на круги своя...

Из всего узнанного в этот вечер Юрий Петрович мог с помощью Галиной подружки сделать лишь единственный вывод, полезный для себя. Если бы он захотел выиграть дело в суде, ему бы пришлось, утверждала подружка, обаять Наталью Павловну, затащить ее в постель, хорошенько помотать ей душу, а затем искренне сознаться, что Лидка Горбатова по сравнению с ней — сухая и невкусная вобла. Вот разве что тогда... Но этот путь был слишком уж для Юрия Петровича сомнительным, да и попросту недостижимым. Опять же и Галочка смотрела скептическим взором, слушая слишком вольные советы подруги. Да и засиделись они уже, детишкам спать пора...

Впрочем, встреча эта оказалась очень полезной. Конечно, ни на какие «специальные» действия Гордеев не решился бы, но кое-какие черты характера судьи Толмачевой на всякий случай знать следовало. Мало ли как фортуна-то повернется! Дело живое, непредсказуемое.

А еще Юрий подумал, что в принципе платить за номер, в котором не живешь, по меньшей мере глупо, хоть и платит он не из своего кармана. Все его расходы вела Галина Федоровна и уверяла Юрия Петровича, что эта деятельность доставляет ей дополнительное удовольствие.

Она же, когда Юрий рассказал ей о предложении Салмана, дала вполне разумный совет. А почему, собственно, не воспользоваться возможностями этого человека? Если Салман обещает организовать встречу с обвиняемым в убийстве соплеменником, зачем же отказываться? И совсем не обязательно в этом случае идти к судье. И афишировать свои возможности тоже совершенно не следует. Но овчинка стоит выделки — оправдание Султана мгновенно снимет все обвинения и с Минаева. Все ведь взаимосвязано!

Вообще-то Юрий уже и сам подумывал о таком решении вопроса, а совет Гали лишь подтолкнул его к принятию решения.

В тот же вечер, встретившись в гостинице с Салманом, которого вызвал все через того же молодого человека, встреченного в холле гостиницы, он сказал, что готов для начала поговорить с глазу на глаз с Султаном Бецоевым, оценить возможности защиты, а потом окончательно договориться об условиях.

Салман отнесся серьезно и обещал прямо завтра же решить вопрос положительно. Ему тоже совсем не светило сидеть тут без дела в ожидании, когда еще будет суд, который освободит ни в чем не виноватого его земляка.

Лысый Салман сдержал свое обещание. Деньги вообще обладают куда более сильной властью, нежели самый строгий закон. Двое кавказцев из окружения Салмана привезли Юрия Петровича в СИЗО, попросили немного подождать, а потом пригласили пройти в помещение. И когда он, сопровождаемый ими и суровым на вид контролером, поднялся в один из следственных кабинетов, Султан уже ожидал его там.

Гордеев попросил оставить его наедине с арестованным, и все послушно вышли.

— Кого я вижу! — с легкой, но совсем не оскорбительной насмешкой воскликнул Гордеев, садясь и протягивая руку Султану, который смотрел на него недоверчиво. — Что, совсем уже забыл, как деньги собирался печатать, а?

Искры вспыхнули в глазах заключенного — вспомнил.

— Ну, рассказывай, как попал сюда, кто постарался? И учти, времени у нас с тобой, Султан, совсем мало, поэтому давай только самое главное. Салман предупреждал тебя, что надо говорить как на духу, честно?

— Говорил, — подтвердил Султан.

— Тогда давай, не тяни резину...

Банальная до ужаса история. По принципу — был человек, а дело найдется. Потрясающая мерзость [illegible] казалось бы, ушедшего времени. Казалось бы... [illegible]икуда и не девалось, это время. Или, вернее, [illegible]ды. Которые и олицетворяют насквозь прогнившую правоохранительную систему. И заменой одного министра на другого тут, к сожалению, ничего путного не добьешься. А мерзость лишь усугубится, почуяв, что ее-то как раз никто и пальцем тронуть не хочет.

Словом, Султан рассказывал, репортерский магнитофон Юрия Петровича писал исповедь. Потом все это будет расшифровано, подписано обвиняемым и станет обличительным документом против тех, кто без всякого стыда и совести сварганил это насквозь гнилое и подлое дело.

Султан ничего не скрывал — рассказывал о пытках, побоях, угрозах, описывал тех зверей-ментов, которые «трудились» над выбиванием из него нужных им показаний. Рассказал и о соседях по камере, которые решили натянуть нос гнидам ментам. Если надо, каждый из них тоже подтвердит.

А затем Султан по просьбе Гордеева написал заявление, где совсем уже кратко, ссылаясь на более полный рассказ, изложил свой протест.

Имея это в кармане, Гордеев пообещал, что займется делом Бецоева, и спокойно удалился из здания СИЗО, будто был не в закрытом для всех тюремном заведении, а в обычной коммунальной квартире.

Незаконно? А что здесь вообще может быть законного?..

Подъезжая к гостинице снова, Юрий Петрович внимательно оглядывался. Водителя он на всякий случай отпустил. Галя была на комбинате — надо же знать, что там делается в отсутствие директора.

Осторожность не помешала. Когда адвокат поднимался по ступеням к входным дверям, его негромко окликнули из стоящей у бордюра далеко не новой машины:

— Юра! — Вот так, простенько и знакомо.

Он обернулся и увидел за опущенным стеклом ул[illegible]бающуюся физиономию Фили Агеева.

— Прокатиться маленько не желаешь?

— С удовольствием! — Гордеев быстро [illegible]

ступенькам и сел в машину. — Ну, здравствуй. — Он пожал руку Агееву, огляделся в салоне. — Где взял?

— Неподалеку, в прокате. Давай отъедем куда-нибудь, надо поговорить... Тебе еще хвост не приделали?

— Пока что-то не замечал, — неуверенно ответил Гордеев.— Но у меня тут неожиданно появились новые клиенты.

И Юрий рассказал о Салмане, вспомнив еще свое люберецкое дело, и о Султане, который и является главным фигурантом в деле Минаева, а также о сегодняшней своей встрече с ним в СИЗО и сделанной там записи.

— Мне сейчас надо добиться, чтобы следователь устроил им очную ставку. Со всеми вытекающими. Теперь-то уже Султану те садисты не страшны, он может отказаться от всех своих признаний. И тогда дело Минаева рухнет. Но у местной Фемиды, кажется, на Минаева иные планы. Они хотят просто продержать его в тюрьме подольше, чтобы успеть покончить с комбинатом. А потом он им будет уже не нужен. Пусть торжествует справедливость, если этого еще кому-то хочется... Вот какая грустная картинка.

— Какая ж она грустная, — возразил Филя, — у тебя уже немало сделано! А мы добавим...

Они остановились возле первого же кафе и вошли туда. Небольшое помещение было пустым — никого народу. Но официант подошел тут же. Есть не хотелось, а вот хорошего кофейку было бы совсем неплохо. Официант поскучнел и отошел.

Филя вытащил из-за пазухи пластиковый пакет и протянул Гордееву.

— Вот, гляди, чего для тебя нарыли... Ты те свои документы-то просмотреть хоть успел?

— Успел, слава богу... Я ж их не в гостинице держу, нельзя, предупредили, там все может прослушиваться и просматриваться. Держу у...

— А я уже понял, — улыбнулся Филя. — Не объясняй.

— О господи, — вздохнул Юрий, — все-то вам известно!

— Работа такая, — продолжал Филя. — И то, что ты летел сюда вместе с шибко эффектной мадамой, фамилия которой Горбатова, нам тоже известно. Ну как, не клюнул на ее чары? Старалась, поди?

— Ну, ребята! — только и развел руками Гордеев. — А это откуда?

— Ладно, сознаюсь, чтоб не томить... Денис велел тихо проводить тебя. Уберечь от случайностей. Я ж вместе с тобой прилетел, только наблюдал пока и на глаза не показывался. А нынче с утречка смотался в порт и встретил документы. Что же касается конспирации, то тут ты, парень, дал маленько маху. За тобой хвост имеется. Но не тот, которого надо бояться. Этот твой Салман — лысый, да? Он своих братков кинул за тобой поездить. Наверное, проверял, можно ли с тобой дела иметь.

— А ты-то где жил?

— У нас, Юра, проблем не бывает. Возле бюро обмена и сдачи жилплощади приглядел одну бабульку и за скромные денежки вселился на недельку. С чистым бельем и завтраком. Получше, чем в твоем дерьмовом «Хилтоне», а уж насчет безопасности — так и сравнения нет. Могу поспособствовать... — Он снова хмыкнул. — Или там все же получше?

Гордеев понял намек на Галочку, но не обиделся. Все-таки Денисовы парни — настоящие профи.

— Что тебе еще сказать? — посерьезнел Филя. — Прихватил я с собой фотик твоего киллера — фас и профиль, в шапочке и без, как говорится. Побегал тут, пока время было, адреса-то нам известны. И вот до чего добегался. Был он тут, Юра, причем дважды. Очень мне в этом плане помог один местный служивый, который в гостинице при дверях вахту несет. Эти ж мужики глаз наметанный имеют, куда там шпиёнам всяким, недаром из них «контора» самых лучших топтунов вербует. Короче, представился я ему чин чинарем, крутым этаким парнишей, который другана разыскивает. Фото под нос сунул, вместе с купюрой. И с ходу получил мешок информации, вплоть по адреса фирмы, где наш убивец джип себе брал напрокат...

Гордеев слушал и только диву давался: вот это работа! И главное, времени-то у Фили практически совсем не было. Но когда тот стал рассказывать, как свел знакомство с сексуально озабоченной администраторшей гостиницы, которая сначала разрешила ему покопаться в книге регистрации прибывающих и отбывающих гостей, а потом, в краткие интимные минутки, пожаловалась на свою судьбу, вспомнив красиво начатую и нелепо, трагически завершенную историю с московскими оперативниками, тут Юрий Петрович вообще отпал. Это ж надо — какой кладезь Филя открыл!

— Ну давай смотри, что там тебе наши прислали, — неожиданно оборвал себя Филя. — А я все-таки чего-нибудь кусну.

— А как же завтраки в постель? — засмеялся Юрий.

— Так я ж с утра не из дома, — оправдался Филя. — Неудобно было прерывать женщину, которая уже начала изливать на тебя свою нерастраченную душу и совсем недавние, свежие, еще тяжкие воспоминания. Да и вообще, представляешь картинку? Дама ждет к себе любовника, открывает наконец дверь, а там не он, а его приятель, да еще в луже крови и с горлом — от уха до уха. Я так думаю, что это дело Салмановых братков. Или же кто-то ловко под них сработал. Но месть, как уже видно, настигла одного из мучителей твоего чеченца. Или кто он там...

— Аварец.

— Для окружающих он — злой чечен, которого можно мордовать сколько угодно и как угодно. Так решили... кстати, вот их фамилии. Кравец Николай Петрович, капитан милиции. Это погибший. А второй — тоже капитан, Борис Григорьевич Ветров. Его, видать, сильно полюбила знакомая моя дама и очень огорчилась, что он исчез, даже не попрощавшись и без спасибо. Такие обиды помнятся долго. Ей-богу, еле утешил! Оба капитана — из министерства.

— Я смотрю, ты тут времени не терял! — восхитился Юрий.

— Ага, — заулыбался Филя. — Во всех смыслах. Ну читай...

Собственно, материалов, как таковых, было немного, несколько страничек компьютерной распечатки. Зато факты, приведенные в них, стоили дорогого.

Во-первых, Лидия Михайловна Горбатова и Суслин Максим Леонидович — почти ровесники, разница в два года. Во-вторых, оба они из одного детского дома (указан подмосковный адрес). Далее — у нее МГУ, у него — военное училище связи. Она работала на телевидении, он — в спецотделе Управления оперативно-технических мероприятий Министерства внутренних дел, подполковник.

Прилагалась краткая характеристика Лидии Михайловны с последнего ее московского места работы. Вот что о ней думают ее сослуживцы: характер дерьмовый, сволочной, обожает интриги, любит ссорить людей, нечистоплотна и неразборчива в отношениях с мужчинами. Достаточно на первый раз?

Характеристику на подполковника раздобыть не удалось, но из известного — участие в спецоперациях в Чечне, хладнокровен, дерзок, самоуверен, предпочитает действовать в одиночку, отмечен благодарностями.

Тоже неплохой рисуется портрет.

Но что самое любопытное, Суслин прибыл в Белоярск, точнее, поселился в гостинице за два дня до убийства бывшего губернатора Валерия Петровича Смирнова в его собственном доме, в лифте. Оружие оставлено на полу. На следующий день Суслин покинул Белоярск.

Затем он снова появляется в гостинице за день до убийства Кобзева. Берет напрокат машину джип «паджеро». В тот же вечер убит бывший директор комбината Кобзев. Оружие подброшено в машину покойного. Почерк профи. Своеобразный автограф. Джип оставлен швейцару, а сам Суслин выезжает из гостиницы. Швейцар на следующий день машину отвел в фирму проката. Но есть и еще одна пикантная деталька. В вечер отъезда Суслин хотел взять к себе в номер местную проститутку и даже договорился с сутенером по поводу девочки, однако телефонный звонок по мобильнику словно бы спутал все его планы. Он отказался от проститутки, сдал свой номер и покинул гостиницу.

Швейцар не удержался (живой же все-таки человек, любопытство одолело), поинтересовался, отчего клиент так быстро срывается. Выглянул и увидел напротив, у площади, большой темно-красный джип, куда и сел постоялец.

Именно большой темно-красный джип есть у Лидии Михайловны.

И последнее, что смог сообщить про Суслина Агеев, заключалось в том, что он отыскал-таки свидетеля убийства Кобзева. А было это так.

То, что рассказывали старушки, дежурившие у подъезда, было правдой отчасти. А вот в соседнем подъезде обнаружился дедок, который, оказывается, видел предполагаемого убийцу. Только этого дедка никто не искал и не спрашивал. А стоило бы. Но, видимо, у московских оперативников, проводивших свое дознание, были совершенно иные задачи. Опросили тех бабок, которые подтвердили, что возле машины убитого вроде ошивался некто похожий на кавказца. А дедок-то видел иное. Он только вышел из своего подъезда, с собачкой погулять, видит: к стоящему посреди проезжей части автомобилю — он както по-уродски стоял, все собой перегораживал — идет рослый такой человек. И вдруг фары у джипа вспыхнули и осветили этого мужика. Тот даже рукой заслонился от света. Но дедок успел заметить белые отвороты его пышной такой черной куртки и светлые волосы: закрываясь от света, мужик неловко сдвинул свою шапочку. А потом фары погасли и мужик стал протискиваться мимо машины, с той стороны, где водителю сидеть положено. Но там было неудобно, рядом кусты в снегу. А вот с другой стороны пройти ему было проще, но он там не пошел почему-то. Полез через кусты. Тут и дверца машины открылась, оказывается, хозяин джипа подошел, отворил и полез в салон, за руль, стало быть. Мужик же в черной куртке с белыми отворотами вроде как дверцу-то придержал, потом чего-то там тихо так хлопнуло подряд два раза, — ну вроде как пробки из бутылки вылетели, но тише, а потом дверь машины закрылась, и мужик в черном быстро убежал за угол, под арку и на улицу.

Посмотрев на фотографию Суслина, дедок покачал в раздумье головой и сказал, что, похоже, он это был. Но опять же — темно. Вот если того мужика снова здесь ему показать, он наверняка бы его узнал. А так — похож вроде, но и врать не хочется...

Два хлопка — это понятно, пистолет был с глушителем, и выстрелов было два. Худо-бедно, такая вот информация к размышлению. А в общем-то, получалось так, что Филя за какие-то два дня успел сделать гораздо больше, чем двое оперов из министерства за несколько дней своего пребывания в Белоярске.

Ну и что дальше? Приобщить показания деда? Озвучить факты приездов убийцы-Суслина в Белоярск и его близкого и давнего знакомства с помощницей губернатора? Это все можно, но, к сожалению, захочет ли суд рассматривать эти весьма косвенные свидетельства? Заставить же Лидию говорить правду — нереально. Да и заступники у нее мощные.

Заступники?! Гордеева вдруг озарило. И он даже немного испугался своей наглости. Но идея, в самом деле, стоила того, чтобы с ходу не отбрасывать ее.

Наталья Павловна Толмачева перевалила уже тот рубеж, когда женщина может рассчитывать на какие-то кардинальные изменения в своей жизни. Но она по-прежнему оставалась женщиной яркой и жаждущей гораздо большего, чем наградила ее судьба. Судейская должность в крае заставляла ее быть жесткой и непримиримой к любым доводам, которые не соответствовали ее личному взгляду на то или иное событие. Умение, а главное, желание командовать, постоянно руководить, быть судьей всему происходящему выковали характер поистине железный.

И все же где-то далеко, в глубине души, ей очень хотелось быть женщиной. Которую бы ласкали не за то, что в ее руках власть, а потому что она красивая, нежная и... страстная, хотя об этом боязно даже и думать, а не то что тайно позволять себе, как это делают некоторые другие.

Жизнь старательно ожесточала ее. И этому необратимому процессу способствовало буквально все в этом проклятом городе, где каждый просвечен насквозь. Где сказанное слово — порой абсолютно безобидное — обрастает такой коростой сплетен и ненависти, что за себя страшно становится...

А самой большой неприятностью, которую только могла подбросить ей злая судьба, видать, в наказание за прошлые грехи, была для Натальи помощница Гусаковского — нормального же, в сущности, мужика — Лидка Горбатова. Она была моложе, красивее, как ни пыталась Наталья думать противоположное, удачливее, а по большему счету — наглее ее. То есть более подлой особы Наталья до сих пор не видала. Перешагнуть там через человека — это же ей в радость, в охотку. Словом, называя вещи своими именами, — блядь со всеми сопутствующими отвратительными качествами характера. Уже одно только упоминание имени Горбатовой портило судье настроение на весь божий день.

И вот позвонил ей с утра, причем по домашнему телефону, закрытому для всех в городе, московский адвокат. Она сперва обомлела от такого нахальства. Но он голосом мягким и проникновенным принялся так извиняться, так уговаривать простить его за единственную возможность сказать ей хотя бы два слова, чтобы они не стали достоянием городских сплетников, что у нее как-то и сил не хватило послать его ко всем чертям и еще подальше. Что она обычно и делала без раздумий. А всего и дела-то — разрешить ему подъехать в любое указанное время, в любую удобную ей минутку на предмет важного для него, адвоката, доверительного разговора, о котором не узнает ни одна живая душа.

Он нес эту ахинею, умоляя, упрашивая, а Наталья почему-то не отшивала его, слушала. Не слова слушала, а голос, который их произносил, — мягкий, ласковый, даже убаюкивающий, дьявол его забери! Ну и черт с тобой, решила она, подъезжай в суд, выберу для тебя минутку-другую, есть там подходящее помещение...

Он приехал в указанное ею время. Прошли в пустую комнату для совещания при вынесении приговоров.

— О, пардон, — заметил Гордеев, вынимая из своей папки тщательно упакованный в целлофан букетик первых подснежников, явно прибывших откуда-нибудь с юга. — Боялся, как бы они не замерзли, — улыбаясь, снова извинился он и подкинул ей комплимент. — Обожаю, когда красивая женщина улыбается!

Наталья внимательно посмотрела на него: нет, розыгрышем или какой-нибудь там иной гадостью вроде не пахло. Взяла подснежники, раскрыла целлофан, поднесла к лицу, вдохнула и... почувствовала, как что-то слегка запершило в горле. Уже и забыла, когда ей в последний раз дарили цветы... Дожила...

— Наталья Павловна, я постараюсь уложиться буквально в пять минут, не больше, только очень прошу: выслушайте меня внимательно, а дальше поступайте, как считаете для себя возможным и необходимым. Ни обид, ни возражений с моей стороны не последует, клянусь.

Адвокат искренне прижал руку к сердцу и пронзил ее вдруг таким свирепым и нежным взглядом, что у судьи Толмачевой стало горячо в груди, в животе... Ну, где обычно разливается жар, когда уставшая от бесконечного воздержания женщина вдруг ощущает острый приступ бабьей своей тоски и почти непреодолимого желания! Но она — сильная женщина — лишь глубоко вздохнула и снова, чтобы скрыть душевное смятение, опустила нос в пакетик с пахнущими пьянящей свежестью подснежниками.

Рассказ Гордеева занял гораздо больше времени, чем было обещано. Он верно расставил акценты. Кратко изложил первое дело Минаева, которое благополучно развалилось ввиду того, что собранные доказательства его вины были сфабрикованы, подтасованы и возмутили даже видавших виды руководителей Генеральной прокуратуры.

Затем последовал короткий марш-бросок на комбинат «Сибцветмет», из-за владения которым и развернулась битва. Кратко — об убийстве журналиста и задержании убийцы.

После этого Юрий Петрович совершил столь же короткий экскурс в фактическую сторону убийств, происшедших в последнее время в Белоярске.

Видя возникшее нетерпение в глазах Толмачевой, которой все эти факты были давно известны, и понимая, что интерес ее к дальнейшему мог пойти по убывающей, Юрий сделал эффектный ход. Он назвал то конкретное лицо, которое в наибольшей степени было заинтересовано во всех перечисленных преступлениях. Краткая эффектная пауза и фамилия: Горбатова Лидия Михайловна. И, кстати, киллер, как выяснилось, практически ее названый брат, из одного детдома.

Толмачева была в буквальном смысле ошарашена.

Она откинулась на спинку стула. Даже глаза зажмурила, будто новость ослепила ее.

Теперь должны были последовать ее вопросы и первый из них — зачем? Горбатовой-то зачем это нужно? Нет, тут явно какая-то путаница.

Но путаницы не было. И Юрий Петрович мог позволить себе больше не торопиться. Проведенные в Москве и Белоярске расследования позволяют сделать предварительные выводы... Пока... Улики и доказательства еще следует искать, но уже то, что имеется на сегодняшний день, показывает... и так далее. Но не адвокату же вести это расследование?! Есть следственные органы, которые, к сожалению, большой охоты вести его не испытывают. Может быть, не стоит мучить местных правоохранителей, для которых важнее не закон, а указание губернатора, точнее, его правой руки мадам Горбатовой? От которой, кстати, с большой охотой в свое время избавились на Центральном телевидении? Да и что говорить о женщине с отсутствующими какими бы то ни было моральными устоями?

Праведный гнев адвоката был, конечно, велик, но не так чтоб уж очень. Чтобы судья не смогла лично его заподозрить в корыстном интересе. Словом, он постарался представить ситуацию как полигон, на котором развернулась борьба преступного замысла с государственными интересами, борьба, в которой роль зачинщика, как ни странно, принадлежит женщине, поставившей себя выше любых моральных принципов. Фамилию надо называть снова? Больше не надо?..

Юрий хотел одного: чтобы Толмачева потребовала материалы минаевского дела для ознакомления в связи с протестом, который внесет адвокат арестованного. А затем ей будут предоставлены все имеющиеся на руках доказательства подтасовки и преступной фальсификации фактов. А также прочие доказательства, указывающие на истинных виновников поистине уголовных деяний. В ее силах прекратить этот фарс.

А вот что дальше, что она сама постарается сделать, чтобы примерно отомстить своей подлой сопернице, это уже будет фактом личной биографии судьи Толмачевой.

Кажется, ей пришлось проникнуться горячим возмущением адвоката Гордеева, во всяком случае, поверить в его искренность, а для начала уже и это было немало.

Наталья Павловна обещала подумать и сообщить ему о своем решении. Юрий тут же положил перед ней визитную карточку, где в числе прочих данных был и номер его мобильного телефона.

Все вроде бы закончилось, но судья почему-то тянула время, такое дорогое, по ее же утверждению. Правда, утверждала она это раньше, чем состоялся разговор. Но вот, оказывается, есть у нее еще несколько свободных минут.

Наталья Павловна явно оттягивала момент прощания. Подносила к лицу букетик, что-то поправляла внутри, потом пристальным и строгим взглядом уставилась на Гордеева и спросила:

— А скажите мне, Юрий Петрович, зачем вам потребовалась личная встреча со мной? Можно же было по официальной линии, и уверяю вас...

— Извините, Наталья Павловна, я хотел увидеть вас... честно говорю. Я не верю отзывам, а верю только своим собственным впечатлениям.

— Да? — Похоже, ироническая улыбка скользнула по ее губам. Сочным, между прочим, и достаточно еще ярким, причем вовсе не от помады. Знал толк в этих вещах наблюдательный Гордеев. — Ну и как, увидели?

— Вы хотите узнать результат? — тоже чуть улыбнулся он.

— Было бы занимательно. — Она свела брови, изображая легкое недовольство его дерзостью. — Я все-таки... старше вас, Юрий Петрович, и как-то... — Она явно не находила достойного аргумента, чтобы указать ему его место. Или не очень-то ей на самом-то деле этого хотелось?..

— Ваша честь, — сдержанно и почти торжественно заявил Гордеев, — смею указать вам на вашу роковую ошибку. Женщина изначально уже не может быть старше мужчины, это общеизвестный факт. Не знаю, почему в Белоярске пробуют думать иначе. А во-вторых, я в прошлом следователь, прошел определенную школу у лучших прокуроров, кое-чему научился. И главное, чему все они меня учили, — это думать о людях лучше, чем о них рассказывают. А чтобы думать, надо видеть, а чтобы видеть... сами понимаете, на какие ухищрения наш брат только не идет! Вот такая логическая цепочка. А если по правде, я действительно очень хотел с вами познакомиться: в самом деле, что это за такая распрекрасная женщина, которую боится вся Сибирь? Видите, опять соврали: ничего страшного, а как раз все наоборот. Я искренне рад знакомству с вами. Жаль только, что подобные знакомства чаще всего случаются на служебной почве и грозят противостояниями.

— Вы убедили меня в искренности ваших слов, —

неожиданно сухо сказала Толмачева и поднялась. — Извините, больше у меня действительно нет времени. К сожалению. Буду рада вас еще увидеть... по работе.

Она протянула ему ладонь для рукопожатия, но он аккуратно поцеловал ее и склонил голову.

Толмачева быстро направилась к двери, вышла, не оборачиваясь. Он тоже оставил комнату, где решались судьбы сотен, тысяч людей, размышляя при этом, что женщина-то, кажется, покинула его в смятенных чувствах. И это очень, очень своевременно...

На него обрушился шквал звонков и предложений.

Первой позвонила Лидия. С некоторой обидой напомнила о себе, о его обещании звонить. О том еще, что она уже предлагала ему совместный вечер, а он не только не ответил хотя бы вежливым отказом по телефону, а вообще промолчал. Таким образом, ее искренним чувствам к нему нанесено явное оскорбление.

Слова были суровыми, но голос вибрировал с такой силой, что, не знай Гордеев, с кем беседует, ринулся бы, задрав штаны, за комсомолкой. Как острили в дни его юности. Однако он знал, с кем разговаривает, и принялся невнятно что-то мекать, хекать, откашливаться и мычать невразумительно, ссылаясь на усталость и прочее, чего на самом деле отродясь у него не было.

Но суть этого звонка была не в желании Лидии немедленно затащить его к себе в койку, а в том, что губернатор проявил наконец интерес к приезжему адвокату и выразил согласие встретиться с ним. Недоставало еще маленькой детали, подумал Гордеев, всего нескольких слов: так, мол, и быть, заходи. Спасибо, барин. Но вообще-то мы не очень нуждаемся в твоей милости. Вот ежели Наталья Павловна сказала бы свое категорическое нет — тогда, возможно, пришлось бы толкаться и к губернатору. И то предварительно хорошо обдумав этот свой шаг.

И Юрий кисло согласился на встречу, разрешив

себе даже слегка схамить. Он сказал, что очень сожалеет: почему как губернатор, так обязательно мужик? А вот была бы она, Лидия Михайловна, губернатором, его бы и упрашивать не понадобилось, сам бы примчался, потому что с *таким губернатором* ему уж точно не пришлось бы вести нудных разговоров, поскольку с ней надо не говорить, а действовать — и чем отчаяннее, тем лучше.

Она хохотала и советовала в самом деле не терять зря времени — грешные желания должны удовлетворяться в первую очередь, чтобы в конце осталось несколько минут для замаливания греха. Ведь известно: не согрешишь — в чем каяться-то? Гордеев, ау?

Он посерьезнел, сделав вид, что полностью разделяет ее точку зрения, однако обстоятельства... и снова путаная неясная речь. Она отстала, поняв, что сегодня с ним кашу не сваришь. Но в самом конце вдруг спросила:

— А чего это вы нынче в суде делали? — небрежно так спросила, между прочим.

— Батюшки, да уж вы не за шпиона ли меня считаете? — ужаснулся Юрий и подумал: вот оно, самое-то главное!

— Да не берите в голову! Кто-то вас там видел, вот и сказал. А вы на всякий случай, это я вам по-дружески говорю, будьте поосторожней с нашей судьей. Очень опасная женщина. Злая и непредсказуемая.

— Спасибо, буду иметь в виду. Так что, вы говорите, с губернатором? Я вообще-то планировал завтра провести весь день в изоляторе и в прокуратуре. Может, Андрей Ильич согласится перенести встречу на послезавтра? Опять же пятница, дальше выходные, а? — Юрий закончил многозначительно, как бы намекая на возможное продолжение.

— Надо подумать... — протянула Лидия. И он понял, что затея с губернатором — это ее личная идея, так что Гусаковский вполне может и не знать ничего о готовящейся аудиенции...

Следующий звонок последовал от Гали. Она интересовалась его планами на вечер. Точнее, планами на продолжение их отношений.

Поскольку разговор шел не в гостинице, а на ступеньках ее, Юрий мог говорить с Галочкой свободно. Прилетел товарищ из Москвы, привез важные документы. Он нашел себе своего рода конспиративную квартиру, где они сегодня хотели вместе поработать над документами. Все-таки у Галочки дома это делать опасно, можно примелькаться в глазах соседей.

Она все поняла без дальнейших оправданий. Погрустневшим голосом заметила, что, конечно, была бы рада увидеть и его, и друга, но раз нельзя, значит... что ж, придется ждать.

— А кто это? — спросила в конце, не удержалась.

— Ты с ним знакома, — ответил Юрий. И этим ограничился.

Затем, уже в холле, его догнал звонок Агеева. Но отвечать подробно Юрий не стал, не та обстановка, зато предложил сегодня обязательно встретиться, лучше «у бабушки» — такой вот пароль, — где и обсудить последние новости.

Ни о чем особенно не думая и тем более ни к чему специально не готовясь, но ощущая кожей некое желание что-то сменить, освежиться, Гордеев встал под душ, побрился, брызнул отличным французским одеколоном — не терпким, но в меру приятным, переоделся и отправился пообедать. К сожалению, этот процесс для него должен был протекать в одиночестве. Никого он не мог пригласить с собой — ни товарища, ни подругу, не говоря уже о разного рода хищниках, от которых потом не избавишься.

Но едва он уселся в ресторане, как увидел пробирающегося к нему между столиками Салмана. Тот подошел — впервые сам, вежливо протянул ему руку и спросил, указывая на стул:

— Магу?

— Прошу, — показал рукой Гордеев. — Что выпьете, уважаемый Салман?

— Слушай, пазволь, я буду?

— Спасибо, уважаемый, но за этим столом угощаю я. Коньяк?

— Можна, — кивнул с важным видом Салман.

— Я обдумал вашу просьбу, — сказал Юрий, когда они чокнулись и выпили по рюмке, — кое с кем побеседовал. Обещаю вам, что постараюсь освободить Султана. Но твердо смогу сказать в ближайшие день-два. Тогда назову и сумму своего гонорара, не возражаете, уважаемый?

— Нэт, — твердо заявил Салман.

— И еще просьба: не надо, чтоб ваши ребята за мной катались и меня охраняли. Понимаете, Салман? Я не хочу привлекать к своей особе пристального внимания тех, против кого работаю, — так выходит по логике вещей. А если появится какая опасность, я первый вам скажу. Договорились? Так что вы помолитесь Аллаху, а я с удовольствием поставлю свечку Богу.

— Ты умный человек, — почти без акцента заявил Салман, приложил ладонь к груди, встал и ушел.

Отобедав, Юрий поднялся в номер, чтобы одеться и позвонить потом уже Филиппу, что он выходит, но обратил внимание на стоящий у вешалки на подставке, где обычно размещают свои чемоданы приезжие, ящик, полный бутылок с коньяком. Этого еще не хватало!

А на столе в комнате, мама моя! Огромное блюдо, полное фруктов! Да каких! И чего тут только не было!

Ну, артисты!.. А что, тоже ведь часть уважения. Из гонорара.

В конце концов, на что ему сетовать? На то, что он должен изобразить из себя один из рычагов, с чьей помощью утверждается справедливость? Так ведь оно именно так и есть! Зато Филе наверняка сегодня придется по вкусу и данный напиток, и южная щедрая закусь...

Но идее Гордеева не суждено было дойти до логического конца.

Пока он освобождал от личных вещей свою сумку, чтобы наполнить ее дарами Салмана и его братвы, зазвонил мобильник. Что поделаешь, можно ведь отвечать односложно.

— Слушаю, Гордеев.

— Добрый вечер, Юрий Петрович, это Наталья Павловна, — сухо и сдержанно сказала Толмачева.

— Очень рад слышать вас снова... — Гордеев поймал себя на слове и не назвал ее по имени. — Извините, я в гостинице. Понимаете?

— Отлично понимаю. Я долго думала сегодня, Юрий Петрович, о нашем с вами разговоре... — Возникла пауза, словно она не знала, как продолжить рассказ о своих размышлениях: с момента встречи действительно прошло больше половины дня. Вот так сидела, значит, и думала?

— Да-да, — деловым тоном как бы подтолкнул ее адвокат. — Я чувствую, что, вероятно, многое из важного осталось за бортом, не выяснено до конца. Опять же и время... Вообще-то я мог бы...

Он не сказал, что «мог бы», пусть сама догадывается. Тем более что, кажется, о том же самом размышляла сейчас и она.

— В самом деле? — словно обрадовалась Толмачева. — Может быть, вы сочтете это не совсем удобным для себя... Хорошо, запишите адрес... — Она как-то быстро и неуверенно продиктовала свой адрес и добавила: — Уже поздно, вообще-то говоря, темно, даже не знаю, как вы отыщете, да и стоит ли?..

— Не беспокойтесь, — твердо заверил судью Юрий, — я легко ориентируюсь.

— Ну разве что... — вздохнула она, вложив в свой вздох и растерянность от неожиданно, видно, принятого ею решения, и от сожаления, что оно уже как бы принято и пути назад отрезаны.

«Юра, — сказал себе Гордеев, — открывается замечательная возможность решить одним махом сразу все проблемы. Совершить подвиг. И ты просто обязан кинуться на амбразуру!»

После этого он шустро покидал в сумку бóльшую часть южных даров — Филя не обидится, ему еще немало останется, — сунул пару бутылок коньяку и отправился на подвиг. Позвонив Филе, чтоб сегодня не ждал — у него срочное дело.

В холле встретился глазами с Салманом, улыбнулся ему и прижал благодарно руку к сердцу. Тот ответил важным и достойным кивком. «Экий на меня нынче спрос!» — уже на улице рассмеялся Юрий Петрович, останавливая частника.

Глава семнадцатая

ВЫИГРЫВАЕТ ДОСТОЙНЫЙ

Ему показалось, что она как пришла с работы, так и не раздевалась. В том смысле, что оставалась все в том же строгом темном платье, которое ей, кстати, очень шло. В нем она выглядела явно моложе своих сорока с чем-то там, если не пятидесяти. Во всяком случае, фигура у нее была хоть и полноватая, но подтянутая и совсем не рыхлая. Молодец баба, держит себя в форме.

И большая ее квартира, куда Гордеев проник, словно шпион, со всеми предосторожностями, стараясь не привлекать к себе внимания людей во дворе, консьержки у лифта, даже пешком поднялся на восьмой этаж, чтобы не ждать кабину внизу, ему тоже понравилась. Был в ней и своеобразный уют, и незагроможденность пространства лишней мебелью.

— Вы привезли материалы? — сразу спросила Наталья Павловна, как бы заранее пресекая любые неслужебные поползновения.

— Так точно, ваша честь, — улыбнулся ее суровости Юрий. — Сразу доставать?

— А вы что-то еще собирались делать? — усмехнулась она и подозрительно посмотрела на него.

— Я?! Помилуй бог! О чем может думать мужчина, когда ему звонит женщина и приглашает навестить ее по делу! Конечно, о необходимых документах! — Гордеев поднял с пола свою сумку, раскрыл молнию и сыграл изумление: — Ой, что это? Откуда?

Сумка была полна фруктов, из которых торчали горлышки бутылок.

— Вы, вероятно, еще куда-то собирались сегодня? — уже с откровенным сарказмом заявила Наталья Павловна.

— Да нет же! Вот ведь папка с документами!

Все-таки они молодцы с Филиппом. Не зря сняли копии со всех материалов!

Папка была торжественно вынута из сумки и с той же серьезностью передана в руки верховной белоярской судьи.

А что касается остального содержимого сумки, то Гордеев нахально, не спрашивая разрешения, прошел на кухню, где обе бутылки поставил на холодильник, а фрукты просто высыпал на стол. Бесцеремонно, как у себя дома. На недоуменный взгляд хозяйки пояснил:

— У вас же наверняка нет времени таскаться по базарам. А у меня здесь обнаружились нечаянно старые знакомые, которые, зная и мою вечную занятость, не сочли за труд снабдить меня всей этой красотой.

— Интересно, что ж это за знакомые такие?

— А это, знаете ли, связано, к сожалению, с профессией. Вот вы, к примеру, отправляете людей, куда им следует отправиться. А мы, адвокаты, и я в том числе, помогаем им избегать такой участи. Вы совершаете, конечно, более справедливое дело, а помнят и благодарят почему-то больше нас. Как говорил один мой приятель — великая несправедливость судьбы. А что поделаешь? Вот и встретился один из тех, кого я выручил в свое время. Я его не узнал, а он, оказывается, запомнил. Он мне благодарен, я ему. Так и живем. — Гордеев с грустью посмотрел на хозяйку. — Только учтите, фрукты немытые.

— А это вы зачем привезли? — Она показала на бутылки.

— Подумал, что вдруг вы пожалеете командированного и захотите его чайком угостить.

— Так чаем же, а не...

— А по такому холоду чай очень хорошо коньячком разбавлять. Самую малость. Не пробовали?

«Ну давай же, давай, расслабляйся понемногу! Хватит держать себя в шорах! Ты ведь женщина, а не только судейский работник...» — мысленно уговаривал Толмачеву Гордеев.

— Ладно, оставим пока... Пройдемте в комнату! — Сказано это было таким тоном, будто Гордеева приглашали в камеру пыток. Уж лучше бы сказала тем же тоном: пройдемте в койку! Куда больше пользы делу!

В самой большой комнате, которая, вероятно, называлась здесь гостиной, стоял стол под тяжелой скатертью и вполне современные резные стулья. Наталья Павловна отодвинула один из них, села, жестом пригласила сделать то же самое и Гордеева, после чего раскрыла папку и стала читать собранные материалы.

— У меня, к сожалению, здесь нет показаний подозреваемого в убийстве, как не имеется и актов проведенных экспертиз, следователь Антон Антонович Сериков не разрешил мне делать выписки. Ну, это в конце концов его право. Или прихоть, как хотите...

— Я их видела, — походя заметила Толмачева, быстро, но внимательно, в общем, очень профессионально проглядывая бумаги.

Пока она читала, листала, снова к чему-то возвращалась, Гордеев от нечего делать принялся рассматривать комнату. На стене, над стареньким пианино, висел портрет в деревянной черной рамке. На фотографии был изображен подполковник средних лет с несколько угрюмым взглядом. Видно, был он высокий и очень худой. Щеки втянутые, будто у туберкулезника. Вспомнил историю пропажи мужа Толмачевой. Так вот каким он был, этот несчастный мужик? Не шибко симпатичный.

Заметив его интерес к фотографии, Толмачева сказала:

— Это мой муж... Его нет.

— Я знаю, — тихо ответил Юрий Петрович.

— Да, у нас все абсолютно всем известно. — Она вздохнула.

— Терпеть не могу обсуждать людей, которых не

знаю, но... по-моему, он был угрюмым человеком. Не так? Или ему в чем-то не повезло.

— Вы правы... — сказала она, переворачивая очередную страницу.

В чем конкретно прав — неважно. Главное, совпали взгляды.

Наконец настал момент, когда Наталья Павловна перевернула последнюю страницу, подумала и закрыла папку.

— Здесь много эмоций... — сказала она.

— Да, но это всегда так нравится присяжным.

— Вы так хотите нравиться? — иронично удивилась она.

— Честно? — улыбнулся он. — Я никак не хочу. Моя задача — освободить невиновных. А виноватых искать — это дело следственных органов. Зачем же мне подменять их?

— Но... вот же! — Она положила ладонь на папку. — Целое дело собрали.

— У меня есть друзья, Наталья Павловна. В Москве. Они работают в частном охранно-розыскном агентстве. Называется «Глория». Под патронажем, если так можно выразиться, начальника Московского уголовного розыска генерала Грязнова. Кстати, иной раз услугами этих ребят приходится пользоваться даже Генеральной прокуратуре. К слову, первое освобождение Минаева — это отчасти и их инициатива. Так вот, мои друзья, когда требуется, проводят в интересах защиты моего клиента некоторые разрешенные им законом следственные мероприятия. Чтобы составить полное представление, так сказать...

— Вы оставляете это мне, — сказала Толмачева, поднимаясь. — А теперь что же... Мне и в самом деле неудобно отпускать приезжего человека без чашки чая. Как вы полагаете, ведь это будет просто некрасиво, да?

— Я считаю, — убежденно заявил он, — что это будет вообще, извините за мою невольную горячность, черт знает что!

— Батюшки мои! — красиво всплеснула она руками и прижала ладони к слегка зардевшимся щекам. — Какой темперамент!

— Ах, ваша честь, если б вы только знали!..

— Оставьте вы эти глупости! Мы же не в судебном заседании!

— Слушаюсь, ваша честь, — смиренно склонил голову Гордеев. — Все, больше не буду. Казните, если еще раз посмею. — Он опустил голову еще ниже и почувствовал на своем затылке ее ладонь. Толмачева шутливо потрепала его по волосам и ласково шлепнула по щеке, будто расшалившегося ребенка.

И они отправились на кухню пить чай. Гордеев настоял на том, чтобы в чашки и в самом деле подлить коньячку. Она, смеясь, отгораживалась от него выставленными вперед ладонями, потом все-таки достала крохотные рюмочки. Потом они разрезали душистую дыню, разломили на части пару гранатов — совершенно черных, до того красных, вымыли груши, яблоки, кисти лилового крупного винограда. Мелкие рюмки незаметно, словно сами по себе заменились более вместительными. Наталье Павловне уже не надо было делать вид, будто ее что-то смущает: щеки раскраснелись, глаза засверкали, даже голос стал певучим и глубоким, каким говорят обычно очень страстные в любви женщины. Ну а губы, на которые еще в суде обратил особое внимание Юрий Петрович, — пухлые и яркие, они вдруг в какой-то момент стали такими зовущими и такими беззащитными, что... Словом, Гордеев, как всякий уважающий себя мужчина, не мог немедленно не кинуться со всей присущей ему страстью и отвагой защищать их...

Век бы не уходил...

Но скоро должно было начаться утро. Не рассвет, нет, а именно утро, когда еще темно, а люди уже начинают собираться на работу. Пора было и Гордееву покидать гостеприимный кров. Наталья не разочаровала его, выплеснувшись, что называется, до донышка. Истомилась, поди, истосковалась. Век-то бабий кончается, а что ей осталось? Квартира эта? Автомобиль?

Должность почетная? А зачем все это, если по ночам-то одна-одинешенька?..

Не помнил уже Юрий Петрович, может, она сама и шептала ему все это в горячечном забытьи. Ну выпили, конечно, опять же и обстановка располагала, искра какая-то проскочила вдруг между ними, вмиг отринув условности и неудобства. А может, так на нее подействовал и его рассказ о том, как в самолете он познакомился с Горбатовой и как она его старательно принялась охмурять, да только он убег, не попался в силки. К ней вот, к Наташе, убег, будто носом чуял, где его ждут по-настоящему...

Но как бы там ни было, утро уже вступало в свои права, и шпионская сущность Гордеева указывала ему на то, что уход его должен быть таким же красивым и незаметным, как и появление здесь.

Наталья была в восторге от его предприимчивости. Хохотала, уверяя, что это у нее впервые в жизни — вот так весело. Разработали целый генеральный план. Она спустится к почтовым ящикам за газетой, постарается отвлечь консьержку разговором, а он в это время должен будет тенью проскользнуть мимо, не оставив после себя даже движения воздуха.

И они разыграли этот маленький спектакль в лучших мхатовских традициях, то есть точно как в жизни. Но перед его уходом они долго и затяжно целовались, и Наташа даже постанывала от его объятий, пока сама же и не вырвалась из них...

Мобильник прозвенел, когда он сидел уже в машине — на соседней улице остановил частника, который согласился за приличные бабки доставить его в центральную гостиницу.

— Как ты? — был ее вопрос.

— Еду, — кратко ответил он.

— А я все ждала...

— Чего?

— Когда ты спросишь: как же, мол, с делом Минаева?

— Слушай, ты в себе? Тебе не худо? О чем ты сейчас говоришь?

— Так, все пустяки, — ответила она. — Спасибо тебе.

Как там Пушкин кричал-то, чего-то закончив? «Ай, Пушкин! Ай, сукин сын!»? Так, кажется? Но среди всех сумбурных мыслей, посетивших в машине голову Гордеева, наконец пробилась одна — главная. И была эта мысль строчкой из песни: «Виват, король, виват! Виват, король!..» Почему?

А вот почему, догадался наконец Гордеев. Недаром же сам Александр Борисович Турецкий называл одним из главных своих заветов младшим товарищам — умение использовать все боевые средства, имеющиеся в арсенале. Во благо, не во зло. Потому и подвиг, который ты только собираешься совершить, по правде говоря, иной раз только представляется таковым. А если хорошенько подумать и разобраться? Разве такой уж он и подвиг? Хотя, с другой стороны, опять же...

Вот и сейчас... Привязалась эта чертова строчка насчет короля... Можно ведь без конца повторять — «виват, король, виват!» — но, если ты все же не совершил своего подвига, хотя честно и шел к нему, все эти восклицания так ими и останутся, то есть всего лишь словами. Которые при частом повторении просто теряют всякий смысл. Попробуйте — и убедитесь...

Уголовное дело в отношении Минаева и Бецоева было прекращено. И возбуждено другое — против дознавателей, проводивших расследование и допустивших злоупотребление служебным положением. Но поскольку одного из них уже не было в живых, возбудили дело только против Ветрова Бориса Григорьевича. И опять незадача: он был уволен из правоохранительных органов, оказывается, еще до начала расследования в Белоярске. Так в качестве кого же действовали тут оперативные работники? Вопрос, как в известной эстрадной миниатюре, конечно, интересный... И где теперь искать уволенного опера, было никому не известно.

Следователь Сериков не был обижен настойчивостью Гордеева. Он выслушал указание своего прокурора и произвел необходимые действия. Минаев вышел на свободу и тут же занялся проблемами своего предприятия, будто совсем забыв, что губернаторская гонка в самом разгаре. А может, он уже не хотел идти в губернаторы? Ответа на этот вопрос не знал никто.

А вот Андрей Ильич Гусаковский как-то неожиданно для всех, более-менее разбиравшихся в последних событиях, лишился своей боевой помощницы. Уехала куда-то в командировку, да и пропала из поля зрения. Может, какому-нибудь другому губернатору приглянулась, кто знает...

А на «Сибцветмете» разгорелась самая настоящая война, и сюда, в Белоярск, уже собралась представительная комиссия из Центробанка и правительства. Во главе с заместителем премьера, куратором отрасли. У Галочки совершенно теперь не осталось свободной минуты, да оно и к лучшему, хотя Юрий Петрович вообще-то не чувствовал себя виноватым перед ней.

Зато Салман, кажется, стал даже выше ростом — так загордился. Запросто, безо всякого договора и расписок, он в день выхода Султана сам зашел в номер Гордеева и торжественно положил на стол пухлый пакет.

— Я человек слова, — важно сказал он. — Ты тоже человек слова. Мы — квиты.

И торжественно вышел.

Юрий вскрыл конверт и присвистнул. Напрашивался хитрющий вопрос: облагается ли это все налогами? Интересный вопрос. Как и ответ на него. Тоже хитрющий. Как в старой байке: «Где взял? — Нашел, еле ушел. Если б догнали — еще дали!..»

Во всяком случае, «Глория» честно заработала свой гонорар.

Юрий Петрович распрощался со своими знакомыми. Галочка была грустна, но надеялась вскорости хоть ненадолго посетить Москву. Юрий Петрович сказал, что был бы просто счастлив ее видеть.

Минаев был сух и официален: он и не сомневался в исходе. Просто каждый должен честно и ответственно заниматься своим делом. Ну а с семейством Журавлевых ему еще предстояло разбираться. По некоторым слухам, в этом ему был готов помочь и сам действующий пока губернатор Гусаковский. Так ли это было или нет, точно неизвестно, но слухи ходили.

Оставалось у Юрия Петровича последнее дело, которое он все оттягивал. Наконец решился и поздним вечером, накануне вылета в Москву, набрал номер записанного у него телефона мобильной связи.

Услышал усталый мягкий голос:

— Вас слушают. Кто это?

— Наташ, это я.

— Как, разве ты еще не улетел? — искренне удивилась она.

— Ну как же я мог?

— Странный вопрос — как! — усмехнулась она. — Ты хотел бы еще что-нибудь добавить?

— Хотел бы. А улечу я только завтра.

— Да, — сказала она. — И что?

— Если я скажу тебе спасибо, это будет слишком мало и пресно.

— Так ты и не говори. И еще запомни, Юра: в любом деле всегда побеждает достойный. Это вечный закон. Кто бы ни думал иначе. И для его соблюдения вовсе не обязательно всякий раз закрывать собой амбразуру...

— Да, — улыбнулся он, — когда это слышишь из уст судьи...

— Бог тебе судья, Юра. А мне — куда уж!.. Ну что ж, прощай. Или — до свиданья. Не ровен час, встретимся... поди, и не узнаешь.

— Наташа! — возмущенно воскликнул он.

Но ответом ему были уже короткие гудки.

ОГЛАВЛЕНИЕ

Глава первая. Киллер 5
Глава вторая. Адвокат 24
Глава третья. Журналист 45
Глаза четвертая. Генерал и губернатор 63
Глава пятая. Адвокат 82
Глава шестая. Друзья и враги 102
Глава седьмая. Секретарша 125
Глава восьмая. Адвокат и компания 147
Глава девятая. Генеральный директор 170
Глава десятая. Генералы 193
Глава одиннадцатая. Киллер 213
Глава двенадцатая. Оперы 231
Глава тринадцатая. Оперативная работа 249
Глава четырнадцатая. Адвокат 271
Глава пятнадцатая. Адвокат *(продолжение)* 294
Глава шестнадцатая. Судья 317
Глава семнадцатая. Выигрывает достойный 339

Литературно-художественное издание

Незнанский Фридрих Евсеевич

Лечь на амбразуру

Редактор *В. Вучетич*
Художественный редактор *О. Адаскина*
Компьютерный дизайн: *И. Герцев*
Технический редактор *Н. Сидорова*
Корректор *Е. Новикова*

Общероссийский классификатор продукции
ОК-005-93, том 2; 953000 — книги, брошюры

Гигиеническое заключение
№ 77.99.11.953.П.002870.10.01 от 25.10.2001 г.

ООО «Издательство АСТ»
368560, Республика Дагестан, Каякентский район,
с. Новокаякент, ул. Новая, д. 20
Наши электронные адреса:
WWW.AST.RU
E-mail: astpub@aha.ru

ООО «Агентство «КРПА «Олимп»
Изд. лиц. ЛР № 070190 от 25.10.96.
121151, Москва, а/я 92 E-mail: olimpus@dol.ru

При участии ООО «Харвест».
Лицензия ЛВ № 32 от 10.01.2001.
РБ, 220013, Минск, ул. Кульман,
д. 1, корп. 3, эт. 4, к. 42.

Республиканское унитарное предприятие
«Полиграфический комбинат имени Я. Коласа».
220600, Минск, ул. Красная, 23.

Незнанский Ф.Е.

Н44 Лечь на амбразуру: Роман / Ф.Е. Незнанский. — М.: ООО «Издательство АСТ»: ООО «Агентство «КРПА «Олимп», 2002. — 346, [6] с. — (Господин адвокат).

ISBN 5-17-013240-9 (ООО «Издательство АСТ»)
ISBN 5-7390-1153-1 (ООО «Агентство «КРПА «Олимп»)

Новое дело «господина адвоката» — не просто сложное, не просто запутанное. Это — дело, в котором буквально «не собрать концов». Потому что там, где речь идет об ОЧЕНЬ больших деньгах, истину найти не просто сложно, но почти НЕВОЗМОЖНО.

Как почти невозможно доказать невиновность вышедшего «из низов» магната, явно связанного с целой цепью загадочных преступлений.

НА СТОРОНЕ «господина адвоката» — только уверенность в правоте подзащитного. ПРОТИВ — все остальное…

УДК 821.161.1-312.4
ББК 84 (2Рос=Рус)6-44